MARSEILLE

dirigé par
JEAN-CLAUDE BAILLON

AUTREMENT REVUE : 4, RUE D'ENGHIEN, 75010 PARIS.
TÉL. : (1) 47.70.12.50.

Directeur-rédacteur en chef : Henry Dougier. *Rédaction :* Nicole Czechowski. Maurice Lemoine. Brigitte Ouvry-Vial. *Fabrication/Secrétariat de rédaction :* Bernadette Mercier, assistée de Pascale Bouchié. *Maquette :* Anne Panaget. *Conception de couverture :* Harry Peccinotti.

Secrétaire général : Jean-Pierre Cerutti. *Gestion et administration :* Anne Allasseur. Agnès André. Hassina Mérabet. Jean-François Platet.

Service de presse : Karine Mallet-Belmont.

*UN OUVRAGE SUR MARSEILLE NE PEUT OUBLIER
LA PRÉSENCE ET LA MÉMOIRE DE GASTON DEFFERRE,
MAIRE DE LA VILLE DE 1953 À 1986.*

© JACQUES ESPARBIÉ

« ... L'idée du socialisme m'a occupé très tôt. Je devais avoir vingt ans. Cette idée a dominé toute ma vie. Après Léon Blum c'est François Mitterrand qui m'a semblé l'homme politique français incarnant le mieux l'idée que je me faisais du socialisme. Je me suis associé à son combat. Rien ni personne ne pourrait me faire renier cette alliance ou m'écarter si peu que ce soit de notre voie commune. Telle est l'origine du pacte qui nous lie. Notre amitié a fait le reste... Est-ce si rare que cela ? Je suis protestant, il est vrai. Bon. Mais cela n'explique pas tout. Je n'ai jamais pu concevoir l'action politique hors de ces sentiments profonds qui lient un homme à un autre homme, hors du respect de l'autre et de la fidélité à une amitié. C'est cela qui donne son prix à la vie politique. Que l'on puisse confondre un certain pragmatisme, parfois nécessaire, avec la pratique du reniement, du double jeu ou de la trahison ne peut amener qu'à déshonorer notre métier et ceux qui le pratiquent, qu'à faire perdre à la jeunesse tout respect, tout intérêt pour la politique et pour le socialisme en particulier. Ceux qui ne tiendront pas compte de cette quête de droiture, caractéristique d'une jeunesse beaucoup plus exigeante en cette matière que nous l'avons été nous-mêmes, ceux-là prendront de lourdes responsabilités aux yeux de l'Histoire et mettront en péril l'avenir du socialisme en France. Les jeunes s'en détourneront, ils ne voteront plus et ce n'est pas moi qui leur donnerai tort... »
Gaston Defferre, réponse à un journaliste israélien, 1979.

2

SOMMAIRE

AU FAIT, LA MER, ELLE NE VOUS GÊNE PAS ?

PAR JEAN-CLAUDE BAILLON
Journaliste, écrivain

« *Marseille en a assez d'être Marseille...* » *La bouillabaisse et le pastis, magouilles et truands, la Bonne Mère et le racisme, ça va comme ça ! Les Marseillais supportent mal qu'on galège la saveur forte de leur ville.* « *Té c'est facile, à Paris y croient tous qu'il y a à Marseille que des bras cassés et des jobastres...* » *Marseille accuse le coup des difficultés économiques, sociales, ethniques, politiques qui s'accumulent depuis près de vingt ans. Elle se passerait volontiers qu'on joue avec des clichés qui mis bout à bout lui taillent une sale réputation.*

C'est vrai qu'entre Marseille et le reste du pays on ne compte plus les malentendus. Il faut avouer que la ville ne fait rien comme tout le monde. Au siècle dernier, bourgeois et prolétaires mettent ici en scène un quasi-soulèvement libéral alors même que le pays se replie sur lui-même dans un protectionnisme frileux. Puis elle penche à gauche quand la France passe à droite pour finalement jouer avec le noir quand le pays vire au rose. A n'y plus rien comprendre ! De fait pour comprendre un tant soit peu Marseille, il faut la voir sous un autre angle. Surtout ne pas la regarder de haut comme nous y invite la géographie administrative mais du sud, de la mer. La disproportion est flagrante entre l'ouverture sur la mer et le mince filet d'eau qui suspend Marseille au reste du pays ; métropole méditerranéenne et simple « bouche » du Rhône.

L'anecdote est contée par un Marseillais de fraîche date, « descendu » de Paris. Une mutation le conduit un jour à habiter Marseille. Il se met en quête d'un appartement. Après avoir longtemps désespéré des taudis qu'on lui propose, il tombe sur l'oiseau rare : un cabanon amélioré donnant de plain-pied sur la mer. Un bijou ! Les vagues lèchent sensuellement les contreforts de la terrasse. L'affaire est conclue dans l'heure. Chaque soir il rentre et s'installe face au bleu qui lui chuchote des légendes. Un mois plus tard le propriétaire passe pour encaisser le loyer. Il paraît vaguement gêné et s'attarde un instant sur la terrasse, paraissant hésiter à poser La question. D'un coup, il lance : « Au fait, la mer, elle ne vous gêne pas ? C'est bruyant pas vrai ? Humide aussi ! »

La mer ; c'est la chance et le malheur de Marseille. C'est un étranger venu de la mer qui a fondé la cité phocéenne et c'est à sa situation géographique qu'elle doit sa première prospérité. Mais à l'apogée du négoce, elle s'est trop fiée à l'apparente prodigalité méditerranéenne. Biens et travailleurs bon marché semblaient alors inépuisables. Vinrent les temps de crise. Sa capacité d'absorption s'atrophia alors même qu'elle faisait figure de capitale pour les gens du Sud. Le flux ne tarit pas et les derniers arrivés eurent tendance à stagner.

À l'âge d'or, l'inflation des hommes était peu de choses au vu de la croissance de sa capacité marchande. Italiens, Grecs, Espagnols, Arméniens, Corses vinrent y tenter leur chance. Marseille était sous perfusion, dopée par une injection régulière d'adolescence. Sa population crût bien plus par apport extérieur que par une dynamique interne. Prévoir, organiser, planifier une telle poussée migratoire ; les élites marseillaises longtemps n'ont pas su ou pas voulu le faire. Ce sont les migrants eux-mêmes qui ont pris en charge l'organisation de leur vie. Il ne faut pas oublier que ce qu'on déplore aujourd'hui comme s'apparentant à des combines est né d'un réflexe de solidarité entre des hommes simples brutalement immergés dans la précarité. Clans ? Bien sûr ! Passe-droits ? A qui demander le nécessaire sinon à un proche ! Clientélisme ? A qui se fier sinon à un homme qui est de votre sang ! Intuitivement des générations entières ont inventé des réseaux aptes à remplir une fonction de survie, de mémoire, de culture et de joie. La politique à Marseille est une émanation de ce patchwork de micro-sociétés. La politique a longtemps été horizontale, fédérant un peu, « modélisant » ces formes spontanées, organisant la déférence des uns vis-à-vis des autres. Est venu le moment où ces mêmes migrants ont craint à leur tour le trop plein de sang qui irriguait Marseille. On a parfois envie de vieillir entre soi, de prendre le temps d'étrenner ses habits neufs. Partout ailleurs les enfants se plient — au moins un temps — à un cérémonial révérencieux vis-à-vis de leurs aînés.

*Ici une nouvelle vague de migrants, ignorant tout du tact patiem-
ment élaboré, venait tout submerger. L'histoire de Marseille
depuis un siècle c'est l'histoire même de cette sédimentation. Tout
ne s'est pas fait sans mal. Les rues résonnent encore de compti-
nes idiotes (« Arméniens têtes de chiens... ») ou de fables sur les
« Babis ».*

*A*ujourd'hui encore c'est
*l'ouverture de Marseille sur le sud qui est au cœur du débat poli-
tique. Après les Italiens, les Espagnols, les Grecs, les Arméniens,
sont venus les Maghrébins. Les vieux démons de la xénophobie
et du racisme resurgissent dans un étonnant mot-pour-mot des
fantasmes de naguère. « Ils se croient tout permis » ; « Ils nous
ont pris le centre ville ». Mœurs étranges et insécurité.*

*M*ais le problème de l'intégra-
*tion dans le respect de sa culture de cette dernière vague migrante
n'est en vérité que l'un des grands problèmes que rencontre
aujourd'hui Marseille. A la source de bon nombre des maux de
la cité phocéenne est la grave crise économique qu'elle traverse
depuis plus de vingt ans. Excellents négociants, les bourgeois marseillais ont été de piètres capitalistes. Certes ils ont longtemps su
générer des industries de transformation dans leur arrière-pays.
Mais ce développement industriel s'est vite avéré trop lié aux activités de transit. Le bouleversement des échanges a fragilisé et en
partie ruiné les fleurons de l'industrie locale. C'est sur cette crise-
là qu'est venu buter le dernier courant migratoire. C'est dire qu'un
discours xénophobe est dans ces conditions non seulement con-
damnable d'un point de vue moral, mais surtout parfaitement
décalé quant aux véritables problèmes de Marseille. La ville
aujourd'hui doit prioritairement s'arcbouter sur de nouvelles activités économiques qu'il lui faut susciter de toutes pièces. Elle doit
pouvoir bénéficier à plein de son ouverture sur la Méditerranée
pour trouver son second souffle. Attirer à Marseille les cadres dont
la ville a besoin est directement fonction de la capacité de la ville
à créer un environnement urbain, humain, culturel, attrayant qu'il
lui faut susciter...*

*A*vec Gaston Defferre a disparu
*une cohésion politique fortement charpentée par les réseaux
d'entraide, d'influence voire les clientèles. Pour être pittoresque
le système n'en était pas moins efficace. Aujourd'hui Marseille,
avec les soubresauts qu'on sait, cherche une nouvelle assise pour
un pouvoir municipal, un socle suffisamment solide pour mettre*

les grands projets qui l'habitent à l'abri des aléas d'une vie politique instable et cahotique.

Dans ce numéro nous nous sommes attachés à montrer Marseille comme en coupe. La force et la faiblesse que la ville tire de sa situation géographique, la sédimentation des générations de migrants dont elle a tiré les éléments de sa prospérité et sur laquelle aujourd'hui elle bute, les démêlés qu'elle a avec son histoire et son image, comme ses chances de succès. Marseille se transforme, beaucoup plus qu'il n'y paraît vu de loin. Quel sera son choix entre sa vitalité et ses pesanteurs, entre ses rêves et ses fantasmes ? Au-delà des soubresauts de la vie politique locale c'est à quelques-uns de ces problèmes de fond qu'elle se devra de répondre dans les temps à venir.

1

MAL
DE MER

Marseille a joué les enfants prodigues quand la mer pourvoyait à tout. Largement ouverte sur le sud, plaque tournante du commerce colonial, la ville n'a secrété qu'un mince tissu industriel, très dépendant du trafic de marchandises. La décolonisation, les nouvelles routes commerciales, le choc pétrolier, l'échec du complexe sidérurgique de Fos ont été autant de coups de boutoir qui ont déstabilisé l'économie de la cité phocéenne. Un moment groggy, ne sachant plus très bien à quel dessein se vouer, Marseille semble aujourd'hui en passe de retrouver l'assise d'un futur développement.

Constats et perspectives...

« ELLE »

CENT ONZE QUARTIERS DONT BEAUCOUP SONT PERÇUS PAR LES HABITANTS COMME DES VILLAGES.

Je lui connais des amants heureux. Les uns parce qu'ils ont trouvé là un refuge loin des lieux terribles de leur naissance, d'autres car il se sont bâti une vie marseillaise, avec un pied sur terre et l'autre sur la mer. D'autres encore ont maison de ville et maison de campagne. D'aucuns ne sortent jamais de leur quartier, y sont nés et vivent paisibles. Ces modes de vivre traversent la ville, créant une multiplicité « d'habiter » à ce lieu unique.

Mais si Marseille est unique dans le discours commun souvent amusé ou péjoratif, la vie de la ville est plurielle. Car celle-ci est immense, avec ses 35 km de rivage, 24 km d'ouverture de la rade, une surface presque égale à Paris. Des quartiers entiers ne voient pas la mer, d'autres la devinent dans le lointain, certains ont les pieds dans l'eau. Comment comparer la vie à Malmousque et à Notre-Dame-limite, à la Pointe rouge et à Château-Gombert ? C'est cela qu'il faut savoir de la ville, avec ses 111 quartiers dont beaucoup sont perçus par les habitants comme des villages.

Chaque quartier est un moment d'histoire ; là battait le cœur grec (le Panier d'aujourd'hui avec ses escaliers qui affrontent la colline), là s'érige la ville de Colbert (ses forts et l'arrivée de la France) ; puis la ville haussmanienne passa sur ce tissu ancien, l'élargit au sud et à l'est par de belles allées rectilignes parfois encore plantées de platanes. Vers le sud toujours, les beaux quartiers de l'après-guerre, ceux qui voisinent avec les plages ; puis vers l'est la vallée industrielle de l'Huveaune encore dense en bastides et au nord les immenses quartiers populaires modernes ; là, la vie est difficile, pour beaucoup, car il n'y a ni ordre ni repère ; enfin on redescend vers la mer, celle qui fut faite port à la fin du XIX⁰ siècle. Monde d'entrepôts et de camions, de hautes grilles par où se cache le trafic aux passants. Si on suit le port après les bassins de radoub où de grands bateaux sont en réparation, taches souvent multicolores, on découvre l'Estaque, haut lieu des peintres du début de ce siècle, avec ses cafés ombragés et ses petites rues, aujourd'hui tristement séparés de la mer par une voie rapide sans âme.

En vérité pour l'aimer au premier abord il faut découvrir Marseille de la mer. Quand l'œil embrasse le cirque blanc des collines qui enserre la ville au bord de l'eau, quand aux deux extrémités de la rade les rochers frappés par la mer soulèvent le liseré blanc de l'écume. Lorsque le bateau s'approche, laissant à babord pomègues et ratonneaux, les îles du Frioul et l'hôpital Caroline, enfin le château d'If, la plaine de l'Huveaune avec ses plages et ses hauts immeubles modernes est déjà dépassée ; apparaissent alors, accrochés, comme suspendus au-dessus de l'eau, Malmousque et le Roucasblanc dominés par Notre-Dame-de-la-Garde, vigie des marins. Puis, s'offre l'entrée du port surplombée au sud par le Palais du Pharo, et file vers l'ouest la grande jetée du large qui tire vers l'Estaque.

Elle est là, Marseille, offerte dans sa multiplicité, dans la vision qu'en eurent ses fondateurs grecs et les millions de marins, de voyageurs, de réfugiés ou d'immigrants qui y débarquèrent ensuite.

Le spectacle de cette baie, les secrets des calanques, le ciel balayé par le mistral et l'eau bleue ou blanche selon le vent, tel est le cœur par où Marseille bat. Ici vit la ville de ceux qui ont un bateau, une barque, ici règne la mémoire, le monument qui incarne la cité mieux que les œuvres de l'homme. Cependant, jusqu'au milieu de ce siècle, une autre face de Marseille avait ses amours et ses amoureux : les villages du haut de la plaine, posés loin de la ville d'alors au milieu d'un terroir de maraîchers, de vaches, de prés, de bastides, liés à la ville par le tramway dans de longues rues pavées si dangereuses aux cyclistes.

Cette grande ceinture rurale fut des siècles durant une part vitale de la vie marseillaise, le lieu du repli des élites en période chaude, le lieu des jardins et des hauts murs de pierre qui sinuent le long des traverses jusqu'au flanc des collines dénudées. Les Caillols, Château Gombert, les Olives, La Treille, Montolivet... résonnent aux oreilles des Marseillais de souche comme autant de souvenirs champêtres. Et combien de lieux y restent encore aujourd'hui comme insolites au détour de la ville moderne ! Là est le Marseille rural, qui fait pendant à l'autre, le Marseille marin. Toujours ils ont eu partie liée ; et combien d'enrichis du négoce maritime ont englouti leur fortune dans cette terre-ci ? Combien aussi de petits Marseillais ont-ils trouvé le bon-

heur de vivre par le cabanon ou les parties de pêche ? Car ne nous y trompons pas, la ségrégation sociale, longtemps, passa peu par l'accès à la mer ou à la campagne. Qui l'a mieux montré que Marcel Pagnol ?

AVEC LE TEMPS

Les vagues migrantes se coulaient à la marge de ces deux mondes, tirant lentement la vieille ville vers les collines. En particulier au nord, au-dessus du port moderne, vers la nationale 8, ancienne route d'Aix et de Paris. Les « babis »[1] surtout, appelés par l'industrie de l'entre-deux-guerres s'accrochèrent à Saint-Louis et à Saint-Henri ; à Mempemti aussi qui tire vers Aubagne. Ce monde ouvrier, vieux bastion communiste, est chanté avec tendresse par René Allio. Ceux-là avaient découvert la ville de la mer où, du haut de la Viste qui, comme son nom le dit, nous offre la ville d'un seul coup d'œil, ou encore de la gare Saint-Charles qui domine la ville. Là l'arrivant, du haut d'un escalier grandiose bâti dans les années 20 à la gloire des colonies, ne peut que se sentir Rastignac. La ville est à ses pieds, offerte. Simone de Beauvoir dans ses *Mémoires d'une jeune fille rangée* l'a si bien senti.

Puis vint l'aviation et la décolonisation. L'ordre du spectacle en fut ébranlé. De l'aéroport au cœur de Marseille, une autoroute vous offre une ville d'entrepôts et d'usines, de HLM et de quartiers dégradés, où trente ans durant les bastides ont succombé une à une à de grands projets de construction, cernant soudain les vieux villages de hautes tours : les ruelles s'y transformèrent en torrents automobiles tournicotant sur un cadastre millénaire.

Alors, peu à peu, la cité cessa d'être unifiée dans le regard de ses habitants. Les vieux Marseillais, les anciens migrants ou les propriétaires de bateaux gardèrent en mémoire la ville offerte, les nouveaux arrivants pensèrent en terme d'embouteillage et d'accidents sur l'autoroute nord. Les uns savaient l'ordre simple des collines, de l'eau et de la plaine, les autres pensaient en terme de dédale. Les uns voyaient toujours la ville avec le mouvement des vagues, pensant calanques et caboulots de l'Estaque ; leur cité n'étant que la partie sèche de cette ville de l'eau. Mais d'autres, surtout dans les immenses quartiers nord, ignoraient ce monde d'en-bas, ce monde d'avant. Et ne les avait-on pas envoyés là-haut, en particulier dans l'immense ZUP n° 1 car « on » n'y allait jamais ?

Certes depuis que le vieux port n'est plus le cœur de Marseille — depuis plus d'un siècle donc — la Canebière, peu à peu, est devenue frontière entre la ville populaire du nord et la ville aisée du sud. Voilà la vraie coupure de la ville plurielle d'aujourd'hui que ni le réel, ni le rêve n'arrivent à unifier ; les uns se sentent rejetés, les autres craignent d'être envahis.

Sans doute ne faut-il pas trop mythifier cette ville qui attire la passion plus que la logique. Mais pour l'écouter, elle et ceux qui en parlent, connaître la polysémie des lieux et des arts de vivre est essentiel. D'autant que sur le multiple des lieux de cette cité-enclave a crû le multiple des hommes et des communautés. Quel peuple n'a ici ses représentants ?

DES MOTS COMME DES MIROIRS

Cependant, si la barque et le jardin ont toujours été les emblèmes du Marseillais heureux,

cette face intime est rarement perçue par ceux qui passent ; or Marseille, ville du transit, appartient d'abord au discours du passant. Ce depuis 2 600 ans.

Alors comme toutes les grandes portes du monde, la ville fut chantée, aimée, décriée par ceux pour qui elle fut d'abord l'étape. Des premiers Grecs à Blaise Cendrars, des migrants partant pour l'Algérie aux rapatriés, le regard sur la ville est celui d'un passage ; quai, bar, hôtel, gare, pute... en sont les étapes. Et l'image de la ville se réduit, sous la force de cette parole multiple, à un territoire de rupture de charge.

« Elle » doit alors se penser dans les mots des autres, se mirer dans leurs images. L'art de vivre local y est comme absent. Et quand le cours de l'histoire se fait autre et que cesse le mouvement, la ville vivante demeure prisonnière des mots arrêtés. Là est l'aventure du Marseille moderne. Si la ville réapparaît depuis quelques années dans des textes de Michel Tournier ou de G. J. M. Le Clezio, n'est-elle pas d'abord celle des migrants du sud en route vers la France ?

Paroles encore partielles où l'habiter ne se reconnaît pas totalement. Enfin, comme Paris, Marseille fut de tous temps une ville de migrants. Or quoi de plus traditionnel qu'un migrant ? Il apprend le lieu en observant l'être-là, le copie pour tenter de se fondre à la masse et innove à la marge des archétypes. Ne dit-on pas d'ailleurs des provonciaux montés à Paris que ce sont les plus parisiens ? Marseille a vécu et vit encore la même aventure.

1. Babis : surnom péjoratif donné aux immigrants italiens.

JEAN VIARD

Sociologue

PHILIPPE LANGEVIN

ENTRE GYPTIS

ET PROTIS

FONDÉE PAR UN ÉTRANGER VENU DE LA MER, MARSEILLE, DEPUIS TOUJOURS SE CHERCHE DES POINTS D'ANCRAGE.

La plus ancienne ville de France naquit d'une histoire d'amour entre un marin grec venu de Phocée, Gyptis, et la fille d'un roi autochtone, Protis, quelque part sur les rives du vieux port en 600 avant Jésus-Christ. Depuis le premier jour Marseille a deux vocations, quelquefois complémentaires, souvent contradictoires : entre l'ouverture sur la mer, l'étranger, l'Orient et le continental, l'enraciné, le pays, la région. Louis Pierrein le souligne. « La mer, le continent : deux directions dans l'évolution historique de Marseille. Alternatives sinon contradictoires. Marseille maritime, Marseille grecque, centre de la grande thalassocratie en Méditerranée nord occidentale et Marseille de Phythéas et d'Euthymènes ; Marseille romaine, dès lors sous la dominance des grandes voies continentales transversales ; Arles, capitale. Et Marseille réduite au rôle de capitale culturelle, l'"Athènes des Gaules''. »

A chaque fois, c'est une des faces de l'alternative. Mais le destin de Marseille n'est-il pas dans le mariage de Gyptis et de Protis ? S'accomplir pleinement dans son horizon maritime et dans son horizon continental ?

Il y a à Marseille des permanences qui défient l'histoire. L'image, tout d'abord, systématiquement négative qui, des Romains à l'enquête démoscopie de 1986 s'attache à présenter Marseille comme une « ville malade, en crise, en déclin, à risque : mauvaise qualité de l'environnement de vie, caractère illusoire de la promesse constituée par la taille de la métropole, déclin économique sur le plan international, médiocrité générale des ressources humaines, attitude négative des responsables locaux de l'accueil et du développement » : rien que ça. En 1763, Madame de Sévigné écrivait qu'à Marseille l'air en gros y est un peu scélérat. Curieusement cette image est portée par les Marseillais eux-mêmes qui ne quitteraient leur ville pour rien au monde. Et notamment par ceux qui, comme on dit, ont réussi en affaires. Marseille serait-elle en décadence permanente ?

Autre permanence : une sorte d'hypothèque qui pèse sur l'accomplissement marseillais et l'empêche d'aller au bout de ses réalisations. Le système économique se caractérise par le traitement de produits lourds et la production de biens semi-finis qui sont ensuite exportés vers d'autres régions. La référence périodique à l'axe Rhône-Rhin fait partie aujourd'hui des idées trop ressassées pour qu'il soit maintenant possible d'y croire. En son temps le percement du tunnel du Rove, la voie ferrée sous la Nerthe puis les infrastructures auto routières ont engagé un désenclavement perpétuellement recherché. En 1988, l'autoroute du littoral n'en finit plus de finir.

Une permanence démographique enfin qui fait que cette ville la plus cosmopolite de France a tranquillement engagé son développement sur l'importation régulière de population étrangère et bon marché. Il y avait à Marseille en 1936 20 % de population étrangère. Après les Italiens et les Espagnols vinrent les Maghrébins. De tout temps Marseille a utilisé des populations immigrées pour ses industries traditionnelles, son port, le bâtiment et les travaux publics. Une clientèle de passage a longuement développé le système négociant et commercial, spécialité de certains quartiers au chiffre d'affaire impressionnant.

Ce n'est pas que cette ville soit spécialement accueillante ! Les Marseillais n'ouvrent pas facilement leur porte. Ici les rumeurs circulent vite et les événements grossissent à vue d'œil. Et depuis sa création par un étranger venu de la mer, Marseille est la ville de tous les peuples et de tous les refus.

L'ÉCONOMIE
DU NÉGOCE

Jusqu'aux années 1960 Marseille est d'abord un port, seulement un port. La ville qui a fondé son développement sur le négoce et le commerce maritime vit au rythme de son port et de sa capacité à commercer aussi bien avec les pays méditerranéens qu'avec les Antilles et les États-Unis. T. Fellmann le souligne : « séparée de l'espace national par son chemin de collines, véritable barrière naturelle et psychique, la citée phocéenne n'a d'enjeux que pour la mer et n'est que très faiblement soumise aux influences venues du Nord ». C'est la grande époque du commerce avec les échelles du levant, l'orient des Provençaux comme une magnifique exposition le rappelait récemment.

Après les difficultés de la Révolution et de l'Empire les négociants marseillais vont devenir industriels. Généralement pour fabriquer, à partir de matières premières importées, des produits finis à faible valeur ajoutée immédiatement exportés dans tous les pays de la Méditerranée. Huileries, savonneries, métallurgies, industries agro-alimentaires vont façonner l'économie portuaire.

L'époque des « rêves Saint-Simoniens » peut donner à Marseille les cartes d'un brillant avenir : extension du port, percement du canal de Suez, grandes compagnies maritimes où les familles marseillaises modèlent l'image de la cité. La ville devient un immense dock avec quelques industries de transformation.

La fin du XIXe siècle marque l'apogée du port de Marseille qui construit son devenir en accentuant son industrialisation et en bénéficiant d'un système colonial indissociable de l'économie locale. La fabrication de tuiles et de briques va se développer d'autant mieux qu'il s'agit d'un fret lourd intéressant pour les armateurs. La chimie se construit à partir de l'extraction du sel, la métallurgie est très dépendante de la réparation et de la construction navale. Louis Pierrein souligne la fonction industrielle du port : « une catégorie des marchandises ne vient au port que pour être traitée industriellement dans ses environnements immédiats. Au regard de cette catégorie de marchandises, le port remplit une fonction industrielle. Il n'est plus seulement le point de jonction des transports par mer et des transports par terre. Il est aussi un point de la transformation industrielle. »

Mais comme le souligne Bernard Morel, il s'agit d'industries sans industrialisation. Le capitalisme industriel est soumis au capitalisme financier et commercial. L'industrie est une retombée du commerce. Aussi bien pour les oléagineux que pour le sucre, les employeurs marseillais ne se soucient pas d'industrialisation. Ils savent qu'ils pourront toujours compter sur une main-d'œuvre abondante et peu exigeante. Le problème de l'entreprise n'est pas de compléter quelque filière de production ou d'investir. C'est davantage de vendre que de produire. Les exemples souvent étudiés des activités traditionnelles témoignent de ces comportements qui n'ont que peu de rapport avec le célèbre entrepreneur Schumpeterien. Les profits alimentent davantage le marché financier que les investissements productifs.

La crise de 1929 contribuera à replier Marseille autour de l'empire colonial et à isoler la ville tout autant de sa région que des grandes capitales françaises. L'Étang de Berre devient le principal foyer industriel des Bouches-du-Rhône à partir des constructions aéronautiques (le site de Marignane est choisi pour la construction des hydravions) et les industries pétrochimiques vont progressivement composer le paysage provençal. Le port de Marseille cache ses faibles potentialités par l'illusion d'un trafic pétrolier croissant qui ne bénéficie que très indirectement à la ville.

De 1945 à 1960, le système économique marseillais reste à dominante négociante, utilisant une main-d'œuvre importée et davantage motivée par la rente que par le profit. En fait, c'est une économie duale. La dynamique externe est alimentée d'une part par le trafic maritime et d'autre part par la croissance démographique liée à l'immigration. L'activité liée au port n'a que peu de relations avec l'économie locale qui se limite à répondre aux besoins d'une croissance démographique exceptionnelle et s'installe dans une économie de services qui n'ont rien de supérieurs.

CRISES

*L*es années 1960 sont celles de l'effondrement marqué par des événements lourds d'implication pour l'économie marseillaise. La fin de l'histoire coloniale de la France et l'indépendance de l'Algérie seront un temps occultées par l'arrivée de Pieds noirs. Et la ville se trouve coupée de ses débouchés naturels. La fermeture du canal de Suez en 1967 est la rupture du cordon ombilical avec le Levant. La constitution du marché commun va transformer la position centrale par rapport à l'empire colonial en situation périphérique par rapport aux grands ensembles industriels de l'Europe du nord. Coupée de ses prolongements coloniaux, séparée de ses centres administratifs, marginalisée par rapport aux grands centres économiques internationaux, Marseille connaît la plus grande crise de son histoire : ce ne sera pas la dernière. Les nouvelles conditions de transports et de l'extraordinaire développement de l'aviation vont limiter les trafics de voyageurs à quelques destinations rapprochées. Le temps des paquebots est révolu.

La fin des industries traditionnelles se traduit par la disparition de la quasi totalité du secteur des corps gras, incapable d'assumer sa mutation technologique. Les entreprises agro-alimentaires disparaissent aussi les unes après les autres, absorbées dans les grandes manœuvres de la concentration multinationale. La déconfiture du groupe Terrin marque la fin d'une époque pour la réparation navale. Elle ne sera pas pour autant au bout de ses peines.

C'est dans cette conjoncture que Fos peut apparaître un temps comme le salut d'un espace en déclin. Mais cette opération nationale, étrangère à l'espace marseillais, sans rapport avec l'économie locale, privée de ses deuxièmes tranches pour cause de conjoncture internationale, laisse le goût amer d'une illusion perdue.

Depuis 1975 cette ville semble s'installer dans la crise durable d'un système où la rationalité n'est plus la vertu principale. Et si l'image de la ville ne laisse pas percevoir un déclin irrémédiable c'est que les Marseillais, comme on dit, se débrouillent. « Port d'angoisse ou quai d'avenir » titrait récemment la presse. Aucune réponse ne va de soi.

Marseille se tourne alors vers Gyptis et joue sa carte de métropole régionale. La mise en place des régions va confirmer sa capacité à étendre son influence sur quatre millions d'habitants. Et de 1972 à 1986, elle va permettre à la Provence tout entière de montrer, souvent avant la lettre, ce que décentralisation veut dire. Mais cette ambition, peut-être trop tardive et volontiers contestée par Nice la superbe, ne pourra à elle seule transformer la cité en capitale du Sud.

Démographiquement, la perte de population s'accentue. La ville a perdu 40 000 habitants de 1975 à 1982 et à peu près autant depuis cette date, aujourd'hui elle plafonne à 850 000 habitants. L'agglomération pour sa part a vu sa population légèrement augmenter de 1975 à 1982 (+ 1,2 %).

Les Marseillais ont quitté leur ville pour s'installer dans la proche périphérie : Aubagne, Aix-en-Provence ou l'Étang de Berre n'ont pas accueilli que les habitants en quête de conditions de vie plus convenables. Le potentiel économique marseillais a lui aussi été « pompé » par sa périphérie.

Depuis 1982 la crise se généralise : l'agglomération elle-même passe de 1 110 511 à 1 093 080 habitants tandis que pour la première fois depuis longtemps le solde migratoire de l'accroissement démographique du département devient négatif. De plus la population marseillaise vieillit, sa qualification est beaucoup plus faible que celle des villes de taille comparable.

Un des aspects le plus grave de la crise résulte du problème du logement. Depuis 1975 on ne construit pratiquement plus de logements sociaux à Marseille. La situation du centre ville s'est fortement dégradée. De 1955 à 1975, 7 500 logements sont construits en moyenne chaque année. Après 1975 le niveau de construction est trois fois plus faible et la part du logement social passe de 50 à 25 %. 60 000 demandes sont enregistrées chaque année. 30 000 logements devraient être rapidement réhabilités.

Économiquement le déclin de l'économie de Marseille est difficilement contestable. Le taux d'activité de la population de 20 à 65 ans (68,7 %) est nettement plus faible que le taux national (75,7 %). La population active masculine diminue. Le faible accroissement du taux d'activité résulte exclusivement d'une forte demande d'emploi de la population féminine. Le taux de chômage atteint 14 % et dépasse 20 % dans certains quartiers. La désindustrialisation se poursuit avec la fermeture d'entreprises importantes (Péchiney, UGS, ateliers Paoli...). De 1954 à 1982 les emplois industriels passent de 35 400 à 23 300. Les faiblesses des industries d'équipement et des biens de consommation sont notoires et le secteur bâtiment et Travaux Publics perd 6 000 emplois en 6 ans. Le nombre d'établissements industriels diminue. Les activités liées au port (réparation navale, mécanique, transit...) sont en perte de vitesse continue.

L'économie marseillaise s'est bâtie autour du port. Celui-ci essaie de maintenir son activité propre mais devient de plus en plus un lieu de passage, un intermédiaire d'échange peu relié à l'économie régionale.

La diminution du trafic observé entre 1981 et 1986 résulte essentiellement de la chute du trafic des hydrocarbures que les autres postes n'ont pas compensé. Les trafics de marchandises diverses et vrac sont stables.

L'*hinterland* de Marseille est pauvre en activités reliées au port. Après avoir dépassé 100 millions de tonnes le trafic est stabilisé autour de 85 millions dont 72 % en produits pétroliers. Ce dernier trafic dépend largement du prix du pétrole et du cours du dollar.

Le tertiaire enfin, comme le souligne André Chenu est assez ordinaire : il s'agit principalement d'un tertiaire d'accompagnement (commerces, services). La part du tertiaire supérieur (centres de décision, bureau d'études) le plus dynamique sur le plan économique est trop faible pour une ville de cette importance. Seuls les services marchands ont créé des emplois entre 1975 et 1982 (+ 7 950).

Territorialement les schémas d'aménagement quand ils existent présentent Marseille-Fos ou Marseille-Provence ou les Bouches-du-Rhône comme un tout cohérent, organisé ou volontaire. Et il est certain que de Paris ou de New York, Fos, c'est Marseille. La réalité ne correspond pas à ce modèle. Depuis plusieurs années la périphérie de Marseille dépossède la ville de ses habitants et de ses activités. Ce n'est pas parce que le port autonome de Marseille étend ses compétences jusqu'à Port-Saint-Louis du Rhône qu'il y a unité dans la gestion d'un espace sans aménageurs. Il n'y a pas de communauté urbaine à Marseille et les villes dynamiques qui l'entourent n'entendent pas contrarier ce qui fait leur propre développement.

La crise sociale enfin prend divers aspects particuliers. Le fort taux de population étrangère (9,1 % contre 6,7 % en France entière) et particulièrement d'origine maghrébine (58 000 personnes, 72 % de la population étrangère) particularité somme toute naturelle dans un grand port méditerranéen pose des problèmes amplifiés par une grande pauvreté. Bernard Morel a souligné les caractéristiques de l'immigration des pauvres. Marseille n'était pas exigeante en matière d'emploi. L'économie marseillaise s'est bâtie sur cette base : « réserve de main-d'œuvre déqualifiée et bon marché d'où son extrême fragilité ».

On estime à plus de 10 000 le nombre de personnes sans aucune ressource pour vivre. Les conditions de l'habitat dans les grands ensembles périphériques sont tout simplement inacceptables. La ville des rumeurs devient celle de l'hostilité par rapport à l'autre, à plus pauvre que soi, tout ce qui peut bousculer les situations acquises, fréquemment misérables. La comptabilité nationale ne peut traduire le niveau réel d'activité économique. La culture populaire a disparu par adhésion à un système élitiste sans rapport avec les spécificités de la ville.

Les explications ne manquent pas pour essayer de comprendre ce qui se passe. On pourra retenir deux types d'évolution préjudiciables à Marseille :

La première est internationale. L'évolution du commerce international, la nécessité de la compétitivité mettent en situation concurrentielle tous les grands ports. Ceux qui gagnent réussissent à capter des trafics, proposer des services nouveaux, assurer des conditions performantes du traitement de marchandises. Marseille a trop longtemps vécu sur son passé pour s'en être préoccupé assez tôt.

La deuxième est locale. La montée des individualismes, des gestions municipales trop fermées, le clientélisme et un milieu local peu dynamique font qu'il n'y a pas que de responsabilités « externes » dans la crise de Marseille. Les variables endogènes ont ici toute leur part.

Ces remarques étant faites la conclusion paraît aller de soi : Marseille est perdue. Il ne lui reste plus qu'à jouer un rôle secondaire de ville moyenne, repos du guerrier européen et vitrine d'une dynamique qui l'encerclera sans jamais la concerner.

Nous voulons démontrer le contraire. Marseille a tout pour réussir si elle accepte de se découvrir. Car la ville qui ne se laisse pas facilement percevoir n'aime pas non plus être étudiée. Ses vraies richesses ne sont peut-être pas celles que l'on attend. Marseille est à réinventer.

RÉINVENTER MARSEILLE

*C*ette ville a de beaux restes constate Alain Fourest. Ses potentialités sont considérables. Mais le Marseille dynamique, en course, innovant est généralement moins connu car moins visible que la ville apparente qui ne semble plus maîtriser son devenir.

Les atouts du succès sont à portée de main pour qui veut les saisir. Par sa situation géographique, son réseau de communication, ses infrastructures de transport, Marseille est un lieu de convergence entre tous les grands courants d'échange avec le monde entier. L'aéroport Marseille Provence est le deuxième de France et le port de Marseille-Fos est fréquenté par 200 lignes régulières. Le nœud ferroviaire autoroutier de Marseille est au cœur des axes européens et par la vallée du Rhône Marseille relie les pays du sud aux pays du nord.

Le système de formation supérieur (science, médecine, économie) est particulièrement performant. La région marseillaise est un site pilote pour les télécommunications, 200 000 mètres carrés de locaux d'activités et 50 000 de bureaux sont disponibles pour accueillir des entreprises. Un million d'hectares représentent une réserve foncière considérable pour le développement futur de la ville. Et comme toutes les grandes cités, Marseille a mis au point une fiscalité incitative permettant d'accueillir favorablement les entreprises même si le fait d'avoir été exclue du bénéfice attaché aux zones d'entreprises va encore avantager sa périphérie par rapport à son centre.

Le potentiel économique de la ville et de son département est celui d'une des régions les plus industrielles de France. Marseille est au centre de ce dispositif et en bénéficie incontestablement. Mais les grands pôles d'activité qui l'entourent (Fos avec la sidérurgie, l'Étang de Berre avec l'aéronautique et la pétrochimie, la vallée de l'Arc avec l'électronique, Aubagne avec l'agro-alimentaire) jouent rarement le jeu au niveau local et se soucient peu de la santé de la métropole phocéenne. A Marseille même le potentiel agro-alimentaire, diversifié et modernisé exporte dans tous les pays du monde et certaines entreprises de services ont réussi de remarquables reconversions : SODEXHO, CFAO par exemple.

La région est la deuxième région de France par son potentiel de chercheurs. Les entreprises innovantes ne sont pas rares à Marseille et emploient 2 000 chercheurs alors que la recherche publique est spécialisée dans des domaines pertinents : laser, médecine, chimie, mathématique. Des structures ont été mises en place et fonctionnent efficacement pour promouvoir les relations recherche/industrie.

Alors que le technopole de Château-Gombert qui a pour vocation de rassembler sur un même site, autour de l'Institut méditerranéen de technologie un potentiel de formation de développement et de recherche tourné vers les hautes technologies se construit, le biopole de Luminy confirme sa spécialité dans les bio-technologies. 350 chercheurs travaillent sur ce site. Les pôles de compétence reconnus les plus performants se situent dans la productique océanique, l'intelligence artificielle, l'optique, le traitement des surfaces et les bio-technologies.

Marseille a tout pour réussir.

Vivre le succès comme le souligne l'excellente plaquette que vient de publier la mission économique de la ville de Marseille c'est bénéficier de l'environnement général que la qualité et la proximité a banalisé ; sans que les Marseillais se rendent compte que peu de grandes villes peuvent offrir des conditions comparables de vie.

Le marché immobilier est moins tendu qu'ailleurs. L'équipement scolaire et universitaire permet de suivre toutes les filières de formation, des écoles maternelles aux trois universités. La régie des transports met 95 % des habitants à moins de 300 mètres d'une station de bus ou de métro.

La création culturelle s'est considérablement améliorée aussi bien en quantité qu'en qualité : une centaine de manifestations par jour traduisent une vitalité dont profitent davantage les non-Marseillais que les Marseillais eux-mêmes qui continuent volontiers à proclamer le désert culturel de leur ville. Les activités sportives et maritimes, la proximité de vastes espaces en périphérie donnent au cadre de vie un agrément qui tire parti d'une diversité sociale rare.

Les trente dernières années ont été celles d'équipements qui ont modelé une ville moderne : Jarret, métro, gare Saint-Charles, plage du Prado, salon omnisport, espaces verts, etc.

LE SURSAUT

Depuis deux ou trois ans Marseille est devenu le lieu d'une intense réflexion menée par ses partenaires qui refusent le déclin et qui ne se reconnaissent pas dans un modèle partiel de développement basé sur le tourisme, la recherche ou la haute technologie.

La chambre de Commerce et d'Industrie de Marseille dans un document publié le 10 juin 1987 « Marseille Provence international, une nouvelle ambition pour l'économie de Marseille et de la Provence dans la perspective 1992 » propose quatre séries d'actions pour retrouver Marseille :

• souder les ambitions d'une économie de toutes les communautés environnantes de Marseille : Pays d'Aix, Étang de Berre, Marseille et même Toulon.

• s'appuyer sur les points forts spécifiques : le port de Marseille et le complexe industriel portuaire de Fos notamment.

• doter Marseille d'aménagements ambitieux en fonction de son rôle de capitale économique et universitaire.

• conforter les domaines dans lesquels nous avons des atouts. Mais nous n'en tirons pas tous les partis : les services tertiaires et industries de haute technologie notamment.

La ville de Marseille et particulièrement sa mission économique soutiennent des actions importantes pour accueillir les entreprises (zones d'activité, village d'entreprises), réhabiliter l'image de Marseille qui est celle d'une ville foisonnante, complexe, déterminée pour relever ses défis.

Le Conseil Général des Bouches-du-Rhône a proposé d'engager un nouveau schéma d'aménagement du territoire qui permette aux acteurs de pouvoir se retrouver sur de grandes orientations, vingt ans après l'antique schéma de l'OREAM, tout entier centré sur Fos et une croissance forte.

Des architectes de talent se sont penché sur la « belle endormie » et ont proposé des réalisations hardies. A. Stern souhaite à partir des gares de la Joliette rééquilibrer l'axe socio-économique traditionnel de la ville débouchant sur une image de mer et de soleil. L'architecte voit dans la Méditerranée un département français dont Marseille est la capitale. Le projet d'Atelier neuf (Guy Daher) n'est pas moins ambitieux puisqu'il s'agit de transférer le port de Marseille à Fos et d'utiliser les terrains ainsi rendus disponibles pour bâtir une nouvelle forme de l'architecture. Le réaménagement d'espace portuaire doit offrir 200 hectares pour le redéploiement urbain économique de Marseille. Un grand palais des congrès, des hôtels face au large, le musée de la mer, un port d'accueil, un centre d'activités et même un nouveau centre civique construiront un nouveau Marseille au bord de la mer.

Enfin le projet Thétys prévoit de nouvelles affectations pour des terrains du port à proximité du Fort-Saint-Jean : port de croisière, aménagement touristique, palais des congrès, parc marin.

Depuis quelques temps il ne se passe plus une semaine sans qu'un projet ne soit publié. Ce qui est un signe évident de vitalité. Car peu importe en définitive que ces projets soient réalisés ou pas : ils existent et témoignent jusque dans leur excès que Marseille est décidément la ville où tout est permis.

Marseille doit et peut retrouver son rôle de capitale au bord de la mer. Un projet pour Marseille et pour les Marseillais doit traduire une triple ambition : ouvrir la ville sur son environnement départemental, régional, national et international en lui donnant les moyens de devenir une capitale de l'Europe du sud ; dynamiser son économie en valorisant ses incontestables atouts pour en faire une ville attractive ouverte aux investisseurs, soucieuse de rééquilibrer ses activités sur tout son espace ; et enfin améliorer le cadre de la vie quotidienne pour offrir à tous ses citoyens des conditions de vie, qui justifient sa pérennité au cœur d'une agglomération millionnaire : habitat, espaces de loisirs, patrimoine culturel notamment.

Les grandes capitales sont des lieux d'échanges, de communication, d'activités tertiaires de service, de tourisme, qui facilitent les relations, la vie sociale et culturelle, le désir de travail en commun pour un dessein collectif. Elles se développent sur la concertation et la diversité des activités économiques, sur l'organisation de réseaux de communication, sur une diversité des populations, un habitat adapté, une ouverture au monde.

Tous les projets individuels ou particuliers sont dignes d'intérêt. Mais Marseille doit redevenir le lieu d'un dialogue permanent avec tous ceux qui, directement ou indirectement, souhaitent participer à son développement. Son avenir repose sur sa capacité d'ouverture et sur le refus de toutes les exclusions.

——— *PHILIPPE LANGEVIN* ———
**Directeur du Comité pour l'emploi et l'expansion
économique des Bouches-du-Rhône.**

JEAN VIARD

LE MARIN

ET LE LABOUREUR

L'IDENTITÉ DE CETTE VILLE, SON HISTOIRE ET SON DEVENIR DÉCOULENT
D'ABORD DE SON SITE. ENTRE MER ET TERRE, SUD ET NORD, MARSEILLE
A SUBI ET SUBLIMÉ SA SITUATION GÉOGRAPHIQUE.

Marseille est une ville passionnément géographique. Tel est l'argument que je voudrais développer ici, mais tel est aussi l'outil que je voudrais utiliser pour façonner cet argument ! Autrement dit, « Marseille est une ville passionnément géographique », est une phrase qui m'obsède et que je soupçonne de condenser ce que Marseille me dit.

Si je qualifie de manière aussi abrupte le thème de cet article c'est que je crois qu'une ville est d'abord un corps avec une histoire, une mémoire, un non-dit et un trop plein de dits. Pour nous qui ne sommes pas des créateurs de ville, mais des inventeurs de sens, ce donné premier est notre matière, c'est avec lui et au travers de lui que nous lisons le paysage, le bruissement des corps et des groupes en un lieu, les mythes et images surexposés sur des individus qui souvent n'en demandent pas tant.

Ce corps historique de la ville, matière charnelle et immatérielle de son être-là vit avec l'image qu'il tente de donner de lui-même, et avec celles que les autres ont de lui. Et, pour chacun de nous, ces diverses figures ne se recoupent pas tout à fait. L'espace du doute doit être laissé ouvert, et ce d'autant plus que le lieu historique dont on parle est un lieu carrefour, mémorisé et pensé de loin, ce d'autant plus que les lieux dominants du pouvoir de dire, et de dire le désirable, sont ailleurs. Paris, ceux qui par Marseille transitent, Alger... autant de pôles incontrôlables, de mise en mots, de façonnage de rêves.

UN PERPÉTUEL
RENOUVELLEMENT

Or, Marseille est une salope. Ville de truands et de maquereaux, de trafics et de fausses factures, de clientélisme et de batailles sulfureuses pour la mairie, rien ne lui est épargné. Point n'est alors nécessaire de corriger son accent ou de cacher son rejet des Arabes.

Premier port de Méditerranée et de France, deuxième port d'Europe, Marseille condense notre imaginaire du port et du passage. La ville, plus que toute autre, symbolise la difficile relation de la nation France avec l'étranger. Par là se fit l'expansion coloniale française, là l'occupant nazi détruisit le cœur de la vieille ville, ici passa la guerre d'Algérie, — le rapatriement des Pieds noirs laissant derrière eux le deuil des pays perdus — puis des millions d'immigrés du Maghreb. Ici encore l'œuvre civilisatrice de Fos faillit créer un centre directionnel digne d'une métropole du nord.

Mais la question marseillaise qui recouvre le poids des transits et de leur discours, le poids aussi des discours de mort, la question marseillaise est aussi celle des silences de la ville, de ses faiblesses. Marseille n'existe que dans le perpétuel renouvellement de son peuple ; jamais ne s'y accumule de longues lignées d'érudits, d'hommes d'affaires, de créateurs.

Marseille a toujours été un sas entre plusieurs mondes, elle est un cadre tendu d'une toile à la virginité sans cesse renaissante. Et les acteurs du moment l'occupent en se coulant dans un moule millénaire que seule contraint la forme des collines posées au bord de l'eau.

Dès l'origine Marseille est une histoire de femme qui s'offre à un marin de passage. Romulus et Rémus n'étaient même pas nés que déjà Gyptis tombait dans les bras de Protis. Point de jumeaux ici, point de fratrie divisée, mais, un accouplement fondateur ! Le marin et la fille de paysan posent les bases de l'imaginaire de la ville sur un promontoire entouré d'eau de trois côtés. Depuis plus de deux millénaires l'histoire s'y répète de pareille manière. Seuls changent les acteurs. Chacun sa marque sur celle de ses prédécesseurs, puisant une énergie sans cesse renouvelée à effacer les signes de ceux qui le précèdent. Aussi ne peut-on suivre l'histoire des pierres pour reconstituer la vie des hommes, ou si peu. Il faut, pour rentrer vraiment dans la ville, la regarder comme de l'extérieur, au carrefour des enjeux géographiques qui tendent son histoire.

Si on essaye un moment de regarder Marseille comme Fernand Braudel regarda nombre de villes, on voit le monde maritime méditerranéen, le sillon rhodanien, un port naturel entouré de collines basses et ceint d'une plaine irriguée, le tout coupé de la terre par une ceinture de « chaîne et de monts ». Plus haut commence la Provence, le pays romain du droit écrit, monde des lignées de maîtres.

Chaque moment de Marseille est le fruit d'un montage original de ses quatre éléments. Le jeu de leurs relations, de leurs conflits fait la ville. Et quoi que suggère le nom du département *Bouches-du-Rhône*, Marseille n'est pas le débouché naturel du fleuve. Seules Aigues-Mortes, Arles ou Saint-Gilles peuvent prétendre à ce titre.

Marseille fut fondée par des marins qui venaient de l'est, ignorant probablement le nord des Alpes et les hauts de France. Ce qu'ils virent, et qui sûrement les enthousiasma, fut une calanque superbe, la plus belle de la côte, des collines où il était possible de bâtir une place quasi inexpugnable, de l'eau potable et des terres arables. Marseille est donc un site de la mer. La terre n'y est que par nécessité.

ADOSSÉE
AUX TERRES

Vis-à-vis du Rhône et du sillon rhodanien, les tentatives furent multiples pour implanter un port plus logique techniquement et plus souple politiquement. Seulement la structure du delta rhodanien et les formes de la côte donnèrent chaque fois raison à Marseille. Jusqu'au jour où les techniques du béton et l'art du dragage, liés à une volonté farouche de l'état central de ne pas perdre pied en Méditerranée après la guerre d'Algérie, concoururent à bâtir le projet de Fos-sur-Mer. Commence alors une aventure qui risque fort d'être anti-marseillaise.

Avec la Provence, les relations ne furent pas plus simples. Ce monde de marins habitués aux risques de la mer, au piratage, aux voyages à l'étranger se liait mal avec la société sédentaire, sa voisine. Sans doute l'huile provençale s'écoulait par Marseille, sans doute la ville attirait par sa liberté de manières et de mœurs, par la mobilité des fortunes qui tenaient la place. Mais au-delà de cette porosité par où les sociétés s'aèrent, il n'y eut jamais de liaisons vraiment articulées. D'autant qu'Aix était la dernière marge de l'immense monde alpin par où l'unité des cultures européennes se fit, tandis que Marseille jouait dans le monde méditerranéen, avec les Grecs et les Romains, les Levantins et les Barbaresques, les Catalans et les Siciliens. Ainsi les collines dressées entre les deux villes sont bien autre chose que de « vilains » tas de cailloux. Des mondes s'y délimitent.

Le Rhône, qui par sa liaison avec la Saône, remontait en Bourgogne et en France, touchait lui à la grande plaine du centre de l'Europe à ce monde immense du servage et de la glèbe.

La géographie ne favorisait donc pas un vrai carrefour entre des lieux où l'expérience de vivre fut longtemps si dissemblable. Marseille s'arc-bouta contre la terre et joua au jeu de la mer, celui qui sans doute se polit moins vite que le jeu terrestre car il n'y eut ni état, ni religion maritimes. L'unité sociale est terrestre. En mer le brigandage fut plus tardif et l'unité religieuse ne vint jamais. Ce monde dangereux et violent n'est pas celui des récoltes et des successions bien ordonnées.

Alors sans cesse le peuple de Marseille, mais aussi ses patrons, se renouvelèrent. La ville importe ses maîtres commes ses bras ; et lors des périodes fastes, vit une joie de la fête et de la consommation que lui enviaient les patriciens aixois et leurs métayers.

L'histoire de Marseille est l'aventure de cette tension entre différentes attractions. Tantôt l'attraction traverse la ville, et celle-ci est proche de l'éclatement, tantôt la ville est unie dans la lutte contre la Provence, ou contre l'état parisien, ou contre Rome, César et les Barbaresques...

Quand on regarde une carte du monde il est frappant de suivre l'évolution des grandes civilisations maritimes des zones d'îles aux petites mers, puis aux mers plus larges. L'eau a toujours été un lieu favorable au contact, facilitant la circulation des hommes et des cultures. Même en période de grande insécurité le monde de la mer reste vivant. Ces particularités maritimes font la base de Marseille et de ses spécificités. Surtout en France où peu à peu la culture franque, plus terrienne, a pris « le dessus ». On pourrait sans doute tirer ce trait plus loin et penser en termes d'opposition du stable et de l'instable, de la durée et de l'éphémère. La mer a longtemps été plus hasardeuse et spéculative que la terre, la culture des hommes y a été autre. Ce n'est qu'avec le train, et surtout l'aviation, que la mobilité vraie saisit la terre. La mer y perd sa particularité pour entrer dans la chaîne des systèmes de transport.

Des millénaires de différences s'estompent alors. Commence une société de la terre, à penser elle aussi selon les notions de stable et d'instable, de désordre et d'incertitude ; comme si la culture maritime fécondait celle de la terre.

Marseille passa donc peu à peu d'un monde dans l'autre. La mer lui reste certes, mais elle appartient chaque jour davantage à la société européenne de la terre. C'est ce profond retournement qui fait la ville d'aujourd'hui, c'est cet enracinement qu'il nous faut penser dans les cadres mouvants de sa culture locale. La ville s'enracine au moment où la culture terrienne devient instable et incertaine — curieuse position paradoxale.

MER
ET LABOUR

*C*ependant l'œuvre de la ville est toujours de donner à habiter dans son site. Mais peut-être faut-il maintenant regarder la mer de la terre, cessant ainsi de penser la ville de la mer comme un havre de marins enfin abrité du mistral et des pirates. Les voies du commerce et du brigandage y deviennent « plan d'eau ».

Ceci dit, Marseille n'a jamais été qu'une simple calanque. La vie y fut riche car la ceinture protégeait une plaine à la terre profonde, irriguée par l'Huveaune. Pour faire image on pourrait dire qu'au soubassement de Marseille se trouvent le vieux port et un chapelet de villages agraires.

De tous temps Marseille a été société à deux faces, mer et labour. De là vient la culture terrienne de ses élites, leur amour des bastides et des jardins, des canaux et de l'irrigation. Marseille n'a pas

« d'hinterland » mais elle disposa lontemps de la terre pour nourrir ses habitants, excepté le blé qui lui venait par bateaux. Ceci fut une de ses grandes forces car un système quasi autarcique était là possible.

Marins, pêcheurs et maraîchers sont les trois figures marseillaises, avec les métiers de la construction navale, — bois, fer et drap. Bastides et voiliers, cabanons et barques... projettent dans le présent ces couples du passé.

Combien de grandes familles marseillaises enrichies par la mer investissent peu à peu dans leurs bastides au point de perdre le goût de l'aventure. Colbert ne tonnaît-il pas contre cette logique qu'il trouvait anti-économique, — mais ô combien agréable !

Ici se trouve le fondement de la mentalité d'enclave de cette ville, le soin jaloux qu'ont ses habitants de leurs particularismes, les racines de son identité. Même dégradé, ce fond demeure. Chaque vague migrante imite peu à peu cette tradition pour parfaire son intégration. Et ainsi, plus la population change, moins la culture locale évolue.

Ce poids de la terre explique l'importance de l'eau douce dans cette ville de marins. Eau pour boire certes, mais eau d'irrigation également. La stratégie de la ville va donc tendre à lui permettre de capter du haut pays, celle de la Durance et du Verdon. Cette vieille obsession marseillaise explique nombre de décisions modernes, y compris au niveau du canal de Provence.

Parallèllement à la montée de l'industrialisation européenne, l'accès à la vallée du Rhône prend de plus en plus d'importance. Lien par le train, la route, puis déplacement du port vers le delta. Le pétrole partira le premier dès l'entre-deux-guerres vers Lavera et Berre. Puis le projet de Fos naîtra au bord du Lacydon — l'initiative de celui-ci est locale, il faut sans cesse le rappeler pour bien saisir la logique des élites marseillaises. Si le projet fut repris par l'appareil d'état avec des visées un peu différentes, l'idée de départ est issue de la ville. Et cette idée comportait au moins deux logiques : l'une visait à créer un port en eau profonde avec une vaste zone industrielle ; l'autre, inséparable, tendait à ôter l'industrie, voire le port de la ville. « Bastidiser » la ville en somme en effaçant le lieu de son origine, en ennoblissant les grandes familles par l'oubli des sources de la richesse. Si on suit cette piste on peut avancer que Fos est pour partie la solution de la dualité de la ville, celle de la terre gagnant sur la mer.

Spéculation maritime investie à la deuxième génération dans la terre, puis transformée à la troisième en sol, sol constructible évidemment, nouvelle spéculation, foncière celle-ci et investissement dans le capital culturel, tel en particulier les études médicales. Et c'est ainsi que la société maritime tente sa mue en une société tertiaire.

UNE IDENTITÉ
ÉPHÉMÈRE

Mais toujours à l'arrière plan de l'histoire marseillaise le site reste dominant. C'est lui qui fait que la ville est là, c'est ses forces propres qui donnent à l'homme l'envie d'y bâtir sa vie. Le site représente ici une valeur en soi, donnée par un repli des collines plus que par l'activité humaine. A chaque époque revient la question de l'utilité de faire vivre là une ville, à laquelle n'est jamais donnée de réponse. L'utilité marseillaise est évolutive, en perpétuel devenir. Ce qui entraîne un être-là collectif spéculatif toujours en quête de profit et de sens.

Mais cet être-là est par nature éphémère, et les Marseillais le savent. La mer leur a appris cette absence de durée prévisible, la densité des éléments qui échappent à leur pouvoir, le poids des engagements politiques et militaires. Il n'y a pas ici de source naturelle et continue à la richesse ; ni mine, ni vignoble réputé, ni voie incontournable du commerce, ni capital culturel irremplaçable. Le site est seul, et l'art de ses habitants est de savoir y détourner à leur profit les flux qu'ils ne créent pas. Le trait est peut-être un peu trop marqué, mais au fond je le crois vrai.

De cet éphémère de la mer et des sources de richesse vient que Marseille n'a pas de classe dirigeante enracinée dans ses lignées. Jamais on n'a tenu lontemps le haut du pavé dans cette ville. Sans cesse les capitaux gagnés grâce à « des coups » ont été consommés festivement, ou perdus, ou investis dans la terre. Et de nouveaux maîtres arrivaient, rejouant cet enrichissement spéculatif. L'histoire de la ville est en dents de scie, — histoire publique et histoire privée réunies.

Alors, la seule unité de la ville, le donné immédiat et permanent par quoi la ville s'offre à vous est l'unité de lieu que l'œil balaye à chaque moment : cirque des collines tombant à la mer au nord et au sud. Et cette domination spatiale dans la permanence de la ville renforce l'être-site qui la sous-tend. Tout ici est géographie, la raison d'être comme la conscience d'être. Oui, Marseille est une ville passionnément géographique qui attend depuis Pythéas de produire un nouveau savant des reliefs. Et l'identité locale sera d'autant plus forte et affirmée que la ville n'est pas d'abord culture, accumulation des gestes de l'homme ; la ville est chaque jour naissante.

Enfin si les 2 600 ans d'histoire de cette cité sont tumultueuses et irrésumables, et il faut voir qu'ils comportent un tournant majeur. En effet, avec la Révolution Française, la construction du port de la Joliette et l'arrivée du train dans la deuxième moitié du XIXe siècle, le port tend à se séparer de la ville. Alors le port, à l'instar d'une gare, se trouve peu à peu approprié par la chaîne des transports et la cité, elle, se met à battre à côté, renforçant sans cesse ses fonctions transitaires et administratives aux lieu et place d'une osmose totale avec la vie des bateaux.

Cette rupture dans le corps de la ville correspond au passage d'une « ville-port » de Méditerranée à une « porte de France ».

Autrement dit, la raison d'être de la ville est géographiquement déplacée en cette fin du XIXe siècle.

Dès lors les affaires ne se traiteront plus dans les bars des quais ou de la Canebière, Blaise Cendrars ne pourra plus nous décrire la vie animée de ce cœur urbain ; Fos-sur-Mer sera la suite logico-technique de cet arrachement du port à la ville. L'économie entraî-née par les Marseillais aura dorénavant pour principal objet les acti-vités périphériques à ce transit central, mais extérieur. La masse de richesses et d'hommes qui passent laisse d'importants profits, sorte d'octroi à ceux qui sont là. Marseille devient ville des négo-ciants, des transitaires, des juristes etc. mais ce n'est guère une cité d'armateurs.

Tout ceci explique que Marseille qui s'enrichit considérablement sous le second Empire lui soit politiquement défavorable. Ses béné-fices ne sont pas de ceux qui rendent reconnaissants, ce sont les « deniers » de la fin d'un règne.

On peut donc dire à partir du second Empire qu'il n'y a plus à Marseille de classe structurante autour de laquelle la ville s'organise.

Dès lors, à côté du port privatisé, puis plus tard pris dans la struc-ture du Port autonome et étendu en droit jusqu'à Fos, commence une nouvelle histoire de la ville. Ville de l'économie de proximité et de la gestion locale des transits où se dégagent quatre figures principales. Les négociants qui tiendront la Chambre de commerce, le Palais où passent les affaires, la médecine qui gère les corps et le banditisme qui vit des illégalités. Quatre grands moments donc, périphériques à l'ancien cœur portuaire et tenus par quatre grou-pes à la reproduction non totalement lignagère.

Au passage ajoutons que le banditisme, outre sa place normale dans un port et dans une ville où passèrent des millions d'hommes, porte sans doute les derniers vestiges du charme de la flibuste. Il demeure une activité plus honorable qu'ailleurs, d'autant qu'une par-tie de ses revenus qui grapillent aux marges des docks est pour ainsi dire la suite d'une guerre sociale contre ce port français.

RÉSEAUX
ET CLANS

Ceci dit, la naissance d'une « ville à côté du port » permet donc de comprendre le rôle des groupes qui gèrent les tran-sits et leur fonction politique et symbolique. Mais leur place dans la ville ne les met pas en situation de la structurer autour d'eux — leur fonction directrice n'est pas une domination sociale. Celle-ci ne peut alors revenir qu'aux politiques, quand la politique est apte à produire un leader unifiant capable d'incarner la ville.

Marseille est donc aussi passionnément politique que géographique car l'un ici découle de l'autre. En effet, de sa géographie Marseille a acquis une place d'échanges, de carrefour du monde. L'industrie n'y est venue, un moment, qu'un peu par accident pour faire la charge retour des navires (tuiles) ou pour traiter les surplus des produits agro-alimentaires importés.

Seuls les métiers du bâtiment et de la construction navale y étaient activités traditionnelles. Alors de cette ville fluide découle une société civile sans charpente ; peu de familles longtemps dominantes ici, sans cesse de nouveaux riches et d'anciens notables. Sans cesse des pauvres fraîchement arrivés et des anciens migrants déjà bien accrochés. Sans cesse alors des conflits, car il y a peu de stabilité, beaucoup de proximité, *grand danger d'être pris pour l'autre*. Et donc, comme le dit Michel Péraldi, un peuple éternellement absent, car le peuple issu de hier est déjà petit bourgeois et le peuple d'aujourd'hui est invisible car il est cette masse d'immigrés qu'on regarde comme étrangers !

Dans ce monde instable la politque exprimera d'abord des relations, des ambitions et l'hôtel de ville sera l'emblème unique du multiple du réel. Qu'Aix, Lyon ou Genève sont loins !

C'est pour cela qu'on dit que Marseille a besoin d'un patron apte à unifier réseaux, communautés, quartiers ; apte à être l'emblème de chacun et de tous. Mais c'est pour cela aussi que le poids des réseaux et des clans est plus lourd qu'ailleurs. Là est l'essence même du lien social. La politique ici gère autre chose que les affaires publiques, elle gère la ville comme communauté. Et ce au travers de liaisons inter-personnelles, inter-familiales qui, pour de multiples raisons, rappellent sans cesse les traits marquant du vieux clientélisme méditerranéen. Mais est-ce vraiment ce vieux fond culturel qui est explicatif ? Le clientélisme, au sens précis et ethnologique du terme est un lien inter-personnel entre un patron et un ensemble d'individus, relation « d'homme à homme », relation d'honneur et d'affection caractéristique des sociétés pré-capitalistes de Méditerranée. Antérieur aux relations, il structure par la politique des sociétés non charpentées en elles-mêmes.

Souvent, on considère que ce monde à base familiale est difficilement pénétrable par les sociétés anonymes et les consciences de classe. Par ailleurs, dans le discours courant, le clientélisme recouvre l'ensemble des pratiques de distribution d'avantages (logements, emplois, etc.) dont un élu fait profiter ceux qui lui sont politiquement favorables. Le réseau et la relation priment alors sur le droit et la compétence. Indéniablement on trouve à Marseille des liaisons de ce second type, comme d'ailleurs dans de nombreuses régions ; mais l'absence de charpente sociale, le poids de communautés structurées en voie d'intégration et la culture commerciale dominante (négociants, avocats et médecins ont tous des clientèles privées) élargissent ce système des « dépouilles ». Même les relations avec les services de l'État passent souvent par ce circuit périphérique. Je pense cependant que c'est plus la structure réelle de la société locale qui entraîne ce type de liens qu'un particularisme culturel archaïque. Même si la limite est difficile à tracer, même si le « discours du service rendu » est sans cesse utilisé en lieu et place de la reconnaissance de compétence et du contrat.

LE REJET

*T*oujours est-il qu'au-delà du débat théorique, Marseille a longtemps été dominée par des réseaux qui innervaient la société civile et tissaient des liens entre le patron et les habitants. Mais ces liaisons ont pour partie perdu de leur influence.

D'une part la construction massive des grands ensembles populaires dans les années 60-70 a déplacé brusquement de grandes masses de gens venus de quartier anciens, ou d'ailleurs. Et ces ensembles, au-delà du fait qu'ils étaient souvent perçus comme étant « hors des murs », se prêtaient mal aux relations traditionnelles (populations trop concentrées, se renouvelant vite, peu de lieux de sociabilité, vie de quartier anémiée...). La politique d'animation, souvent impulsée par des gens qui revendiquaient une modernité du lien politique, tenta d'occuper le terrain. Mais avec peu de succès en particulier du fait qu'elle s'adressait aux quartiers visibles — jeunes, vieux, femmes inactives — et non aux quartiers réels — y compris donc actifs et chômeurs.

D'autre part, le développement d'administrations publiques dans la ville contribua à l'arrivée d'une population « nommée d'ailleurs » sur des bases de compétence et souvent fort peu sensible au « charme de la sociabilité politico-affective » locale.

Enfin les immigrés du Maghreb sont peu rentrés dans ces réseaux. La précarité de leur présence, le fait qu'ils ne votent pas, leur auto-organisation, le peu de précipitation des élus locaux à aller vers eux... y ont, chacun pour leur part, contribué.

De toutes manières la situation économique et le ralentissement de la construction ont concouru à affaiblir de l'intérieur le système des clientèles car il n'y a plus guère d'emplois ou de logements à offrir. Même si le traitement social du chômage a pu rouvrir quelques perspectives intéressantes...

Ainsi la partie de la population intégrée dans la toile sociale des réseaux tendit à diminuer des années 60 aux années 80. Mais cet affaiblissement ne fut guère perçu, la continuité du pouvoir de Gaston Defferre masquant les évolutions et les chercheurs s'étant peu intéressés à ces transformations. En fait, ce n'est qu'avec la baisse de population qui apparut avec le recensement de 1982 et avec la croissance considérable des transits Marseille/Alger que permit le développement de l'Algérie à la suite de la hausse du prix du pétrole que, soudain, on prit conscience que la ville avait changé.

Un discours de crise locale se développa. Et ce d'autant plus que depuis vingt ans la ville s'était pour ainsi dire « auto-développée » avec le rapatriement des Pieds noirs, l'arrivée des immigrés, et le renforcement du rôle régional de Marseille. Parallèlement l'ambition grandiose, puis le discours d'échec liés à Fos-sur-Mer, avec pour Marseille ses conséquences de désindustrialisation réelle mal compensée par le mythe d'une fonction directionnelle tertiaire, avaient préparé ce discours de crise, ce sens relatif du vide.

Enfin d'un point de vue plus politique la constitution en 1982 d'une majorité municipale PC/PS affaiblit localement le rôle de catalyseur des prostestations du PCF, au moment où l'union de la gauche au niveau national délitait la capacité de la gauche à porter les malaises sans solution des catégories les plus défavorisées. Là se trouvent les racines du succès de l'extrême droite. S'y croisent donc le vote protestataire d'habitants des quartiers nord qui voient leur promotion sociale bloquée, le chômage les atteindre eux et surtout leurs enfants, et le vote protestataire de milieux plus aisés, souvent commerçants des quartiers sud qui voient leur place reculer dans les commerces du centre ville face à des commerçants immigrés plus dynamiques.

LE MORAL URBAIN

Dans une ville qui n'est presque que superposition de migrations anciennes ou récentes et qui vit dans un monde encore très clos par la limite des collines, personne n'est jamais bien assuré de sa place et de son statut. Alors, tant qu'un mouvement entraîne l'ensemble, et qu'un patron sait incarner l'unité, plus fortement que les différences, ceux que l'on voit « derrière soi » permettent de mesurer le chemin parcouru. Mais quand le mouvement, ou la conscience du mouvement, se ralentit, les tensions normales à tout voisinage entraînent des phénomènes de rejet et xénophobie. Le risque est de chercher la solution des problèmes sur ce terrain-là, alors que c'est dans la capacité à redonner le moral à cette communauté humaine, en lui dessinant un avenir concret, en sachant la mobiliser pour saisir les chances qui passent, que peuvent, sur le fond, se détendre les tensions.

Et ce moral urbain ne peut renaître que si Marseille ville de gestion des flux sait se positionner sur ceux de notre époque, tourisme, engeneering, travail de la mer, formation des hommes et commerce international ; ce dans le cadre de l'Europe du sud et des enjeux Nord/Sud. Chaque lieu a sa fonction, et c'est souvent en revenant aux sources de soi-même que l'on retrouve la bonne voie.

Parallèlement, la société politique doit trouver les modalités de sa nouvelle relation avec la société civile. Il faut à Marseille savoir gérer les vieux réseaux, mais mobiliser ceux qui n'en sont pas ; il faut connaître le clientélisme comme lien social d'une société de négoce, mais entraîner des décideurs sur des projets.

Même si cela apparaît pour l'instant comme une quadrature du cercle, là est la position paradoxale qui donnera une nouvelle base sociale à un pouvoir local susceptible d'incarner à nouveau la cité. Sinon la spirale des compromissions et des ségrégations risque de saisir la ville, blessant les hommes, rebutant les investisseurs et gâchant cette plus ancienne cité française dotée d'un cadre si beau.

JEAN VIARD

NOUS REMERCIONS LES ARCHIVES DE LA VILLE
PALAIS DES BEAUX-ARTS

PHOTOS DE LA COLLECTION VALÈRE-BERNARD

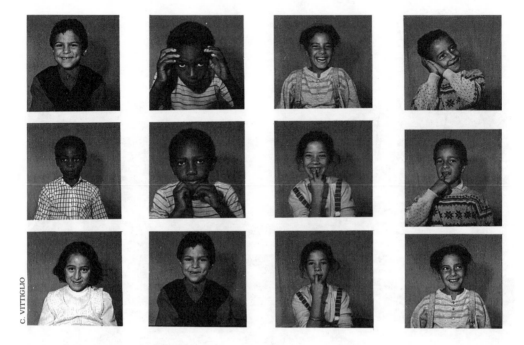

C. VITTIGLIO

2

GÉOLOGIE
D'UNE VILLE

Kalamuka est docker, d'origine grecque. A 35 ans, il n'avait toujours pas mis les pieds dans le pays qui avait vu naître son père, son grand-père, tous les siens. Ils étaient de Symi, une île minuscule tout en bas des Dodécanèses à une portée de canon des côtes turques. Quand il était enfant, son père lui en parlait. Bien sûr, il oubliait d'évoquer la rudesse de la vie, la précarité de leur subsistance à eux tous et puis l'incessante guérilla avec le voisin turc. A quoi bon. Il lui disait la transparence de l'eau vers le monastère de Panormitis et aussi ce village en amphi-théâtre, faisant fonction de capitale, qui progressivement vous enveloppe de ses bras lorsque le bateau entre au port. Et puis Symi n'est pas une île comme les autres. Il y a des fantômes là-bas. Des vrais. Enfin si l'on peut dire. Le jeune Kalamuka avait tiré sa chaise près du père et buvait ses paroles. Un jour, il avait alors une douzaine d'années, le père grimpait comme à son habitude les interminables marches qui montent jusqu'au haut du village. Parvenu à mi-course, il fut pris d'un pressentiment. Il s'arrêta. Soudain il reçu un ballon sur le crâne. Il regarda autour de lui. Rien. Personne. Pas un bruit. Pour sûr, seul un fantôme facétieux pouvait s'amuser à de telles gamineries. Le petit Kalamuka frissonna.

A l'âge de 35 ans ça lui prit. Il eut envie de voir Symi. Le père était mort depuis quelques années, plus personne n'était là pour irriguer ses rêves.

Son père ne lui avait pas menti. Le port qui vous étreint quand le bateau, moteur coupé, glisse vers le débarcadère. Kalamuka prit ses paquets sous le bras et commença à gravir les marches du village. Les maisons étaient délabrées. On sentait que la lèpre de la pauvreté avait longtemps rongé murs et gens. Au milieu de l'escalier, d'un coup, ça l'a saisi. Une angoisse foudroyante, de celle qui vous rampe sur l'échine, qui vous laisse sans voix... Kalamuka a frissonné, il a posé son barda.

Alors il a regardé tout alentour de lui essayant de deviner d'où lui serait jeté le ballon.

Marseille-le-Sud, album de famille, aller-retour.

JCB

ALAIN HAYOT

CRISE D'IDENTITÉS,

IDENTITÉS D'AVENIR

ET SI MARSEILLE, L'AMPLEUR DE CERTAINS FACTEURS AIDANT, NE FAISAIT QU'ANTICIPER L'ÉVOLUTION GÉNÉRALE ?

Marseille est désignée du doigt : sous les feux d'une médiatisation simplificatrice et malsaine, elle est chargée de tous les péchés de la terre : elle serait foyer de racisme, de corruption, de grand banditisme et la vie politique y serait incompréhensible. Ah, si Marseille n'était pas en France ! soupirent de bonnes âmes, reprenant le propos d'un ministre de l'Éducation nationale des années 60[1].

Effet d'ignorance ? Il y a là sans aucun doute, une méconnaissance profonde de la réalité d'une ville qui ne mérite pas tant d'iniquité et peut-être un peu plus d'honneur qu'elle n'en a reçu, ne serait-ce que pour services rendus comme ville-port, ville-transit et comme facteur actif d'un siècle de « *melting-pot* à la française »[2].

Aujourd'hui, Marseille est sinistrée, confrontée à une crise aux dimensions multiples.

Mon propos ici, n'a pas pour objet de détailler les différents aspects de ce marasme. D'autres l'ont fait avant moi et mieux que je ne pourrais le faire[3]. Mon ambition est plutôt de traiter la question en amont de la crise actuelle, d'effectuer une plongée dans ce qui constitue les caractères identitaires fondamentaux de cette ville. Il y a en effet, dans la situation actuelle comme une grave mise en cause de ce substrat. J'entends d'ici réagir les technocrates marseillais : l'heure n'est pas à reproduire les acquis historiques mais à changer l'image et la vocation de la ville ! Et si c'était l'inverse ? Et si ces acquis, soigneusement sauvegardés et modernisés, constituaient — *mutatis mutandis* — des atouts pour l'avenir ?

PORT, TRANSIT,
ACCUEIL

« **M**arseille, on le sait, est toute grouillante de populations étrangères : le cosmopolitisme y est un état traditionnel. Il est inhérent à la nature même de la ville, à ses origines et à ses fonctions. »

C'est en 1934 que Gaston Rambert écrit ces lignes dans un « classique » de l'historiographie marseillaise[4].

Un peu plus loin, il constate que « le cosmopolitisme marseillais saute littéralement aux yeux et c'est ce qui le fait juger souvent beaucoup plus intense et plus profond qu'il ne se révèle à l'analyse. »

C'est à partir de la seconde partie du XIXᵉ siècle que se constitue la population marseillaise, mais le cosmopolitisme est antérieur à cette période : ainsi à la fin du XVIIIᵉ siècle, un Marseillais sur deux n'est pas natif de la ville. Dans la moitié exogène, Italiens et Gavots (Dauphiné, Haute-Provence, Savoie) dominent, suivis par les Suisses et les Catalans[5]. Si Michel Vovelle estime les immigrants étrangers au Royaume de France à près de 10 % de la population totale, il remarque que ce chiffre est nettement plus élevé si l'on isole le salariat (domesticité, portefaix, marins, ouvriers de l'industrie naissante). Il faut ajouter à cela le fait que l'essentiel de la migration gavotte a lieu alors qu'une partie de ces provinces était étrangère au royaume puis à la nation française et qu'il s'agit d'une immigration classique de caractère économique. En règle générale, il est difficile, dans le cas de Marseille, de faire la part entre migrations internes et migrations externes ; l'exemple de la Corse à la fin du XIXᵉ siècle illustre à nouveau cette idée.

Cette remarque est confirmée par le fait que dès le XVIIIᵉ siècle, l'image dévalorisée de la ville est construite par les « bien pensants ». Ainsi, Blanc-Gilly, chroniqueur marseillais de l'époque, confond déjà l'intolérance ethnique avec le rejet de classe : « La ville que nous voyons constamment disposée à fermenter l'écume des crimes, vomit des prisons de Gênes, du Piémont, de la Sicile, de toute l'Italie enfin, de l'Espagne, de tout l'archipel de la Barbarie, déplorable fatalité de notre position géographique et de nos relations commerciales[6]. »

Il reste que la révolution industrielle qui produit ses effets dans la cité phocéenne, dès 1830 et surtout dans la seconde moitié du XIXᵉ siècle, reconduit décisivement et considérablement ce schéma de formation de la population marseillaise. Faut-il attribuer cela uniquement à la position géographique de la cité ? Ville-port, ville-carrefour au sein d'un monde méditerranéen qui va connaître l'expansionnisme européen, Marseille va en effet constituer une plaque tournante, un lieu de transit des hommes et des marchandises vers le monde entier — rôle que peu d'autres villes ports de la Méditerranée ont assumé à ce point-là.

Ces traits définissent plus une ville transit qu'une ville d'accueil, même si l'une n'est pas sans effet sur l'autre. Mais pour comprendre l'appel, la venue et la fixation de populations étrangères à Marseille, il faut ajouter un élément socio-économique : la bourgeoisie marseillaise est plus négociante qu'industrielle et l'appel à la main-d'œuvre immigrée constitue une aubaine pour elle. C'est pourquoi l'immigration joue un rôle majeur dans la formation de la classe ouvrière marseillaise. Dès la fin du XIXᵉ siècle, les étrangers forment la majorité, parfois la quasi-totalité de la main-d'œuvre dans plusieurs branches industrielles de l'agglomération phocéenne (huileries, tuileries, tanneries, gaz, construction, sucre), auxquelles il faut bien sûr ajouter les activités portuaires et celles de la construction et de la réparation navales. Mais le mouvement migratoire participe de la formation de l'ensemble de la population marseillaise ! Si la classe ouvrière marseillaise emprunte largement à l'immigration italienne, espagnole, maghrébine, grecque, arménienne, africaine noire, d'autres catégories sociales connaissent le même processus de dynamisation démographique et sociale : les négociants grecs et levantins jouent depuis cette époque un grand rôle dans la bourgeoisie marseillaise ; le commerce et l'artisanat voient les Arméniens, les juifs du bassin méditerranéen (Provençaux, Gréco-Turcs puis Nord-Africains), également les Suisses (en particulier dans la confiserie-chocolaterie et les brasseries) et tout récemment les Maghrébins, occuper des positions majeures.

LES TROIS VAGUES

Nous emprunterons à Émile Temime[7] le schéma des trois grands mouvements migratoires qui, strate après strate, marque profondément le paysage démographique et socio-culturel de Marseille et des Marseillais.

La première vague fin XIXe-début XXe où domine l'immigration latine à caractère économique. Les Italiens en constituent l'apport majeur : Piémontais, puis Napolitains, dont la trace est durable sur tous les plans. Les Espagnols, dont la présence est aujourd'hui largement sous-estimée. Les Corses pour qui la possession de la nationalité française est le seul trait qui les distingue d'une migration classique et permet à une part d'entre eux d'intégrer la fonction publique (armée, police, douane, diverses administrations...). Il faut enfin signaler qu'au sein de cette vague à dominante latine se glissent d'autres nationalités et ethnies dont les premiers Maghrébins (Kabyles en l'occurrence) qui dès le début du XXe siècle, sont appelés pour remplacer des Italiens grévistes dans l'industrie agro-alimentaire.

La seconde vague est issue de l'ébranlement politique du monde méditerranéen après la Première Guerre mondiale : migrations à caractère politique — Marseille jouant un rôle de ville-refuge — appel massif à la main-d'œuvre coloniale. C'est à cette vague que fait référence G. Rambert. Les Italiens dominent à nouveau, en particulier ceux qui fuient le fascisme, suivis de près par les républicains espagnols, alors qu'entre temps des dizaines de milliers d'Arméniens parviennent à échapper au génocide perpétré par les Turcs et se réfugient à Marseille où une grande partie d'entre eux va s'installer. La démobilisation des régiments coloniaux (tirailleurs sénégalais, tabors, zouaves nord-africains...) va inciter les entreprises à faire appel à cette main-d'œuvre qui venait de faire l'expérience de la discipline dans un contexte terrible. Indochinois, Africains noirs et surtout Algériens (au sein desquels les Kabyles voisinent désormais avec d'autres ethnies) découvrent à leur tour cette ville et y font souche.

La troisième vague a lieu au début des années 60. Elle est corrélative du double processus de décolonisation et d'industrialisation du pays. Elle attire des mouvements migratoires en provenance du sud méditerranéen. A Marseille, les Algériens, les Maghrébins seront très largement représentés.

La ville qui passe à côté de ce mouvement d'industrialisation ne peut fournir l'emploi nécessaire. D'autant plus que s'y ajoute l'arrivée massive des Pieds Noirs. Dans les deux cas, Marseille est ville-transit, mais dans les deux cas également elle est ville d'accueil pour des migrations à caractère essentiellement familial. L'arrivée concomitante et l'installation dans la durée des Européens originaires d'Algérie et des Algériens est historiquement exceptionnelle. D'aucuns y voient la source de la poussée xénophobe de ces dernières années. Si le passif historique joue sans aucun doute un rôle, je suis de ceux qui ne surestiment pas ce fait et ne lui accordent pas une importance décisive. Il reste que les deux groupes, chacun à sa manière, impriment fortement le paysage urbain, les modes de vie et les pratiques culturelles dans le Marseille des années 60 à 80 — chacun à sa manière car si l'un affirme sa légitimité nationale, l'autre se la voit contestée. Les Pieds Noirs, la notion même de rapatrié y conduit, se présentent comme une population homogène. Rien n'est moins vrai : tout indique au contraire l'hétérogénéité de l'origine ethnique, française bien sûr mais surtout espagnole, italienne, maltaise, gitane andalouse, israélite sépharade... Cela se retrouve aujourd'hui dans les modes de structuration communautaire en particulier pour la population juive d'Afrique du Nord dont l'organisation interne est d'une densité remarquable sur les plans cultuel, culturel ou de l'aide sociale... Cela n'empêche pas pour autant des formes de solidarité à l'échelle du monde pied noir dans sa globalité.

Les Algériens et par extension les Maghrébins, sont souvent présentés comme le nouveau groupe étranger dominant ayant pris la succession des Italiens dans le paysage social et culturel marseillais.

Peut-on réellement affirmer qu'à une Méditerranée septentrionale, latine et chrétienne a succédé dans la cité phocéenne une Méditerranée orientale, arabe et islamique et que, la distance culturelle étant trop forte, la capacité intégratrice marseillaise serait prise en défaut ? Je ne partage pas ce point de vue, pour une raison essentielle : le contexte social et migratoire est totalement différent. Les Italiens iront jusqu'à représenter 20 % de la population totale marseillaise ; ils seront présents majoritairement dans la plupart des branches de l'activité économique dans une ville en pleine croissance ; ils marqueront de leur empreinte la plupart des quartiers populaires et s'engageront très fortement dans les organisations ouvrières, syndicales, mutualistes, politiques où on les retrouvera très vite aux postes de direction. Il est intéressant de constater que l'immigration italienne ne connaît pas de réelle structuration interne : tout se passe comme si son intégration rapide et massive dans les rapports sociaux locaux faisait d'elle une migration fondatrice du Marseille populaire qui construit son hégémonie dès le début du siècle.

Avec l'immigration italienne et dans le même sillage fondateur, on trouve les Espagnols dont le profil d'intégration est proche de leur voisin latin, les Corses, au fort réseau de solidarité interne, les Arméniens qui reproduisent une organisation intraethnique complexe dont la diversité obéit aux clivages religieux et politiques qui traversent la communauté, les Grecs, les Libanais, les Indochinois et quelques autres nationalités beaucoup plus minoritaires. La question se pose aujourd'hui pour les Maghrébins, au sein desquels les Algériens constituent une écrasante majorité. Immigration de peuplement ? La réponse est évidemment oui lorsqu'on constate sa familialisation très forte conformément à une tradition commune aux immigrations précédentes. Groupe dominant et fondateur ? A l'inverse des Italiens, les Maghrébins arrivent à Marseille dans un contexte très sensiblement différent : en premier lieu, il ne faut cesser de le répéter, on retrouve aujourd'hui un des taux d'étrangers le plus faible de son histoire (moins de 10 % au dernier recensement dont environ la moitié de Maghrébins) et l'immigration s'est considérablement ralentie même s'il en arrive encore en particulier des Comores, du Sud-Est asiatique ou du Moyen-Orient. Ce tarissement de l'immigration est corrélatif à une diminution globale de la population marseillaise et à une crise économique d'une ampleur sans précédent depuis le début de la révolution industrielle.

Minoritaires, subissant de plein fouet les conséquences de la crise, victimes d'une xénophobie permanente, les Maghrébins sont confrontés à un processus de marginalisation économique et urbaine. Cela ne crée donc absolument pas une situation favorable à l'exercice d'une quelconque hégémonie sociale, mais cela constitue a contrario un fait nouveau à Marseille : il y a en effet aujourd'hui risque de fracture du social par la non-intégration d'une vague migratoire et le développement d'un processus de ghettoïsation pourtant contraire à la tradition marseillaise [8].

Ce processus n'empêche pourtant pas, favorise même à certains égards, l'émergence d'une cohésion intraethnique : autour des mosquées et lieux de prière (outre la « Mosquée » de la Porte d'Aix, il en existe une centaine à Marseille dont l'intégrisme est pratiquement absent, contrairement à ce qu'affirme une certaine presse) ; autour des jeunes générations, du tissu associatif et socio-culturel ; autour des commerçants en particulier dans le centre ville.

L'absence historique de ghetto à Marseille étonne beaucoup et interroge sur les modes de spatialisation de la population marseillaise. La réponse est d'autant plus intéressante qu'elle met au jour les formes locales de l'intégration sociale et ethnique des différentes strates de la population et le processus original de sédimentation qui s'opposent jusqu'ici au modèle anglo-saxon.

LES TERRITOIRES MARSEILLAIS

Marseille, si l'on s'intéresse à son découpage territorial, présente des avantages considérables. N'est-elle pas souvent présentée comme l'agglomération, sur un terroir très important (trois fois Paris *intra muros*), d'unités distinctes de villages et de quartiers. Construire une typologie des quartiers marseillais est pourtant plus compliqué qu'il n'y paraît au premier abord. Regardons par exemple une carte de Marseille où s'inscrivent les dizaines de noms de quartiers (environ 100) qui subdivisent à l'envi les arrondissements fabriqués récemment et auxquels seuls les techniciens et les élus font référence. La population parle de l'Estaque et non du 16e arrondissement, de Saint-Giniez et non du 8e, de La Plaine et non du 5e arrondissement. Cette toponymie mérite qu'on s'y arrête. Elle constitue un mode d'entrée commode car elle renvoie aux formes historiques de la formation des unités territoriales dans cette ville, parce qu'elle constitue la trace matérielle des modifications profondes de la morphologie de la société locale.

Que peut-on dire de cette liste de noms de quartiers ?

En premier lieu qu'une répartition sommaire fait apparaître majoritairement deux types de noms : d'abord, ceux qui font référence à l'organisation paroissiale de la ville et du terroir. Exemple : l'ensemble des quartiers dont le nom invoque un saint patron. A cela s'ajoute les quartiers qui portent un nom lié à l'organisation de l'église. Exemple : le Chapitre, la Conception, les Chartreux. Ensuite, ceux qui font référence aux domaines bastidaires qui doublent la ville et ont fait l'objet d'un investissement très important de la part de la bourgeoisie marseillaise. Exemple : la Barasse, la Treille, la Milliere, la Timone, Les Caillols, Menpenti, la Valentine, la Panouse.

Si l'on ajoute à cela les noms des « cités » — grands ensembles de la périphérie, au nord, nord-est mais aussi au sud de la ville — véritables quartiers dans le quartier, l'armature bastidaire du terroir marseillais s'y retrouve presque dans sa totalité : la Castellane, le Bricarde, les Flamants, Font-Vert, la Busserine au nord, ou la Sauvagère et la Pauline au sud. Il faut noter pour être exact que ces cités n'échappent pas non plus à une nomenclature d'origine religieuse : Saint-Tronc, Saint-Barthélémy, Petit Séminaire.

Il reste enfin un certain nombre de noms évoquant une site : le Roucas Blanc, les Cinq Avenues, la Pointe Rouge, Beauvallon, La

Viste, la Plaine, auxquels s'ajoutent quelques lieux-dits évoquant l'existence de hameaux avant l'urbanisation, tel le Rouet.

Il est remarquable de constater que les activités économiques ont très peu marqué la toponymie hormis les inévitables madragues : la Madrague-Ville, la Madrague de Montredon. C'est peu au regard de l'importance de l'industrie dans la constitution de nombre de quartiers.

Enfin, il est encore plus remarquable de constater qu'il n'y a pratiquement pas d'effets des grandes migrations, qui construisent, générations après générations la population marseillaise, sur la toponymie de cette ville. Même si ce constat doit être nuancé (ne désignait-on pas au début du siècle le quartier de la Belle de Mai comme la petite Italie, Saint-Mauron, la Petite Sicile et aujourd'hui le quartier Belsunce et de la Porte d'Aix, le quartier arabe) il renvoie sans doute à une réalité : l'absence *stricto sensu* de ghetto dans l'histoire de Marseille. Même la Jusataria, le quartier des juifs de la cité médiévale, proche de l'église Saint-Martin, sur l'emplacement de l'actuelle rue Colbert, n'a pas pris les formes aussi achevées que celles des ghettos de Venise, de Cordoue, a fortiori de l'Europe du Nord.

Mais cela ne veut pas dire pour autant qu'il n'y eut pas de formes spécifiques de l'implantation territoriale des vagues d'immigrés à Marseille. Nous y reviendrons plus loin. Mais pour ce qu'il dit et ce qu'il ne dit pas, ce rapide panorama des noms de quartiers à Marseille peut servir d'introduction à un essai de typologie des quartiers marseillais.

L'organisation paroissiale a une importance décisive depuis la cité médiévale, et ses effets tardifs se font sentir au moment de la croissance industrielle de la périphérie urbaine. En Europe occidentale, et particulièrement en Méditerranée septentrionale, la paroisse au-delà de son rôle religieux définit des unités territoriales rurales mais aussi urbaines parce qu'elle assure une existence civile et politique : état civil, groupements et associations de séculiers organisés autour de l'appareil ecclésiastique, confréries liées aux corporations et aux métiers donc à l'activité économique. Morphologiquement parlant l'église occupe une position stratégique dans l'organisation urbaine. La transformation des modes de production et d'échanges, la séparation des pouvoirs religieux et civil, de l'église et des institutions étatiques ont bouleversé les fondements sociaux et urbains de ce type de quartier.

Il reste que Marseille à tous égards est marquée par cette juxtaposition de « villages » pour reprendre une expression couramment utilisée à propos de cette ville. Paroisse urbaine comme Saint-Victor, Notre-Dame-du-Mont ou les Chartreux ; paroisse rurale comme la totalité des villages agglomérés au nord, à l'est ou au sud. Il en résulte une toponymie mais également des limites morphologiques, des aires de référence qui font que la Belle de Mai n'est pas Saint-

Mauron sa voisine et Saint-Henri n'est pas Saint-André, malgré de fortes similitudes sociales et ethniques.

Il reste également une forme urbaine qui fait, comme à Mazargues, déboucher l'axe central (la rue Émile-Zola) sur l'église et sa place vers laquelle converge la totalité des rues qui composent l'ancien noyau villageois.

Il reste parfois une mémoire collective liée à des pratiques festives, processionnelles (Saint-Victor et la « navette », la Belle de Mai, Château-Gombert et le provençalisme...). Ces quartiers ont évolué dans deux directions selon un clivage d'ordre économique et social très clair : au nord et à l'est ils ont servi de cadre à l'émergence des faubourgs industriels et ouvriers. Vers le centre et au sud ils ont évolué vers des fonctions de plus en plus exclusivement résidentielles à l'usage des couches sociales de la petite et de la moyenne bourgeoisie, à l'exception de poches ouvrières, elles aussi habitatives, dans l'extrême sud (Ste-Marguerite, Mazargues, Pointe Rouge) ou péricentrales (Vauban, Endoume).

LE FAUBOURG RÉSIDENTIEL

On a trop souvent l'habitude de ne jamais voir, dans les faubourgs résidentiels, d'identité locale, de sentiment d'appartenance au quartier. A l'examen cela se révèle faux.

Les quartiers des Chartreux et des Cinq-Avenues présentent la caractéristique jusqu'à ce jour d'accueillir des couches sociales de la petite et moyenne bourgeoisie qui ont un attachement très fort au lieu.

La condition première semble en avoir été une très forte tradition résidentielle qui remonte à la monarchie de Juillet, à l'existence du Jardin Botanique, à celle de l'Ordre des Chartreux et à l'absence d'usines. Des allées de Meilhan (en haut de la Canebière), par le boulevard de la Madeleine, on accède aux Chartreux par un axe de la distinction. Avec beaucoup plus tard, le lotissement de la Madeleine, s'ajoutent à cette image la modernité (hygiène, équipement, confort), l'apport des couches moyennes nouvelles, l'inauguration du quartier des Cinq-Avenues, véritable centre du faubourg des Chartreux. Il y a là une sorte de continuité historique dans la construction d'une image sociale homogène, d'un sentiment d'appartenance à un groupe socialement défini. L'image aujourd'hui véhiculée par ses habitants est plus que jamais l'image d'un quartier dynamique, très bien équipé, avec des pratiques intenses de l'espace (bars, « Maison pour tous » surtout fréquentée par les jeunes, les femmes et le 3e âge, cinémas, commerces...). Ce qui est frappant ici c'est que la différence typo-morphologique entre le faubourg des Chartreux et le lotissement de la Madeleine ne renvoie pas à des différences sociales et ne fait pas obstacle à une image homogène du quartier...

De l'autre côté, au sud, le carré résidentiel Périer, Prado, Paradis, St-Giniez ne laisse pas entrevoir de vie de quartier réelle. La vie quotidienne est fondée sur une dualité centripète (vie dans les appartements) et centrifuge (week-end à l'extérieur, voyages fréquents...), mais cela n'occulte pas une culture locale très fortement marquée (réseaux de sociabilité, accent, mode vestimentaire, école privée...). Parallèlement à ce déplacement de résidentialité bourgeoise, Marseille voit se développer son industrie selon trois axes : un axe nord-est le long du Jarret où dominent les minoteries ; un axe sud-est le long de l'Huveaune où la métallurgie voisine avec l'industrie agro-alimentaire ; enfin, celui qui prendra le pas sur les précédents : un axe nord le long du littoral portuaire et de la route d'Aix. Surgiront, vers la fin du XIXe siècle, face aux bassins du port, les carrières d'extraction de l'argile et de la pierre à ciment, les grands moulins et les moulineries, l'industrie agro-alimentaire (huile, pâtes, sucre), la petite métallurgie de transformation et quelques embryons d'industrie chimique.

La main-d'œuvre de souche marseillaise et les premières vagues migratoires vont être orientées vers ces quartiers. Intercalés entre les bourgs, des paroisses périphériques qui parsèment le littoral ou le terroir marseillais, tissu d'habitation et tissu industriel s'interpénètrent : c'est une succession d'entrepôts, d'usines, d'alignements de petites maisons ouvrières en rez-de-chaussée, aux jardinets souvent couverts de poussière des carrières, de terrains vagues remplis de déchets industriels, de noyaux villageois qui vont donner leurs noms aux quartiers et structurer leur vie sociale. En maints endroits cependant vont subsister de grandes et opulentes bastides avec leur maison de maître, lieux de délassement pour la bourgeoisie du négoce marseillais.

Dans les quartiers industriels vont se forger un cadre territorial, une unité spatio-temporelle de résidence, de vie professionnelle, sociale, de loisirs et les différentes formes d'entraide fondées sur la cohésion ouvrière. La liste est longue de ces quartiers où naît dès le XIXe siècle, l'organisation socialiste puis communiste, mutualiste, syndicale, laïque (les Amis de l'Instruction Laïque) et urbaine (les premiers Comités d'Intérêt de Quartier, CIQ, sont créés dès les premières années du siècle). Ce sont ces organisations qui joueront un rôle fondamental dans le brassage ethnique et la cohésion sociale des diverses catégories ouvrières face au patronat. Le poids considérable de l'immigration et son renouvellement favoriseront l'indépendance du mouvement ouvrier à l'égard d'un éventuel paternalisme patronal.

C'est ainsi qu'à Marseille, dans cette première moitié du XXe siècle, de la Belle de Mai à l'Estaque, de Menpenti à St-Marcel, l'identité ouvrière transcende les différences ethniques et la conscience de classe se constitue sur une double base : l'entreprise et le quartier, en dépit des conflits de tous ordres, y compris parfois de conflits ethniques qui ne manqueront pas d'éclater en particulier dans les conjonctures de crise.

Ces types de quartiers sont encore aujourd'hui bien réels, mais leur identité et leur existence même sont en crise du fait de la mise en cause de l'équilibre socio-économique sur lequel ils reposaient, par la désindustrialisation la coupure du lien entre travail et habitat, et les formes diverses de la marginalisation sociale et ethnique.

Restent aujourd'hui encore fortement les formes traditionnelles de la sociabilité : cercles d'hommes fondés sur la solidarité ouvrière (foyer du peuple, cercle laïque), ou sur la pratique des loisirs (société de pêche, pratique des « cabanons » de bord de mer...), ainsi qu'un rôle important du café et de l'espace public.

LA CITÉ ET LE SAS

Toujours dans l'espace ouvrier, une forme apparaît avec les mouvements d'urbanisation des trente dernières années : c'est le grand ensemble dont on a pu dire qu'il était l'anti-quartier, thèse qui semble aujourd'hui démentie par des formes réelles de territorialisation et de vie sociale qui s'y déroule.

Enfant du zoning, cette technique de planification urbaine qui coupe la ville en autant de tranches que d'activités, le grand ensemble (la « cité » pour reprendre l'auto-désignation) a comme caractéristique première d'avoir « construit » des populations hétérogènes à tous égards (éclatement des statuts et des activités professionnelles, des lieux de travail ; éloignement des membres des familles larges et des ethnies...), d'avoir accumulé et concentré les difficultés sociales (chômage, délinquance, misère...), d'avoir tenté de fonder une vie sociale sur la quotidienneté exclusive de l'habitat et de son environnement immédiat avec un outil nouveau : l'équipement.

Le zoning n'a-t-il défini que des espaces sans âme ? Trente ans après que constate-t-on ? L'aire de références semble avoir changé d'échelle. Une sorte de repli du quartier vers la cité (on est davantage de Campagne Lévêque que de St-Louis, du Plan d'Aou que de St-Antoine) même que si le noyau villageois ancien sert de lieu de centralité quotidienne.

La cité définit morphologiquement un espace relativement clos où se déroule une sociabilité féminine et adolescente. On assiste à des investissements sélectifs de l'équipement (aux deux extrêmes démographiques : troisième âge et adolescents). La coupure spatiale du travail et de l'habitat peut déboucher sur une absence dans la vie de la cité de l'homme, parfois du couple actif. Idée qu'il faut nuancer compte tenu du taux de chômage très élevé dans ces cités.

Enfin, la marginalisation économique et sociale ne débouche pas seulement sur la tension et la violence et n'a pas empêché certains facteurs de constitution d'identité locale d'émerger.

Des regroupements familiaux ont lieu à l'insu des gestionnaires de HLM, reconstituant dans la même cité, voire dans le même bloc, des familles très larges. Ces regroupements ethniques (maghrébins par nationalité spécifique, gitans, comoréens...), participent incontestablement d'un processus de ghettoïsation mais permettent aussi de mieux vivre dans un cadre pas toujours vivable. Sont apparues également, nous l'avons déjà évoqué, des formes de cohésion intraethnique (mosquées, associations), ou intragénérationnelles entre les jeunes des générations issues de l'immigration.

Le sas : il s'agit de vieux quartiers centraux ou péri-centraux, abandonnés par leur population à différentes époques au profit des formes modernes de l'extension urbaine vers le sud de l'agglomération, et qui deviennent des lieux d'implantation privilégiés de l'immigration. D'aucuns parlent à tort, à mon sens, de ghetto à propos de ces quartiers et les assimilent aux ghettos des villes américaines (Chinatown, Harlem, Little Italy). Il s'agit là d'un véritable contresens lorsqu'on parle des quartiers concernés : le quartier de la Porte d'Aix, le quartier du Panier, celui des Carmes. Si l'on se réfère à l'histoire du ghetto européen et aux thèses de Louis Wirth, rien ne ressemble ni de près ni de loin à un ghetto à Marseille.

Aucun quartier n'a accueilli la totalité ni même la majorité d'une vague migratoire. Tous les quartiers à forte présence immigrée ont conservé une part importante d'habitants français de souche et parmi les immigrés ils ont accueilli une multiplicité d'ethnies qui connaissent peu — tout au moins à l'échelle du quartier — de structuration communautaire. Enfin, il a déjà été évoqué le phénomène de diffusion des immigrés dans l'ensemble de l'espace marseillais à propos des faubourgs industriels.

Le sas, c'est autre chose : les quartiers du Panier, de la Butte des Carmes et de la Porte d'Aix — dès le XIIIᵉ siècle pour les deux premiers et au XIXᵉ siècle pour le troisième — recouvrent une réalité dominée par des situations provisoires, des moments dans des trajectoires individuelles ou collectives, un lieu dominé par un mot que Marseille, de par l'histoire de son économie, connaît bien : le transit.

En outre ces quartiers assument une fonction de centralité à l'usage de l'ensemble, et de chacune, des immigrations de l'agglomération et de la région ; lieux ludiques et lieux de cultes, commerce, services spécialisés. C'est le rôle joué par le quartier de la Porte d'Aix pour les Arméniens et les Maghrébins, et par celui du Panier pour les Corses, les Italiens, les Vietnamiens et aujourd'hui les Comoréens. Le rapport à la forme urbaine se fait davantage en termes de situation urbaine que dans une liaison avec la typologie des habitats : le Panier, la Porte d'Aix, Belsunce présentent des typologies et des organisations morphologiques fort différentes mais les points communs sont : la situation centrale à deux pas du port et de la gare d'une part, et d'autre part un habitat dégradé à l'appropriation plus aisée et moins onéreuse. L'évolution actuelle alimente le stéréotype du ghetto mais n'infirme pas notre analyse sinon peut-être sur un point : on assiste à un affaiblissement du transit au profit d'une installation dans la durée et dans la précarité de ces populations migrantes avec la naissance de micro-espaces de vie sociale quasi communautaire. Par exemple le quartier de la rue du Bon Pasteur autour de la mosquée. Mais il y a également une extension spatiale du phénomène qui gagne une part importante du centre historique.

Parallèlement, les quartiers de la Porte d'Aix et de Belsunce ont connu ces dernières années le développement d'un commerce de tissus, de prêt à porter, d'électro-ménager... à l'usage d'un tourisme algérien quantitativement très important. Ce commerce dit maghrébin (mais tenu tout autant par des Français que par d'autres nationalités) prolonge et renouvelle la tradition marseillaise de la Porte de l'Orient, mais n'a que peu de rapport avec l'évolution même de l'immigration algérienne dans le quartier et dans la cité phocéenne[10].

LES FORMES TRADITIONNELLES DE LA CENTRALITÉ

A Marseille, il s'agit historiquement de l'ensemble formé par le vieux port, la Canebière et ses abords. Cette vision unitaire de la centralité marseillaise est pourtant à nuancer. Les différentes formes d'extension de l'agglomération ont pour résultat l'émergence d'espaces centraux qui se différencient tant géographiquement que fonctionnellement et socialement : les trois rives du vieux port, les « Allées », les places Castellane et de la Préfecture et les différents centres de quartiers sont autant d'exemples qui infirment la thèse trop répandue du caractère homogène du centre de Marseille. De surcroît, l'espace identifié symboliquement comme étant le centre de Marseille est profondément marqué par le thème de la complexité, complexité architecturale et complexité sociale. Ce qui frappe ici, c'est en effet l'absence de toute régulation des contacts, de tout code architectural qui sépare la consommation du vêtement de celle de la nourriture, l'univers de la pègre, de la prostitution de celui de la culture (Opéra, Théâtre de la Criée...). C'est le thème du bazar[11], explicite en 1848 dans le premier projet dessiné derrière le palais de la Bourse, implicite dans le complexe du Centre Bourse actuel.

C'est aussi une complexité stylistique due à la concomitance de projets urbains et architecturaux avortés à peine mis en route. C'est le cosmopolitisme de la restauration, du commerce et de leur fréquentation dont la présence dans l'espace urbain accentue l'hétérogénéité du lieu et en même temps aussi paradoxal que cela puisse paraître, lui donne du sens : celui d'une ville ouverte sur son espace maritime. Mais la centralité à Marseille évolue très vite. Aux formes historiques de l'extension que nous avons déjà citées s'ajoutent quelques lieux qui méritent le détour.

Proches de La Canebière, le cours Julien et surtout le cours d'Estienne d'Orves marquent l'émergence d'une bourgeoisie intellectuelle qui poursuit désespérément le mythe d'un Marseille qui n'a jamais existé : celui de Pagnol et des parties de cartes sur un quai, le « pointu » prêt à partir.

« Barnéoud » situé en périphérie entre Marseille et Aix, territoire unique de l'achat, du loisir et de la sortie familiale serait si l'on s'en tient au nombre de visiteurs, le véritable centre de l'agglomération marseillaise, notamment les samedis et les dimanches.

Le « Troisième Prado » constitué d'immeubles de luxe construits face à la mer n'a pas été conçu exclusivement à usage habitatif : d'immenses terrasses accueillent chaque soir la population bourgeoise des alentours qui trouve là un moyen de dédaigner le vieux port et la Canebière à leurs yeux trop insécurisants.

Paul Vieille dans une intervention au récent colloque de Venise sur les villes méditerranéennes [12], annonce la fin de toutes sortes d'appartenances dans l'urbain aujourd'hui. Ces quelques remarques sur Marseille permettent de contredire cette affirmation, même si nous assistons à des formes de recomposition de ces unités territoriales. Faut-il pour autant adopter l'idée que Marseille n'est jamais que l'agglomération de villages ?

A cette notion, je préfère celle, traduisant mieux la réalité, d'aire de référence, définissant des territoires à la fois ouverts et fermés, lieux de continuité et de ruptures.

Autre question, la notion de réseaux, souvent avancée comme fondement de la sociabilité urbaine moderne se substitue-t-elle à celle de quartier ? Oui, dans la mesure où il y a éclatement des formes de sociabilité en même temps que parcellisation des rapports sociaux (travail, habitat, loisirs, achats...). Non, si l'on considère que les réseaux sociaux ne sont pas déterritorialisés.

Au contraire on assiste simplement à la mise en place de lieux multiples, divers, hiérarchisés, certains jouant un rôle décisif. A Marseille par exemple, des réseaux d'immigrés maghrébins et le quartier de la Porte d'Aix, des groupes de jeunes et les bars du cours Julien, les milieux culturels et le cours d'Estienne d'Orves, les supporters de l'OM et le stade vélodrome... S'ajoute à cela le fait que ces différents groupes et lieux ne sont pas exclusifs de l'adhésion à des aires de référence plus stables, notamment autour de l'habitat.

« Marseille ! Tais-toi Marseille ! Tu cries trop fort ! » Ce refrain pourrait servir de leitmotiv à tous ceux qui rêvent de tirer un trait sur des siècles d'histoire marseillaise. Ils prétendent changer l'image de la ville pour mieux la vendre. C'est la loi du marché disent-ils, qui contraint la cité phocéenne à réduire l'activité multiforme de son port ; à tirer un trait sur son industrie ; à s'accommoder d'une inquiétante baisse démographique de peur d'entretenir un cosmopolitisme qui pourtant a toujours fait sa richesse.

Un singulier consensus prétend partir à la reconquête du centre ville pour en chasser ceux, habitants et touristes, qui désespèrent les investisseurs d'une balnéarité de luxe dont quelques architectes nous proposent les images rebattues de marinas et autres parcs de loisirs en lieu et place du port de la Joliette. Le rêve d'un Marseille californien où la balnéarité voisinerait avec les technologies de l'an 2000 hante les esprits. Mais chacun sent bien que le tourisme de luxe — très peu productif d'emplois et facteur de leur déréglementation sociale — allié à des technopôles dont rien aujourd'hui ne garantit l'existence, compte tenu de la concurrence et surtout de l'affaiblissement du tissu industriel, de formation et de recherche régionale, n'apporte pas de réponse satisfaisante.

Certes, Marseille s'est considérablement modernisée, mais en même temps elle plonge jour après jour dans une situation où chômage, précarité, travail social et assistanat, concernent une population de moins en moins marginale. Dans une ville où un vote Le Pen massif s'installe dans la durée, n'est-ce pas un peu simpliste que de croire qu'il suffirait de tourner le dos au sud pour que le nord apporte richesse, sérénité et bonheur ?

Les projets futuristes plus ou moins réalistes, plus ou moins fantaisistes qui passionnent le microcosme marseillais, ne sont-ils pas le symptôme d'une crise profonde d'identité ? Marseille, particulièrement ses élites, doute d'elle-même et de son histoire.

Pourtant ce n'est pas le moindre des paradoxes : dans un monde qui s'internationalise, où les rapports avec le tiers monde peuvent à nouveau, cette fois-ci sur une base plus égalitaire et coopérative, constituer la clé des évolutions futures, voilà que Marseille abandonnerait sa vocation portuaire, maritime, méditerranéenne, sa situation de ville transit, d'accueil, de ville carrefour ?

Le paradoxe mérite d'être soulevé à l'heure où une nouvelle bataille des ports, aussi vitale pour l'avenir que l'a été celle du XIXe siècle, s'engage sur fond brunâtre et menaçant de vêpres... marseillaises [13].

ALAIN HAYOT

Ethnologue. Enseignant/chercheur à l'École d'Architecture (Laboratoire INAMA) et à l'université de Provence (URA CNRS : Ethnologie des sociétés méditerranéennes).

1. Il s'agit de Christian Fouchet qui a prononcé cette phrase après la découverte de fuites au BAC dans l'académie de Marseille.

2. Cf. P. Milza, « Un siècle d'immigration étrangère en France », in *Vingtième siècle* n° 7, juil.-sept. 1985.

3. Cf. les travaux de D. Bleitrach, A. Chenu, *L'usine et la vie*, Maspero. *Classe ouvrière et social-démocratie*, E.S. De A. Donzel, « Marseille politique urbaine et société locale », thèse 3e cycle, Aix, Université de Provence. De M. Isaac, *Marseille le présent incertain* Actes-Sud, et in *Avis de recherches* n° 11, oct.-nov.-déc. 1987.

4. Gaston Rambert, *Marseille : la formation d'une grande cité moderne*, Maupetit éditeur, Marseille 1934.

5. Michel Vovelle, *De la cave au grenier*, Edisud 1980. Chapitre : « Les espaces et les hommes ».

6. Blanc-Gilly chroniqueur marseillais du XVIIIe siècle cité par M. Vovelle, *op. cit.*

7. Émile Temime, « Marseille ville de migrations », in *Vingtième siècle* n° 7, juil.-sept. 1985.

8. Cf. A. Hayot, « Marginalisation et cohabitation interethnique à Marseille », in *Société Française* n° 15, avril-mai-juin 1985.

9. Cf. Bruno Étienne in *les Temps Modernes*, n° spécial sur l'immigration maghrébine.

10. A. Hayot, « De Chicago à Marseille : centralité urbaine, mode d'implantation des migrants et cohabitation pluriethnique ». A paraître in *Ethnologues dans la ville*, ouvrage collectif, Ed. du CTHS, Paris 1988.

11. Cf. M. Peraldi, « Fragments d'urbanité dans une ville éparse », in *Marseille ou le présent incertain*, Actes-Sud, 1985.

12. P. Vieille in « Villes tourmentées », actes du colloque de Venise sur villes méditerranéennes, in *Peuples Méditerranéens*, 1986.

13. A la fin du XIXe siècle dans une conjoncture de crise économique, une explosion de violence contre les Italiens est restée dans les mémoires sous le nom de « vêpres marseillaises ».

ROBERT DAGANY

QUAND LA CHAIR

SUCCOMBE...

LE MOMENT VENU MADO A DÛ CHOISIR ENTRE TROIS PRÉTENDANTS : UN CORSE, UN NAPOLITAIN ET UN MARSEILLAIS...

« À Saint-Mauron, chacun le sait, on ne connaît que la gaieté. » Quand elle la fredonne, on peut croire que cette chanson a été faite tout spécialement pour Mado. Madeleine Reyne, soixante-dix-huit ans, a conservé un visage rond, expressif, qui s'épanouit au moindre sourire. Ses yeux, très mobiles, pétillent de curiosité ou de malice. Saint-Mauron, Mado connaît : tout comme sa mère elle y est née, et sa grand-mère y était arrivée en 1850. Ce quartier, moins célèbre que celui de la Belle-de-Mai, et pourtant très proche, accueille à cette époque un flot croissant d'immigrés. Tout près de là, les gigantesques travaux d'extension du port vers le nord, le développement des grandes compagnies maritimes et la voie ferrée du PLM, emploient une main-d'œuvre nombreuse, souvent d'origine italienne. Lorsque la grand-mère de Mado y arrive, Marseille compte seize mille Italiens sur deux cent mille habitants. Quand sa mère naît, en 1876, ils sont cinquante mille. Enfin, quand Mado voit le jour, ils sont près de cent mille et représentent 17,5 % de la population.

« C'est bien simple, explique-t-elle, sur les douze locataires de notre immeuble nous étions les seuls Français. Alors, pardi, nous étions plutôt bien vus. J'étais petite et j'avais tendance à accepter tous les goûters qu'on m'offrait. Ma mère me l'interdisait : "Ils ont assez de mal à nourrir leurs propres enfants !" Il faut dire que nous n'étions pas riches non plus. En ce temps-là, on tirait des pinces aux vitres ! [1] Et pourtant, je n'ai que de bons souvenirs. »

Cette impression de bonheur, Mado la fait remonter très loin, dans sa petite enfance : « Les bises, on n'en manquait pas. À la maternelle on nous embrassait en arrivant le matin. J'ai encore en mémoire la daube de la cantinière. C'était sa spécialité ! Rien d'extraordinaire, mais elle y mettait du temps et de l'amour. »

DE PLACE, Y'EN AVAIT POUR TOUS

Aujourd'hui, Saint-Mauron est peuplé essentiellement de Nord-Africains. Les années cinquante ont fait surgir, aux côtés des maisons anciennes, des immeubles sans caractère, déjà vétustes. Les enfants n'ont plus, pour jouer, les espaces verts d'antan. Les « Beurs » ne trouvent pas aussi facilement du travail que les jeunes « Babi »[2] qui les précédaient. Dans ce cadre détérioré, la vie est plus âpre et la délinquance inévitable. « De mon temps, raconte Mado, de place, y en avait pour tous[3]. Je me souviens pas qu'il y ait eu de gros problèmes. Il faut dire que nous avions, avec les Espagnols et les Italiens, les mêmes goûts. Dans la maison de ma grand-mère, il y avait une famille de Napolitains. Quand j'y allais et que la mère faisait des raviolis, je les alignais sur la table pour les compter. C'est là que j'ai appris à les faire. Chaque année, les Napolitains faisaient une grande fête en l'honneur de la Vierge. Ils allaient en pèlerinage à Notre-Dame-de-la-Galline, à l'Estaque, ou à Notre-Dame-de-la-Salette, aux Accates[4]. Ils faisaient aussi venir un orchestre de Naples pour danser. Il y avait rarement des incidents. Il n'y avait pas de "nervi" comme dans d'autres quartiers. Tout juste quelques petits "cacous" et leurs "cagolettes"[5]. Ils portaient la bagouse en or, la casquette ou le chapeau rond, et des souliers à triple semelles de cuir. Certains, on les aurait pendus par les pieds, il aurait pas tombé cinq sous. Mais on aurait dit des milords ! Ma grand-mère disait : « L'orgueil et la graisse, Dieu l'abaisse. » Dans l'ensemble, nous étions simples. Je me souviens qu'un jour on m'avait acheté une veste en peluche superbe. Elle était trop belle même. Je voulais pas la mettre parce que j'étais plus comme les autres. Il a fallu quand même que je la porte. Jusqu'au bout. »

LA MORUE OU LE FARCI

En dehors de l'école, Mado et ses camarades n'avaient pas d'autres loisirs que d'aller au patronage et, plus rarement, au bar du grand Pierre qui chantait des rangaines italiennes. Le samedi soir, on tournait inlassablement la manivelle de la viole pour danser, toujours sur les mêmes airs. « Seulement attention, on y buvait très peu. C'était un bar de famille et on y voyait jamais personne niasque[6]. »

Et puis, aux beaux jours, il y avait les pique-niques. On partait à plusieurs familles. Au printemps, dans les campagnes toutes proches du Canet, et l'été, à la mer. « Chargés comme des mules, nous poussions à pied jusqu'à la jetée. On choisissait une belle pierre plate. Chacun déballait ses victuailles et faisait la "goûtette" : c'est-à-dire qu'on piquait un peu dans tous les plats. Après, on chantait. C'était des joies simples. D'ailleurs, la simplicité c'est une qualité marseillaise. Regardez Pagnol : c'était pourtant un grand monsieur ? Eh bé, dès qu'il ouvrait la bouche, tè, on trouvait quelqu'un de très simple . Y en a d'autres qui sont que des "pètes de mémé[7]" et ils se croient des monarques ! »

Mado plisse les yeux et ponctue chacune de ses boutades d'un éclat de rire qui vient du fond de la poitrine, incroyablement communicatif. Quels que soient les souvenirs qu'elle évoque, ils lui paraissent heureux. Et pourtant, on devine que tout n'était pas rose : « Certains travaillaient plus de douze heures par jour pour gagner le strict nécessaire. Quand les fonds étaient bas, qu'on était — comme on disait — "à Nice"[8], on mangeait de la morue. Dès que ça allait mieux, alors on pouvait se payer le farci en semaine, et le civet de lapin le dimanche. Quant aux vacances, y en a pas beaucoup qui pouvaient en prendre. Ma grand-mère, vous savez ce que c'était sa plus grande sortie ? L'été, elle descendait une chaise sur le trottoir et elle s'asseyait devant la porte pour discuter avec les voisines. »

LA ROUSTE

De sa voix au timbre grave, Mado déroule ses souvenirs avec un égal plaisir. Son accent, intact, n'est jamais forcé et ses formules, autre vestige de la langue provençale, ont un parfum inimitable. « C'est bien français ça ? » demande-t-elle souvent pour un mot qui lui paraît suspect. Mise en confiance, elle se risque à évoquer des souvenirs mille fois racontés et qui la font, chaque fois, rire aux larmes. « On n'habitait pas un palace. À cette époque, la tinette[9] passait chaque matin. Il fallait descendre le jules[10] devant la porte. Mais nous étions nombreux. Pour pas descendre plusieurs fois l'étage, ma mère, de plusieurs seaux, en faisait qu'un. En passant devant la cuisine où elle était en train de transvaser, un de mes frères a lancé un matin : "Tiens, regarde maman dans son laboratoire !" C'était des corvées pénibles, mais on prenait ça à la rigolade. » Elle rit encore un fois. Puis elle ajoute, soudain sérieuse : « Mais ça, vous le mettez pas, hé ? Faut pas croire, quand même qu'on riait toujours. Nous étions quatre enfants. Ma mère était divorcée et travaillait dur pour nous nourrir. Elle disait "j'ai tout fait dans ma vie, sauf la pute !" J'étais la dernière et la seule fille. Autant dire que c'était mes frères qui s'occupaient de moi. Quand, avec leurs copains italiens, ils faisaient des bêtises, les uns me disaient : "Sta zitti !" et les autres : "Tais-toi !" Ils finissaient quand même par prendre de braves roustes[11]. On craignait pas de traumatiser les enfants, comme ils disent aujourd'hui. À cette époque, la rouste, c'était l'électrochoc du pauvre. »

VOYAGE DE NOCES SUR LA CORNICHE

Dans la famille de Mado, comme partout en Provence à ce moment-là, l'honneur était sacré et le comportement des filles sévèrement contrôlé. Elle ne rentrait pas à n'importe quelle heure et on surveillait ses fréquentations. Dans ce quartier à population dominante italienne, il était normal que Mado ait des prétendants transalpins : le mariage mixte était une façon rapide de s'intégrer. D'autant qu'elle n'avait aucun préjugé contre les « Babi ». « ... Et puis, à cet âge, on a la beauté du diable. Les garçons y étaient pas insensibles. Je me souviens qu'une fois, à la fête des Napolitains, un bougre me serrait d'un peu près. Il se frottait à moi, et j'arrivais pas à me le dépéguer[12]. Ma mère voyait, à mes yeux, que j'étais pas à l'aise. Elle m'a écartée, s'est plantée devant le séducteur et a lancé, très haut : "Tè, un peu voir, moi, si on me frottera !" »

Le moment est venu cependant où Mado a dû choisir entre trois prétendants. Un Corse, un Napolitain, et un Marseillais. « C'est le dernier que j'ai choisi, parce que nous avions beaucoup de points en commun. le seul problème, c'est qu'il était plus petit que moi. Alors il m'a dit : "Toi tu marcheras sur la chaussée et moi sur le trottoir !" En fait, on a très vite oublié cette différence. »

Ce qui est sûr, c'est que Mado n'avait pas choisi le plus riche. Joseph, son jeune mari, ne gagnait que 1 200 francs par mois, employé aux docks comme fondeur. Autant dire que ni l'un ni l'autre n'avait d'économies, et il n'était pas question d'aller à Venise. « Notre voyage de noces, ça a été le tour de la Corniche en tramway. Nous avons mangé le coquillage[13], et puis nous nous sommes offerts le cinéma. Je vous donne en mille le film que nous avons vu... ». Les yeux pétillants de malice, elle attend à peine la réponse. Déjà, un rire contenu lui secoue la poitrine. « Il s'appelait : *Quand la Chair Succombe*. Mon mari avait des idées en tête et voulait rentrer à la maison avant la fin. Moi je voulais rester. C'est pas que j'en avais pas envie, oh, non ! Mais on a quand même sa fierté ! » Délivré, le rire déboule sur les derniers mots, ample, puissant. Elle en pleure même et une larme roule sur la joue rubiconde. Cette noce, si modeste fut-elle, a quand même un peu grevé le budget : il manque quatre cents francs pour finir le mois. Alors, Jo décide de vendre son fusil de chasse. « En fait, il a simplement laissé la chasse pour trouver la pêche ! Tout le restant de sa vie, il l'a passé entre le travail, la maison, et le bateau. Et il m'a refilé le virus, au point que je peux dire avoir passé sur le bateau les plus beaux moments de ma vie. Nous en avons eu quatre, tous achetés d'occasion. D'abord le Joyeux, après il y a eu la bette[14], puis le Pitalugue, et enfin une barquette, la Parisette. Tout le monde ne pouvait avoir un bateau à l'époque : ça revient cher à l'entretien. Heureusement, mon mari était bon pêcheur. Il vendait le poisson et l'argent allait à l'entretien. Quant au moteur, il le rangeait[15] lui-même. »

SORTIES « À LA MARSEILLAISE »

Aujourd'hui, les ports de plaisance de la ville se sont multipliés. De Cassis à la Pointe Rouge, et du vieux port à l'Estaque, les bateaux

« ventouses » se comptent par milliers. La plupart ne sortent que quelques jours par an, et certains restent prisonniers de leur anneau plusieurs saisons. « Je crois que les sorties "à la marseillaise", ça s'est perdu. Nous, nous étions à l'Union Nautique du Canal de la Douane, dont la panne [16] est au vieux port. L'été, nous partions à plusieurs familles — chacune dans son bateau — sur la côte bleue, à Martigues, Niollon, et surtout Carry (le-Rouet). Le premier qui partait réservait la place aux autres. À quai, les embarcations se touchaient. Pour ne pas réveiller les copains, ceux qui partaient pêcher le matin sortaient à la rame. Quand la pêche était bonne, nous partagions la bouillabaisse. Mon mari plongeait chercher des moules et des oursins : on se faisait de ces ventrées !... Et personne était malade. On avait tout, vé ! Y nous manquait que la gale pour nous gratter. » Par mauvais temps, les « pescadous » restaient à l'abri sur le port. Les hommes jouaient à la manille ou à la belote bridgée. « Ils finissaient toujours par s'engueuler. La partie de carte de Pagnol, à côté, c'était sage. Et pourtant ils ne jouaient rien, même pas un verre d'eau. Quand une colère était trop grosse, il y en avait toujours un pour plaisanter : "O fan ! y va falloir lui mettre des sangsues..." Et tout finissait en rigolade. » Lorsqu'elle parle de la mer, Mado s'illumine. Une seule fois dans sa vie, elle a dû la quitter. « Quand je suis été [17] parachutée à Avignon, c'est la mer qui m'a le plus manqué. À Marseille, je peux rester des heures à la regarder : elle n'est jamais la même. Là-bas, bien sûr, il y avait le Rhône. Mais il ne change jamais : il est toujours gris, et il ne sent rien ! » Elle a une façon toute particulière de prononcer ce « rien » : en appuyant très fort sur le « r » et faisant durer le « i ». Ce « rien » là, chez Mado, est vraiment définitif ! Un autre sujet l'anime, tout autant que la mer : l'opéra. « Dans notre jeunesse, il y avait les Variétés, le Gymnase, l'Alcazar bien sûr, mais surtout l'Opéra. Tous les lundis il y avait une soirée populaire qui coûtait moitié prix. On faisait la queue des heures. On finissait par se connaître. On savait les airs par cœur. On attendait "la" note. Après, on rentrait à pied. Ça faisait des kilomètres, mais on s'en rendait pas compte. On faisait la critique : tout était passé au crible. Moi, j'adore les basses. Je me souviens d'Adrien Legros : la voix, on aurait dit qu'il allait la chercher dans ses talons ! »

MA MÈRE DISAIT...

Mado respire la joie. Et pourtant, dès l'âge de quatorze ans, elle a dû travailler en usine. Pendant la guerre, elle a même dû faire des ménages, puis elle est revenue en usine jusqu'à ses cinquante ans. Mais alors qu'elle s'apprêtait à vivre enfin une vieillesse paisible, à jouer les grand-mères gâteau, elle a soudain perdu tragiquement son mari, son fils unique et sa brue.

À soixante ans, elle a dû se battre à nouveau, seule cette fois, pour élever ses deux petits-enfants. De cette période, elle n'en parle pratiquement jamais. Elle a gardé, en société, sa bonne humeur. Mieux, elle prête, plus que jamais, une attention particulière au malheur des autres. Les larmes qu'elle a versées, personnes ne les a vues. À peine, parfois, a-t-on pu les deviner à ses yeux rougis. Cette pudeur, Mado croît la tenir de sa culture marseillaise. « Il y a des choses qu'on doit garder pour soi. Je me souviens à Avignon, une fois dans le bus, une dame disait à une autre "je viens de faire une visite de charité." Ça m'a choquée. La charité, ça se fait, mais ça se dit pas ! je crois qu'à Marseille nous sommes plus discrets. Vous connaissez la chanson de *Marie-la-Poissonnière* ? » Mado a cette habitude de trouver dans sa mémoire une chanson pour chaque situation. Elle entonne :

« Tu cancanèges
Tu emporquèques [18]
Tu parles de l'intimité
Devant toute la société
Ce que nous faisons en cachette
Pas besoin que tu le répètes
Buaï de teu ! Tè, tu me dégoûtes, Marie [19]. »

Mado reconnaît, cependant que le Marseillais est aussi méfiant. Sous des abords accueillants, il préserve l'intimité de son foyer, et ne fait entrer l'étranger chez lui qu'après un examen de paysage. « Oui mais après, corrige Mado, il est comme de la famille. Et puis, qui n'a pas de défauts ? L'essentiel, pas vrai, c'est de les reconnaître. Ma mère disait : "Au plus malin, les brailles [20] lui tombent." » Et elle repart, une dernière fois, dans un grand rire salvateur.

———— *ROBERT DAGANY* ————

Journaliste

62

Mado s'exprime dans une langue propre à la ville, qu'on a baptisé « Français de Marseille », et dont certains mots et formes grammaticales sont tirés de la langue provençale.

1. Économisait sur tout.
2. Mot argotique pour « Italiens ».
3. De la place.
4. Villages marseillais.
5. Voyous de petite envergure, et leurs compagnes. Les « nervi » étaient plus dangereux.
6. Saoul.
7. Des crottes de vieille.
8. Fauchés.
9. Citerne tirée par des chevaux qui récoltait le contenu des seaux hygiéniques.
10. Le seau.
11. Grosses raclées.
12. Le détacher, le décoller.
13. Au singulier, à Marseille.
14. Barque à fond plat.
15. Arrangeait.
16. Ponton de bois flottant, et par extension, le « cabanon » construit sur le quai et réservé aux sociétaires.
17. Forme grammaticale calquée sur le Provençal.
18. Tu médis, tu salis.
19. Expression marseillaise ancienne qui marquait le dégoût et l'envie de vomir. C'est le « beurk » d'aujourd'hui.
20. Les pantalons.

ROBERT RIPA

LE PETIT PEUPLE

DE DON ROBERTO

NÉ À MARSEILLE EN 1920, HOMME DE MUSIC-HALL, CHANTEUR, ACTEUR, AUTEUR DE *LES ÉTRANGERS DE MAISON-BASSE*. ROBERT RIPA EST FILS D'IMMIGRANTS ITALIENS.

COMME ON DIT vulgairement, à certaines périodes ce ne fut pas de la tarte. À la fin du XIXᵉ siècle, il y eut à Marseille des massacres d'Italiens. Les Français étaient partis en Tunisie, soi-disant libérer le sol tunisien. Ils revinrent sans rien libérer du tout. Et un jour, au cours d'un défilé militaire, un sifflet fusa. Cette insulte au drapeau déclencha la chasse aux Italiens. Mais à cette époque, mon père n'était pas encore là.

LORSQU'IL ARRIVA en 1911 — mon père —, il n'était pas chassé par le fascisme, comme bien d'autres le seront plus tard. Il travaillait avec son oncle dans une fonderie, à Pavie, dans le Nord de l'Italie, en Lombardie. Il était bronchiteux. Le climat de la Lombardie est un climat affreux : c'est le pays du riz et du brouillard. La misère le poussa. Débarqué à Marseille, il logea chez un de ses compatriotes et là, il fit connaissance d'un « drôle de boulot », comme on dit de ma maman.

MA MÈRE VENAIT du Sud. De Naples. Le peuple napolitain, diront plus tard les Américains, est le peuple le plus intelligent du monde. C'est vrai. Un peuple dont les trois quarts ne savent pas s'ils vont manger à midi quand ils se lèvent le matin, et qui mangent à midi quand même. Le Napolitain de la ville de Naples, je veux dire du cœur de la cité, ne venait pas à Marseille. Ou c'était rare. Il émigrait aux États-Unis. Ceux de la campagne environnante, les *cafoni*, étaient des gens assujettis, inféodés aux seigneurs. Cette crainte, cette soumission, ils la porteront longtemps : « Mon Dieu, si j'arrive en retard, qu'est-ce qu'il va dire le patron ? » Ces gens-là venaient seuls, arrivaient la tête basse. Lorsqu'ils avaient trouvé un travail et une pièce ou deux pour se loger, ils faisaient venir leurs cousins, comme tout le monde fait.

LE PREMIER RÉFLEXE, c'est de se regrouper dans des quartiers bien précis. Les *Babis*, les Italiens du Nord, et les *Nabos*, ceux du Sud. *Nabo* signifiait Napolitains. « Il est Nabo, lui ! — Ah, sale Babi ! » Ils se reconnaissaient à l'accent.

ET MON PÈRE, donc, s'en fut demander la main de ma mère à mon grand-père qui ne comprit strictement rien à ce que mon père lui raconta. Ce grand-père napolitain avait deux filles. L'une se maria avec un Génois, l'autre avec un Lombard — mon père. Le grand-père eut besoin d'un interprète. Ils ne parlaient italien ni les uns, ni les autres. Cette langue était réservée à une autre classe de la société.

ILS EXERÇAIENT les métiers dont les Français ne voulaient pas. Mon père travaillait à la fonderie, il était mouleur sur métaux, métier que j'ai pratiqué par la suite. Mon oncle, lui, déchargeait les sacs de farine. Ma mère travaillait dans une filature, quatorze heures par jour. D'autres s'installaient cordonnier, tailleur. Ils rentraient le soir, se parlaient sur le pas des portes, les femmes ouvraient les fenêtres, ils vivaient comme en Italie.

MON PÈRE fit la guerre dans l'armée française, en 1916, dans la Somme.

ON ACCOUCHAIT à la maison, en ce temps. Toute charmante, la sage-femme, madame Martin, arrivait avec son chapeau noir et son petit cartable. Les enfants s'inclinaient devant elle : ils la craignaient. C'était la seule qui pouvait passer dans la rue avec un chapeau sans qu'on lui envoyât des quolibets. Elle arrivait, elle écartait tout le monde, « laissez-moi passer ». Elle faisait ce qu'elle avait à faire. Elle en a mis au monde un paquet. Sitôt qu'elle était partie et tandis que le bébé vagissait, les voisines s'occupaient de tout. La chambre était faite, les lits, on préparait le repas pour l'homme qui rentrerait à midi. Puis commençait le défilé. La mère reposait, lavée, pomponnée, dans son lit. Et tout le monde s'extasiait sur l'enfant, exactement comme dans les Évangiles. On arrivait avec un paquet de café, deux boîtes de sucre, trois tablettes de chocolat, toutes sortes de présents, les Rois Mages n'auraient pas fait mieux.

VOILÀ DONC que j'arrive au monde. Je suis né à Marseille en 1920. Je suis un petit Marseillais !

ALORS, CETTE ITALIENNE de famille se met en quête d'un parrain, riche, qui puisse, le jour des étrennes, donner cinquante francs. Le mien s'appela Roberto. Don Roberto, s'il vous plaît ! Don Roberto était tailleur, et de surcroît propriétaire. Car il y avait des propriétaires aussi. Pas Français, mais propriétaires. Ils achetaient le terrain pour rien. Ils faisaient construire une maison et ils accueillaient le voisin, le copain, le cousin. Et finalement, mon parrain Robert possédait le côté droit de toute une impasse. Le côté gauche appartenait à un marbrier qui s'appelait Palazo, du même pays que mon grand-père, et dont l'impasse porte aujourd'hui le nom, impasse Palazo.

ET VOILÀ que mon père, qui ne parle pas français, va me déclarer à la mairie. Et ma mère lui dit : « N'oublie pas que c'est Robert » — à cause de mon parrain. Et lui, il s'en va. Je suis né un dimanche. Le lundi matin, il s'en va. C'était la première fois qu'il se rendait en ville, je veux dire dans le cœur de Marseille. En cours de route, il commence à rencontrer Francesco, puis Pepe, puis Luigi, et on se boit un coup, parce que le petit il est né. Arrivé à la mairie, à l'état civil, mon père ne se rappelle plus de rien.

L'employé lui fait : « Enfin monsieur, il faut vous décider ! » Mais mon père ne se rappelle plus, et en outre il ne sait pas s'exprimer. Ses deux témoins, Pellegrino et un autre dont j'ai oublié le nom, ne parlent pas français non plus. « On ne va pas passer la journée ici, monsieur ! Il faut me donner un nom » Et mon père, dont le frère était mort en Italie quelque temps auparavant, m'appelle en catastrophe comme lui : Ettore. Un prénom italien qu'on réussira à franciser en Hector. Ma mère, bien sûr, ne se doutait de rien. Il a fallu qu'un jour elle reçoive des papiers officiels. « Qu'est-ce que c'est que cet Hector ? » C'était moi, Robert. Mon père ne lui avait rien dit.

NOUS VIVIONS au-dessus de la Capelette. Ce qui est devenu depuis l'hippodrome du Pont-de-Vivaux n'était alors qu'un vaste terrain vague. Enfants, nous allions nous y amuser. Mes parents ne me parlaient jamais de l'Italie, ils y avaient tellement souffert. Mais quand je rentrais chez moi, je devais subir la tradition. Nous parlions toujours italien. Il n'y avait pas de radio. Les enfants enseignaient le français aux parents. Les femmes apprenaient plus vite que les hommes, elles avaient plus de temps. Mais ma grand-mère n'a jamais su dire monsieur. Elle disait : mossiou. Ma mère parla donc français, ma sœur aussi, moi également, mais mon père s'adressait à nous dans son jargon. On allait quelque part, on se faisait tout petit. « Bonjour monsieur — Bonjour, c'est pourquoi ? — J'accompagne mon grand-père, il ne parle pas le français, je vais parler à sa place... » J'avais neuf ans. Nous, les minots, entre nous, on ne s'exprimait en italien que pour s'insulter.

À L'ÉCOLE ? On n'apprenait rien ! On était vraiment des gros, gros fainéants ! Nos maîtres étaient sévères. D'abord, il y avait la morale, tous les jours. Et la géographie. Mais on n'apprenait rien. Bien entendu qu'on poussait les enfants ! L'élève qui travaillait bien pouvait obtenir une bourse. Si on avait voulu, on aurait pu. Mais je n'en ai pas connu, dans ma rue, qui aient poursuivi les études. Il fallait vite aller gagner sa vie.

ALORS, DE LA RUE à l'école, j'ai toujours eu des amis d'enfance qui s'appelaient Coubert, Verger, Comte, Durand, Domenech... Après, il y a eu des Alvarez, des Gutierrez. Des flopées de noms en *i* et en *a*. Gabriel Domenech était fils d'Espagnols. C'est sur lui que j'ai copié pour avoir le certificat d'études. On était voisins. On a tout partagé : la communion, le patronage, l'école communale, le service militaire... Je n'ai pas à juger ce qu'il est devenu[1].

MOI, UN PETIT IMMIGRÉ ? Jamais de la vie ! Il n'y avait pas de racisme entre enfants. Vous me direz que dans ma rue, sur mille personnes, il y avait neuf cent quatre-vingt-quatorze Italiens, deux Espagnols et un Arménien. Plus deux Français : monsieur Émile Leboucher et monsieur Bouchon, qui habitait plus haut.

CES GENS-LÀ demeuraient ensemble. Je parle des Nabos et des Babis. Ils se voyaient sur le pas des portes, comme on le fait à Naples. L'été, une longue cohorte de chaises s'étirait sur les trottoirs, on bavardait. Ils vivaient en vase clos. Quand quelqu'un arrivait de la ville — je veux dire du cœur de Marseille — c'était comme s'il débarquait des États-Unis. Celui qui avait l'accent parisien, c'était Napoléon ! « Il vient de Paris, vous vous rendez compte ? » Le jour où un habitant du quartier a obtenu le permis de conduire, tout le monde gesticulait dans la rue, comme s'il avait passé le Rubicon !

Ma mère avait des amies françaises à l'endroit où elle travaillait, je pense bien. Ma sœur en avait aussi. Mon père, à l'usine, avait des copains français. Mais de 1911 à 1942, année où il est mort, il ne s'est rendu que deux ou trois fois à... Marseille. Ils n'allaient pas en ville ces gens-là, ils restaient chez eux, au quartier. Mais la rue, elle était à nous ! Et aujourd'hui, elle n'a pas changé.

LE FEU DE BOIS du boulanger — des branches et des fagots de pin

67

— embaumait toute la rue. À cette odeur plaisante s'ajoutaient des fumets de sauce sortant d'une cuisine, d'autres arômes, d'autres exhalaisons. C'était l'hiver, on savait qu'on allait rentrer chez soi, qu'il faisait très froid, qu'on allait être au chaud — dans la cuisine seulement, les chambres n'étaient pas chauffées. Nous étions pauvres, pas miséreux. Mais pauvres, oui.

SI JE VOUS MONTRE une photo de la maternelle, vous allez percevoir le froid dans le cliché. Et vous allez voir, il n'y en a pas un qui ait un manteau. Je n'ai jamais vu un pardessus dans le petit peuple parmi lequel je vivais. Et pourtant, les hivers sont rudes dans le Midi. Ainsi, nous n'avions pas de chaussures. En cuir, elles coûtaient trop. La mairie de Marseille, à la rentrée de septembre, mettait un tas de souliers au milieu de la classe et chacun choisissait la paire qui allait à son pied. Pas de sécurité sociale, pas d'allocations familiales, juste le secours de ce que l'on nommait la « Bienfaisance italienne », cinquante francs par mois. Je me souviens du salaire de mon père en 1935-1936 : il gagnait cent quatre-vingts francs par semaine. Été comme hiver, il partait travailler en charentaises.

DES PARENTS avaient « quelqu'un » de l'autre côté de l'Océan. Dans les lettres qui parfois arrivaient, quelques dollars étaient glissés. « Oh ! mais dites, il a un oncle en Amérique ! » Ceux-là étaient respectés. Alors mon parrain, don Roberto, tous les ans j'allais lui faire la bise, comme on dit ici. À Pâques et au jour de l'an. Et c'était immuable, monsieur Robert me donnait mes cinquante francs. Mais pour avoir un costume, le pantalon, on le faisait faire en janvier et la veste au mois de décembre suivant.

À LONGUEUR D'ANNÉE, pain ouvert, tomate, filet d'huile ; pain, broccolis ; pain et aubergine ; pain. Pas de viande. Jamais de jambon. À tel point que je ne savais pas ce qu'était un jambon. La viande, on ne la voyait que le dimanche. Sous forme d'alouettes sans têtes, de paupiettes de bœuf et de boulettes, dans les pâtes naturellement, que nous mangions en famille, le dimanche et le jeudi. Le reste du temps, omelettes, légumes, soupes. Toujours la soupe. L'épicière était de notre pays. Sur cent clientes, quatre-vingt-quatorze achetaient à crédit. Imaginez-vous qu'on se présentait chez elle avec un cahier. Elle marquait ce que vous aviez pris, faisait le total, et vous rendait le cahier. Vous n'auriez eu qu'à le déchirer pour effacer la dette, prétendre qu'on vous l'avait volé. Non, jamais je n'ai vu ça. À la fin du mois, rubis sur l'ongle, « voilà Pauline », tout le monde payait. Et je dois vous dire une chose : la police n'avait jamais à passer. Dans ma rue, je parle. Il y a bien eu trois ou quatre vendettas, des affaires d'honneur, et deux condamnés à mort, mais ça, c'est autre chose.

LE DIMANCHE avait lieu le repas de famille. Il durait toute la journée. Parce qu'après le repas de midi, on grignote, des amandes, des noix, des noisettes pour accompagner le vin blanc. Après, viennent les pâtisseries. Ensuite, le café. Puis un peu de vin. Et sur le coup de sept heures du soir : « Qu'est-ce qu'il reste ? — Il reste de ceci, de cela... » Alors on arrange encore quelque chose. Les hommes étaient partis au bar, faire leur partie de cartes, la belote pour les plus anciens arrivés. Ou mon père allait jouer aux boules en compagnie de ses camarades avec lesquels — il s'agissait là d'une tradition — il cassait la croûte à quatre heures de l'après-midi. Dans une ambiance chaleureuse, heureuse, ça jouait, ça chantait entre amis. Sachant qu'à six heures du matin, le lendemain, il faudrait se lever pour aller travailler.

LES FEMMES FAISAIENT le ménage, reprisaient les bleus, les chemises, les chaussettes des enfants. Elles, c'étaient des esclaves. Elles travaillaient tout le temps.

Il faut vous dire aussi... Je n'ai jamais été atteint par les sarcasmes. Mon père non plus. Les autres de ma rue non plus. Il y avait la ségrégation, quand même. On faisait partie de la politique. Par exemple, en 1927, il y eut une bouffée de naturalisations. Beaucoup d'Italiens furent naturalisés cette année. Mon père le vécut comme une seconde naissance. Posséder une carte d'identité française, c'est autre chose que d'avoir la carte de séjour. Mais pour nous, les enfants... « Alors Ripa, tu es Français ? — Je suis Français, bon, voilà... »

VINT LE TEMPS des mariages. « Dites, vous savez pas que c'est un Français qu'elle prend, ma fille... — Non ! — Bien sûr, vous croyiez qu'elle épouserait un n'importe qui ? » Ou alors : « Il va se marier. C'est une Française — Et le père ? — Oh, ne m'en parlez pas, une grosse situation : il travaille à la poste ! » Si le père était instituteur, ça dépassait tout. À cause de la retraite. Ma sœur a épousé un Français, Savorlin ; Marie Ferrignio a épousé Auguste Torres, un Espagnol ; Jenny Della Monica s'est mariée avec Jacques Atranikian, un Arménien. Des repas à n'en plus finir. Parce que nous étions pauvres, mais pas misérables, je vous l'ai dit. On économisait. La mariée était habillée exactement comme, comment dirai-je, oui c'est ça, comme la princesse de Monaco. On jetait du riz, des sous. On faisait le tour de la corniche, en attelage, avec des chevaux. Marseille ! Les tramways sillonnaient la ville, il y en avait de partout. Trois heures du matin sur la Canebière, au mois de juillet : vous ne pouviez pas mettre un pied devant l'autre. Les bateaux s'élançaient, guitares, mandolines, on voguait jusqu'au château d'If avec des chansons, on revenait, on allait remanger la pizza, c'étaient des journées de riches.

MES PARENTS ont fait construire une petite maison. Nous avons eu des voisins, madame Combes, madame Jourdan.

J'AI NAVIGUÉ six ans dans la marine marchande, de 1936 à 1941. Dans tous les pays du monde où j'ai mis les pieds, la Chine, le Japon, l'Amérique du Sud, lorsqu'ils voyaient mon habit de marin, un bleu avec une petite rayure, les gens demandaient : « Vous êtes Français ? — Oui, monsieur. » Leurs yeux s'ouvraient grand comme ça. Ils me regardaient comme si j'étais la tour Eiffel ou les Champs-Élysées. Alors que je ne connaissais pas Paris. J'étais Français : quel respect !

J'AI VINGT ANS. La guerre s'abat. Elle me rejoint sur le chemin de l'Extrême-Orient. Nous faisons demi-tour, c'était un dimanche, nous allons accoster à Ajaccio. Puis à Marseille. Et je fais les camps de jeunesse. C'est à ce moment que l'Italie déclare la guerre à la France : 1941. Mussolini. Là, on voit qui est Français, qui ne l'est pas.

SUR TOUTE LA POPULATION de ma rue, deux familles, pas une de plus, ont voulu repartir en Italie. Nous avons connu l'occupation italienne. Jamais personne n'a frayé avec eux. Ça ne se faisait pas. Nous prenions bien soin de ne pas mécontenter le monde. Et attention, n'oublions pas l'essentiel : c'est qu'à cette époque-là, toutes les familles avaient un garçon à l'armée. Mais dans l'armée française, pas dans l'armée italienne ! Nous avons fait notre devoir envers ce pays qui nous avait accueillis. Lorsqu'on nous a appelés, nous sommes partis. Je peux vous citer tous les hommes de ma rue et vous dire dans quelle arme ils ont servi. Des zouaves, des légionnaires, des chasseurs alpins, des marins. Certains ont fait Mers-el-Kébir. Ce petit peuple vivait dans deux rues. La mienne s'appelait la rue des Vignes. Elle s'appelle depuis 1944 la rue Antoine-Del-Bello. C'était un enfant de l'Assistance publique italienne, recueilli par la famille Mascollo — des amis à moi — qui, lorsqu'il est mort dans la Résistance, n'était pas Français. Et la rue d'à côté s'appelle Fifi-Turin — son nom de mariage. Elle s'appelait Fifi Cavallini. Ceux-là ont payé le droit d'être Français.

NOTEZ BIEN qu'il est très dur de chasser l'atavisme. Très, très dur. Les enfants de cette époque ne connaissaient pas l'Italie, mais ont tellement aimé leurs parents. Par exemple : la France rencontrait l'Italie au football. On aurait aimé que l'Italie l'emporte. C'est l'atavisme qui ressortait. Mais dans la guerre, non. Dans le malheur, non.

LE TEMPS A PASSÉ. Quelquefois je rencontre des hommes de ma génération dont les parents étaient du même village que ma mère. « Tu as été là-bas, toi ? — Moi, jamais. Mais tu y es allé, toi, comment c'est ? » On est toujours curieux. J'ai un ami, Auguste. Auguste parle avec l'accent de nos parents. Quand je veux le faire pleurer, je lui chante des chansons napolitaines. Et il pleure. Et si je vais chez lui, je sais que le dimanche j'aurai la sauce tomate sur le feu. Qu'il y aura des spaghettis à midi. Il ne sait pas ce qu'est un steak au poivre. Des anchois avec l'huile d'olive et le persil. Ma femme est Corse. L'un de mes enfants est né à Paris, l'autre ici. Je ne connais rien de l'Italie. Je suis allé deux jours à Pavie, voir mes cousins. Eh bien, nous continuons à manger comme lorsque ma pauvre maman était là.

QUAND À MARSEILLE, aujourd'hui, vous ouvrez le bottin du téléphone, innombrables sont les raisons sociales qui portent des noms italiens. Nous avons des grands manitous, des professeurs, des chirurgiens, des dentistes, des avocats. Il n'y a plus d'immigrants : nous sommes Français. Non parce qu'on nous a demandé d'être Français. On nous a dit : « Si vous voulez demeurer Italiens, demeurez Italiens. Vous travaillez quand même ! » Nous sommes Français parce que nous avons voulu devenir Français. J'ai en ce qui me concerne des amis algériens. Je les respecte, je vois le travail qu'ils effectuent. J'ai aussi des amis, Français, Espagnols, Italiens, au Front national. Chacun a suivi son chemin.

Propos recueillis par
MAURICE LEMOINE

1. Gabriel Domenech a été élu en 1986 député du Front national, enfourchant le cheval de bataille de la lutte contre... l'immigration.

JEAN KEHAYAN

BEDROS SARADJIAN :

UNE TERRE SUR LAQUELLE

IL N'Y A RIEN

LE DERNIER CARRÉ D'UN PEUPLE ASSASSINÉ A ÉCHOUÉ À MARSEILLE. ET LA VIE A REPRIS...

Un puzzle de cent dix pièces. Un patchwork d'autant de couleurs. Un amoncellement de hasards de l'histoire. Et devant cette topographie, on voudrait de temps en temps, au gré des besoins impérieux de rationalisation, analyser les phénomènes marseillais.

C'est à la périphérie résidentielle que les pièces du puzzle sont particulièrement mises en évidence.

Prenons donc rendez-vous un dimanche après-midi aux Trois Lucs.

Petites villas coquettes, jardins potagers bien entretenus. Nous sommes à un vol de cigales du cœur des légendes : La Treille, Le Garlaban, ces pièces maîtresses de la gloire de Pagnol. On entend frapper les boules de pétanque et fuser les cris d'admirations.

La vie quotidienne des autochtones.

SOUS LE GRAND OLIVIER, protégé des voisins par la haie de fusains, voilà Bédros Saradjian, quatre-vingt-quatre ans. Il savoure son café, goûtant comme il le mérite une retraite banale au milieu de ses enfants et petits-enfants. Mais immuablement, à l'heure où les boules sont entassées dans un coin, Bédros prend sa petite-fille sur ses genoux et, entretenant la fidélité de sa mémoire, il raconte le récit mille fois répété. Comme pour dire que sa présence ici est aussi miraculeuse que le napperon aux fils délicatement entrelacés auquel il ne manque pas la moindre maille. Nous quittons les Trois Lucs. Telle la cendre répandue dans l'immensité de la mer, la parole nous emmène à Trébizonde, ce port fortifié de la Mer Noire qui, au début du siècle, faisait fortune grâce au commerce de la peau de chèvre expédiée dans toutes les villes d'Europe pour inonder le marché de la chaussure et du sac à l'enseigne de l'Élégante.

LE CHEVREAU, c'était de l'or. Et quand l'or coule dans une ville il n'y a pas de problème entre les Turcs, les Arméniens ou les Kurdes.

Pendant la guerre, la famille Saradjian s'occupe de l'intendance de la forteresse : la source d'or est donc loin de se tarir.

Trente-cinq mille Arméniens vivent dans cette vilayet de Trébizonde. Les yeux tournés vers la mer, ils voient un jour arriver de la voisine d'en face, Sébastopol, la fumée noire des bateaux russes prêts à bombarder la ville. Et les Arméniens vont monter sur leurs terrasses pour tracer à la chaux de grandes croix, comme si le fait d'exprimer sa chrétienté suffisait à dissiper les malentendus, à éloigner les malheurs. Mais comme le malheur s'installe quand même, ils font leurs baluchons et partent se réfugier dans les monastères des hauteurs.

Aux mois de janvier et février 1915, les gendarmes turcs leur demanderont de redescendre en ville.

Des décennies plus tard, les historiens comprendront que la « solution de la question arménienne » n'a pas été improvisée au petit bonheur la chance, mais qu'elle répondait à un plan, une volonté d'en finir avec ces Chrétiens industrieux et astucieux, tenant le haut du pavé des commerces et rêvant d'envoyer leurs enfants dans ce fameux collège que fut l'université de l'Euphrate, aujourd'hui encore restée célèbre dans les nostalgies élitistes arméniennes.

QUELQUE PART à Ankara un ministre de l'Intérieur du nom de Talaat Pacha avait imaginé que le grand dessein de l'Empire ottoman passait par l'extermination des infidèles. Ainsi sera-t-il fait. Par tous les moyens.

Bédros se souvient physiquement, en une douleur perceptible, que le climat de sa ville va définitivement changer.

L'air, les odeurs, le goût du pain plat, le fameux lavach, ne seront plus jamais comme avant.

Voilà les enfants parqués dans les écoles. On trie les garçons valides. Ceux qui peuvent marcher partiront à pieds vers les montagnes : la solution finale par l'épuisement. Les cinq frères et sœurs Saradjian seront donc séparés. Pour toujours. À la minute où les gendarmes turcs et leurs auxiliaires kurdes, les Tchétés de sinistre mémoire dans toute l'Asie Mineure, vont entamer l'acte I de la « suppression totale des Arméniens de la surface de la planète ».

Bédros raconte ; en l'absence de chambres à gaz, les déserts, les fleuves et les rivières vont jouer le rôle de cimetières collectifs. Les plus jeunes seront entassés sur des caïques et jetés au large : dès cet instant plus personne ne mangera de poisson de la Mer Noire, la mémoire des rescapés étant désormais marquée au fer rouge.

Bien plus tard, des fuyards mourront de soif au bord de l'Euphrate aux eaux rougies par le sang des suppliciés, des corps jetés du haut des falaises...

Une colonne de trois mille enfants va s'ébranler.

Dans chaque village, les paysans sont rassemblés : ils peuvent choisir parmi ces garçons arméniens la main-d'œuvre dont ils ont besoin à la ferme. Le génocide ne sera donc pas absolu. Certains seront convertis et changeront de nom, mais la majorité des rescapés restera arménienne.

Oui, dans ces villages de Marseille, aujourd'hui, ils sont des milliers à considérer que cette histoire doit être racontée du soir au matin. Ils savent que si l'horreur des horreurs a une chance d'être un jour extirpée, c'est qu'ils n'auront pas failli à leur tâche de témoignage.

ET LA MARCHE CONTINUE. Ici l'image d'un gendarme sauvage dont le malin plaisir est de massacrer un enfant à coups de fouet. Là, la faim qui tenaille les entrailles alors que la route traverse des champs d'orge et de blé.

Arrachez un épi pour en tirer le grain, et le paysan aura le droit de vous lapider. Voilà que dans un gros bourg étape, le caravansérail est rempli d'Arméniens liés par deux. On les sort au petit matin et nul ne les revoit jamais plus. Sur les chemins, des petits monticules couvrent les corps suppliciés. Ici un crâne qui dépasse, là une jambe. Mourir sous les balles, racontent encore les rescapés, c'était l'espoir de tous ceux qui se savaient condamnés par une machine devenue folle dans cette Turquie ballotée entre les rêves de grandeur des uns et l'orgie sanguinaire des autres. Il s'avère que le génocide obéissait au mélange des deux, que le calcul intellectuel de l'extermination ne gênait pas la stratégie de pantouranisme. Au contraire. Quand la nuit tombe, les gendarmes ne distinguent pas les morts des blessés. Ils jettent quelques pelletées de terre et s'en vont dormir en des casernes improvisées. Il y aura encore des survivants. De ces rescapés-là Marseille est remplie. Ils vivent dans leurs pavillons, pensent aux tomates qu'il faut arroser et aux aubergines à éclaircir. Tandis qu'ils se baissent sur le potager, ils se disent qu'il faut encore et encore raconter comment, avec le goût de la terre dans la bouche, ils ont rongé la corde qui les liait par le bras à leur compagnon assassiné pour avoir voulu s'enfuir dans la montagne. Ils se souviennent avoir senti monter la mort avec la faim. Dans la grotte où ils se cachaient, le père ours est arrivé et a jeté un morceau de mouton à chacun de ses oursons. Lui aussi en a reçu. Il a encore, soixante-dix ans plus tard, la sensation du bien-être éprouvé lorsque ses dents ont touché autre chose que le suc des racines ou l'acidité des feuilles échappées à la boulimie des chèvres.

VOUS SAVEZ, VOUS, ce que c'est qu'une terre sur laquelle il n'y a rien ?

Les enfants écoutent. Le grand-père recommence . « Non, vous ne savez pas ce que c'est qu'une terre sur laquelle il n'y a rien. »

La route continue. Elle arrive à Erzincan. on dit que là siège le quartier général turc. C'est pourtant une ville arménienne, de notables, d'avocats, de grands commerçants. Le cimetière de la ville est entouré de hauts murs, comme fortifié. Derrière le lourd portail aveugle les enfants rescapés seront enfermés. Dans la puanteur, la peur, l'horreur, les pleurs. Les yeux pleins de mort, les yeux vides de regard fixent cette marmaille.

« Vous savez, vous, ce que c'est de poser sa tête sur un cadavre pour trouver quelques heures de sommeil ? »

Les plus malins montent sur les hauts peupliers et sur les cyprès. le balancement, et en voilà quelques-uns de l'autre côté du mur d'enceinte. Encore quelques brèches dans l'infaillibilité du génocide. Encore quelques gamins qui feront le tour du monde à pied, pour, en cette fin de siècle, raconter dans les banlieues de Marseille, de Los Angelès, de Vienne ou de Buenos Aires, l'histoire d'une extermination pas tout à fait réussie.

Ville d'état-major, mais aussi ville arménienne. Les gens dans la rue reconnaissent que les garçons qui crient *hékmèk* (du pain, en turc) ont l'accent de l'Anatolie. Et on en sauve, on en cache, on en transforme en ottomans. Devant la ville riche, brille l'Euphrate en sa douce vallée. Les champs sont opulents, les jardins luxuriants. Et dans le cimetière les enfants meurent comme des mouches.

Il a sauté de l'arbre, Bédros, et le voilà rasant les murs en pisé de la ville, découvrant les étranges soldats du Kaiser qui apportent le savoir-faire d'une nation civilisée à l'œuvre de destruction systématique des âmes.

On dira plus tard qu'Hitler fit du massacre des Arméniens la répétition générale de la grande œuvre de son Reich.

Les garçons rescapés courent vers ces blonds fascinants en criant des mots de français, en dessinant des croix : comme si la religion, idée fixe, créait une connivence. Il faut dire que jusque-là, ils se savent massacrés parce que non musulmans.

REVENONS À MARSEILLE. Le garçon qui a sauté du peuplier avait à l'époque des faits quatorze ans ; depuis, il a tourné le sablier d'un demi-siècle dans cette ville de la Méditerranée à laquelle, au détour des îles blanches du Frioul et du château d'If, il ne manque qu'un symbole : celui qui, comme à Long Island, jetterait tous les immigrants dans la prière.

Oui, se décidera-t-on un jour à édifier une image de la liberté à l'entrée de ce port qui a rempli d'espoir des générations de femmes et d'hommes. Pourchassés par la mort et la folie des pouvoirs. Pourchassés aussi par la faim et la misère. Pourchassés enfin par le mirage de plus de richesse, par une sorte d'exil intérieur pour ceux qui s'ex-îlèrent de la belle île française impuissante à subvenir aux besoins de tous les siens.

Mais nous voici déjà dans des problèmes très luxueux.

Parce que Bédros n'a pas fini sa longue course. Il retrouve les orphelins qui courent à la mort. Ils passent les nuits en groupe, sous les arches des ponts, pour ne pas être précipités dans l'Euphrate par les bandits kurdes, qui, sous prétexte de rançonner les voyageurs, jouent aux auxiliaires des assassins, dépouillant, puis décapitant des hommes à la hache. Sous les yeux de Bédros.

LORSQU'ON ARRIVE dans la cité phocéenne, presque au lieu même où Stendhal découvrit Marseille, le visiteur peut voir sur l'autoroute une gigantesque inscription portant un verset de l'Évangile : « Le Christ est mort pour nos péchés ». Cette peinture arrive droit du fameux orphelinat de Karpouth, où les missionnaires américains recueillaient les enfants abandonnés pour les dépouiller de leur vermine, les vêtir d'une chemise blanche et les éduquer dans la grande bonté et l'infinie magnanimité de notre Seigneur.

L'échec du génocide arménien doit beaucoup à ces protestants américains. Et personne ne devrait s'étonner que Marseille, outre ses églises traditionnelles arméniennes, ne compte pas moins de neuf paroisses protestantes, à l'enseignement religieux figé depuis le début du siècle. On y apprend à l'école du dimanche le sens moral né de la survie des parents et propre à ceux qui ont côtoyé la mort en ce début de siècle maudit où les grandes puissances jouèrent aux alliances stratégiques sur le dos des petits peuples.

Depuis plus de cinquante ans, à Marseille, un habitant sur dix, soit quelque cent mille personnes, entend raconter cette histoire tragique, ô combien, mais qui ne se veut qu'édifiante. Parce qu'une seule obsession demeure pour ceux qui connaissent les vertus de la transmission orale : c'est que les leurs continuent à raconter.

Et pour continuer, il faut devenir avocat, médecin, commerçant en gros. Que sais-je encore ? Piqueur de tiges, chausseurs ? Faites même des petits métiers, comme là-bas, mais gagnez vous surtout le droit de marcher la tête haute, de ne gêner personne, afin qu'on ne vous regarde pas de travers. Et si le critère de ce pays étrange par sa capacité à être peu exigeant consiste dans la notabilité, alors soyez notable.

Mais de grâce, les enfants, ne vous mêlez pas de leurs querelles et, surtout, lorsqu'on vous montre du doigt la lune et l'infinité de la galaxie, regardez la galaxie sans poser de question sur le doigt.

BÉDROS SARADJIAN est arrivé à Eghine. La ville est vide, les maisons d'Arméniens se reconnaissent ici aussi à leur croix. Les Turcs ont emporté tous les stocks de nourriture pour l'hiver. Ils n'ont laissé que les jarres emplies de confiture de mûres, de peur qu'elle soit empoisonnée. Comme si les gens civilisés pouvaient empoisonner de la nourriture. Tout est pillé. Les paysans turcs sont à la recherche de *guzel tchodouks*, de beaux enfants, pour le travail. Bédros mendie, vole des noix, implore du pain près des tonirs, ces fours creusés dans la terre pour cuire les galettes de blé ou d'orge.

Brusquement il s'interrompt. Les voisins boulistes poussent de grands cris pour se départager un point litigieux...

Au moment même où il découvrait le goût des abats pendus devant les étals des bouchers de la ville, où il dormait dans ces maisons pillées mais dont la cendre sentait la maison paternelle de Trébizonde.

Au moment même où il ressentait les morsures de chiens à qui il disputait le pain rassi.

Ils ont marqué le point de la victoire à l'instant où il entonnait les airs chantés en turc pour recevoir un quignon de pain dur...

Il pleure encore. Comme il pleure depuis tant d'années. À peine croit-il que la paix s'est installée... que la peur va reculer... Las, les tchétés procèdent à de nouvelles rafles. Comme la fourrière qui ramasse régulièrement les chiens. De nouveau le groupe en rang serré, de nouveau les bords de l'Euphrate et ces radeaux de peaux de chèvres assemblées qui emmènent les adolescents vers la noyade. Il va encore sauter, Bédros. Et se sauver grâce à la « brasse de la souris », qui se pratiquait dans la Trébizonde de son enfance sans souci. Il sera le seul rescapé de cette nième expédition de la solution finale. Le voilà redevenu animal, vivant de cueillette, traqué par les Kurdes qui touchent une prime au chef-lieu pour chaque tête d'Arménien rapportée.

Un paysan turc le découvrira dormant dans les feuilles. Il en fera son fils : le voici devenu Nouri Mustapha, fils de Gurdukoglou Mustapha. Jusqu'à ce que ce père soit appelé sous les drapeaux et que recommence l'errance. Il vole une ceinture sertie de pierreries et mange jusqu'à plus faim, pour la première fois depuis quatre ans. Dans les faubourgs de Malatya il apprend que les Turcs sont désormais en paix ; c'est en fait le traité de Brest-Litovsk qui vient d'être signé. Dans la ville le typhus prolonge le génocide : il frappe indifféremment les Arméniens et les Turcs, mais seuls ces derniers ont droit à une sépulture, les autres se contenteront des fosses pleines de chaux vive. La ville est surpeuplée : on y accourt de Van, de Mouch, dans l'espoir d'y trouver un médecin, des médicaments...

LA PETITE FILLE de Bédros apporte le djezvé de café et les gâteaux secs au sésame. Il boit bruyamment dans la lumineuse douceur de cet été naissant. Il regarde fièrement la voiture neuve de son fils, lui qui, dans une autre vie, fut propriétaire de taxis à Athènes. Il se penche sur le carton à chaussures rempli de photos sépia. Et à nouveau défilent les souvenirs de la guerre en France, la Résistance, les planques, la nationalité française conquise dans le maquis à l'arme blanche.

Mais au-dessus de Malatya les malades disputent les caches aux brigands et aux fuyards. Au petit matin, une horde de loups blancs réveille la montagne de ses cris déchirants — hurlements de la faim. Ils approchent vers la jeune chair fraîche. Lui, il hurle de toutes ses forces, jette des pierres pour éloigner les fauves. Soudain il les voit s'engouffrer dans un fossé. Bédros y découvrira un charnier où sont entassés des centaines de corps d'Arméniens, horriblement mutilés, souvent décapités, les parties génitales arrachées. Et les loups qui essayent encore de séparer des os broyés le peu de chair à déchiqueter...

Au-dessus de sa tête, la haute falaise : c'est de là qu'attachés deux par deux on précipita dans le vide ces hommes dont le seul tort était d'être arménien...

Puisque ce mot est la cause de tous les malheurs, Bédros décide de partir dans la ville haute de Karpouth où les Américains recueillent des orphelins. Mais là il va apprendre l'extraordinaire nouvelle de la création de l'Arménie indépendante, celle aux trois couleurs ; rouge, bleue et orange. Le drapeau symbole qui aujourd'hui encore rend les réunions d'Arméniens houleuses : indépendante sans l'Union soviétique, insistent les uns. Aujourd'hui, alors que les passions devraient s'apaiser, voilà que parviennent les récits déjà entendus de massacres à Soumgaït, de chasse à l'Arménien à Bakou. De destins qui n'en finissent pas de fuir devant des peurs.

L'histoire de Bédros est-elle si exceptionnelle ? Mérite-t-elle d'être relatée dans le menu ?

MARSEILLE COMPTE cent dix quartiers. Chacun d'eux a été peuplé de ces histoires étranges qui, le soir, remplaçaient la séance de cinéma. Et la mémoire de la ville se mit à intégrer les images de crânes écrasés sous les rochers, à être familière du lent balancement des corps suppliciés au bout des cordes. Dans les usines on embauchait volontiers les Arméniens, « eux si bien intégrés, si travailleurs, si loyaux ».

À dire vrai, ils avaient tellement respiré l'air du malheur qu'ils savouraient avec délices chaque seconde de survie. Fût-elle dans les camps d'urgence du boulevard Oddo ou de la gare, fût-elle au fond des caves de la rue Bernard-du-Bois ou de la rue Tapis-Vert. C'est vrai qu'ils ont travaillé dur, comme une bénédiction. Avec la certitude que chaque heure nouvelle que le Seigneur leur donnait était une vengeance contre cette eau rouge de l'Euphrate que rien ne purifiera jamais. Et ils ont bâti leurs maisons, juste après avoir édifié les églises et les temples. Ils sont timidement descendus dans les rues le 24 avril de chacune des années pour rappeler que ce jour-là de 1915 l'horreur venait d'avoir droit de cité dans l'histoire du vingtième siècle. Plus tard, les enfants ont couru vers la réussite sociale en se souvenant que c'était aussi un moyen d'honorer les suppliciés. Des rues se mirent à s'appeler « du 24 avril », ou Massis, ou Sevan, ou encore Ararat. Quatre-vingt mille Arméniens pour raconter : ce fut certainement dans l'histoire de Marseille du début de ce siècle la plus importante des immigrations forcées. Celle en tous cas qui par son travail a créé le plus de richesses : dix neuf heures de travail derrière la machine. Puis le temps de prier et de se souvenir. Au bord de la Méditerranée la plupart des histoires de survie sont liées à l'eau, à la nage, aux courges sèches attachées autour de la taille pour survivre à la folie des flots.

Aujourd'hui encore, le dimanche, en ces banlieues coquettes que l'on appelle le « quartier », à Saint-Loup, à Beaumont, à Saint-Antoine, aux Vallons des Tuves, à Sainte-Marguerite, au boulevard Oddo, au ruisseau Mirabeau et dans bien d'autres ailleurs, les joueurs de pétanque entendent ces drôles d'intonations qui psalmodient d'incompréhensibles récits. Ils en connaissent le sens parce qu'un jour des bribes de traduction sont parvenues à leurs oreilles. Ils savent même que pas loin de là une école primaire enseigne le B.A.BA en arménien. Ils savent que les églises et les temples prient dans la langue de Mesrob Machtots.

Les joueurs de boules, interloqués apprennent qu'il en arrive encore d'Iran, du Liban, de Syrie, d'Arménie soviétique, de l'Anatolie turque.

Comme si l'histoire avait décidé de ne donner jamais répit ni repos au petit peuple qui le premier inventa l'alphabet. Comme si Marseille avait vocation d'être la ville de Méditerranée où commencent tous les possibles de la liberté. Étonnez-vous après ça que personne ne tourne la tête en entendant la vieille litanie qui anonnait : « Arménien, tête de chien, mange ta soupe et dis plus rien. »

On ne tourne tellement plus la tête que plus personne ne se hasarde à le dire. Parce qu'enfin les Arméniens ont conquis la ville et la cité est leur droit.

——————— *JEAN KEHAYAN* ———————

Journaliste, écrivain. Co-auteur de *Rue du prolétaire rouge,* **Le Seuil, 1978. —** *Le chantier de la place rouge,* **Le Seuil, 1988.**

MAURICE LEMOINE

NORTH SIDE

STORY

TOUTES LES RACES, TOUTES LES NATIONALITÉS, COHABITENT DANS LES QUAR-
TIERS NORD. ENTRE AUTRES, UNE FORTE POPULATION MAGHRÉBINE. LA
PATERNELLE, LES FLAMANTS, LA BUSSERINE, LA SOLIDARITÉ, BASSENS, LE
PLAN D'AOU ET AUTRES CITÉS N'ONT PAS, À FRANCHEMENT DIRE, TRÈS BONNE
RÉPUTATION. ON PARLE MÊME PARFOIS DE « CITÉS INTERDITES »... UNE SAGA
AU CŒUR DU « BRONX MARSEILLAIS ».

Le Vieux ne savait pas où il allait. D'ailleurs, il n'était nullement
vieux en ce temps, mais si pauvre qu'il pouvait à peine gagner de
quoi faire subsister sa femme et ses deux enfants. La situation de
l'Algérie était pour le moins transitoire, il fallait le voir pour le
croire. Une vaste espérance ourlée du nom d'Indépendance et une
grande misère, pareille à la calamité. Il éprouva le sentiment d'agir
comme il l'eut fait s'il était engagé dans une quelconque armée. Il
ne possédait rien, se fit violence pour quitter des objets si chers.
Il partit seul, avec une valise au côté, dans laquelle il avait mis une
provision de biscuits secs et de dattes, parce qu'il avait la mer à
traverser. Ainsi commença la saga du Vieux, Inch'Allah, à la grâce
de Dieu.

La première arrivée s'appelle toujours Marseille, un port assez
considérable posté de l'autre côté de la Méditerranée. Il n'y trouva
personne, ne connaissait personne, et personne ne le connaissait. Du
monde, à droite, à gauche, deux nuits dans la grand ville au pied
d'une Notre-Dame indifférente qui ne le regarda pas. « Non », se dit-il
d'emblée dans son sabir dialectal, « il me faut continuer mon chemin ». Il se dirigea alors sur Grenoble où de vagues connaissances
pourraient le dépanner.

De la neige partout, un travail éreintant mais béni, vite trouvé,
le soir venu il coupait court, s'installait devant un antique télévi-
seur, prenait le journal, lisait un peu, puis ensuite il dormait. Il resta
peu dans ces montagnes étranges et glacées d'hiver froid. La grande
saison blanche n'était pas terminée que déjà il apostrophait Mou-
rad, son nouveau compagnon : « Moi, je rentre à Marseille, et pas
demain, tout de suite aujourd'hui — Que se passe-t-il », interrogea
le Frère, surpris et dépité à l'idée de perdre si vite un si bon compagnon ? Le Vieux — qui n'était nullement vieux en ce temps,
rappelons-le — était tombé. Il avait glissé dans la neige, dévalé cul
par-dessus tête dans une rue en pente, deux cents mètres plus bas.

Humilié, grelottant, il avait décidé instantanément : « je retourne à Marseille, je ne reste pas ici ». Ce qu'il fit.

Il découvrit, cette fois, la Canebière, et l'entrée du vieux port qu'encadraient géométriquement deux sortes de forteresses dont il apprit plus tard les noms : le Fort Saint-Jean, le Fort Saint-Nicolas. Un soleil rayonnant lui réchauffa les reins, un astre presque semblable à celui de « là-bas », cette fois il se sentit arrivé. Il fit des connaissances hasardeuses, des hommes, comme lui, qui parlaient arabe. Ils discutaient des nouvelles reçues du pays. « Qu'est-ce qui se passe là-bas ? — Oh, m'sieur Ahmed... — Quoi, il est mort ? Et l'autre, son cousin ? — Il est parti à droite, à gauche, je sais pas. »

Il commença dès lors à fréquenter des magasins arabes, des cafés arabes, toutes sortes d'Arabies. Son moral sortit de la zone obscure des dépressions. Et cette noble inconnue, au doux nom de Marseille, y était pour beaucoup.

UN MOMENT
À PLEURER

*I*l vécut néanmoins tel un déraciné. Dans l'imposante fabrique de produits chimiques qui lui fit immédiatement l'honneur immense de l'accueillir en son sein nourricier, il travaillait sans masque, sans protection, d'aucuns diraient sans rien, vraiment comme un mulet. De là lui vient peut-être cette pénible toux qui depuis des années hante ses jours et ses nuits. Avec pour oreillers quelques sacs de ciment, ses compagnons de grande fortune et lui dormaient par terre, à même la froideur de la nuit. Doucement, doucement, il changea d'emploi, en trouva un autre, le mot chômage n'existait que dans les dictionnaires collectionnés par des chrétiens vénérables, de doctes érudits. Un marchand de sommeil lui marchanda le sien, en toute humanité.

D'un naturel sauvage, ne fréquentant personne, il n'allait chez personne, personne ne venait chez lui, c'était exclu. Il ne dérangeait pas, plus discret qu'un torrent à sec au cœur de l'oasis. Il portait en son cœur quelque chose, un secret, une pensée, une idée, une vague nostalgie pour une terre lointaine et sauvage, son pays.

Il fit venir ses frères, doucement, doucement. L'un arriva, l'autre suivit, son beau-frère, le mari de sa sœur s'installèrent à Marseille, l'emploi n'attendait qu'eux, leur force et leur courage, et eux avaient au cœur l'espérance insensée de sortir de la grande pauvreté. Tout leur parut très grand, très magnifique. Il leur expliqua Phocée, leur ouvrit le chemin : « Ici, c'est comme l'Algérie, il fait chaud, il y a des gens de chez nous, et même des Français qui parlent arabe, c'est des rapatriés de Tunisie, du Maroc, de l'Algérie. » Il les aida à droite, à gauche, ils trouvèrent un logement.

Cependant, de l'autre côté de la mer, ses deux enfants croissaient, l'aîné avait déjà dix ans. L'année 1966 du calendrier des Chrétiens marqua l'heure de la grande décision. Plus de vingt ans après, lorsqu'il en parle à l'occasion, des larmes de chaleur émue, d'excitation mal contenue, altèrent encore le son rocailleux de sa voix. « Je vais vous dire franchement, quand ils sont arrivés, je suis allé à Marignane pour les accueillir, c'est des cauchemars, ma parole ! Disons, ça fait un moment qu'on ne les a pas vus, ils sont venus, c'était le mois d'août, il faisait tellement trop chaud, qu'est-ce qu'ils ont là, ils ont changé complètement, ma femme elle était complètement, euh, je ne peux même pas vous expliquer, alors je les ai accueillis, alors j'étais vraiment dans un moment à pleurer. C'est des aventures, ça. »

Toute la curiosité du bled concentrée dans leurs yeux, les enfants erraient, dépaysés. Ils ne savaient même pas ce qu'était la France. Le Vieux les fit entrer dans sa chambrée, leur demanda des nouvelles de leur santé. Puis il leur expliqua un peu la situation, les tenants, les aboutissants : « Ici on va habiter, vous irez à l'école, vous allez devenir quelqu'un et puis on retournera un jour au pays ». Telle fut la teneur des propos qu'il leur tint.

L'automne remplaça l'été, puis l'hiver l'automne, le vent succéda au calme, le calme suivit le vent, qui revint encore, un mistral à parfois décorner les sardines, tenace, hululant.

Au nord géographique de ce nord relatif, dans des quartiers de trois mille habitants que traversaient encore, peu d'années auparavant, de poussifs tramways, on vit à cette époque monter de hauts murs gris, des dizaines et des dizaines d'étages de béton.

Un matin de printemps, le Vieux se planta aux pieds d'une falaise toute de fenêtres incrustée qu'il contempla avec ravissement. Dédaignant l'ascenseur, il s'élança ensuite dans l'escalier et déclara : « moi, je prends le dixième étage, comme ça je verrai la vie de haut ».

Il ne se rendit pas compte que les entreprises avaient bâclé la construction puis étaient reparties, sans rien finir, en courant.

LA CRISE

Il avait groupé tous ses frères, ses cousins, dans les environs. Les femmes restaient toujours ensemble. Sortir ensemble, marcher ensemble, manger ensemble, telle était la loi. Soit chez le Vieux, soit chez les frères ou les cousins, il n'existait pour elles nul autre endroit où aller. Les frères travaillaient, rentraient au soir venu et tous s'installaient sur le sofa, mettaient un peu de la musique du pays, discutaient, se passaient des nouvelles, et ceci, et cela.

Sa première véritable inquiétude, le Vieux l'éprouva la fameuse année — que l'on s'en souvienne — où le printemps fut si chaud. Un sirocco d'enfer, d'après ce qu'il en sut, ravageait même Paris. Chargé de mille nouvelles plus déroutantes les unes que les autres, ce mai de 1968 se traduisit pour lui par une véritable obsession derrière laquelle il se barricada obstinément : attention, il faut demeurer à l'écart pour pouvoir tenir les enfants. Il réunit les frères et les cousins tandis que son épouse bien-aimée préparait le thé, silencieusement. « Tout le monde part à la dérive, hein, les enfants, si vous leur parlez de la culture islamique, du pays, tout ça, ils connaissent rien du tout. Il faut parler carrément, carte sur table avec les enfants, pour les maintenir dans le droit chemins. »

C'est ainsi qu'il prit régulièrement à part ses deux aînés, auxquels étaient venus s'ajouter deux bébés, Driss et Fatima, pour leur tenir de longues conversations. Il leur contait les douceurs et les rocailles de l'Algérie, de quelle manière — pour eux surprenante — on vivait là-bas, pour quelles raisons il était arrivé ici, chez les Francaouis. Il leur enseignait le Saint Nom d'Allah et leur faisait réciter après lui : *Allah Akbar, La ilah illa Allah, Mohamed rasas Allah, Ayya illa Salat, Ayya illa el Fallah...* Ce à quoi, honnêtement, ils ne comprenaient pratiquement rien.

La crise commença sept années plus tard dans les travaux publics dont les entreprises, les unes après les autres, se mirent à baisser le rideau. Jamais on n'avait vu ceci, les compagnies de transports en firent autant, de petites fabriques, des chapelets d'usines, et la situation dégénéra, et l'atmosphère se dégrada. Le Vieux sentit monter les périls et, en éclaireur avisé, fit une seconde fois sa valise pour aller voir « là-bas » de quoi il retournait.

L'Algérie avait bien changé, c'est vrai, bien bien changé. Mais on n'y trouvait toujours pas à étancher sa soif et ses désirs. Le Vieux y demeura vingt jours, tenta de visiter ses anciens amis : ils étaient tous partis en France. Les magasins vaguaient, à l'abandon, les terres avaient été distribuées aux anciens *moudjahidins*, c'est du moins sa version des faits. Déçu à cent pour cent, il prépara une troisième fois son bagage. Lorsqu'il retrouva les membres de la famille, rassemblés dans le salon exigu du dixième étage, autour de l'immuable service à thé, il soupira longuement, posa son bagage et leur adressa cette allocution : « Les circonstances, le destin, nous ont obligés à venir vivre dans un pays comme ça, la France, avec les Français. Faut essayer de s'adapter à leur mentalité mais ne pas oublier notre culture islamique. »

Ainsi donc en fut-il décidé, en tout bien, tout honneur, et pour un petit morceau d'éternité.

Ils ne firent pas de bruit, conservèrent leur respect. Les enfants, de la maison à l'école, de l'école à la maison, et ainsi de suite, chaque jour recommencé. Ils descendaient parfois sur le vieux port, parfois même le Vieux les accompagnait jusqu'au Parc Borelli, là-bas, au sud, pour voir le champ de course et les chevaux courir, les gosses s'amusaient. Pendant plusieurs années, ils vécurent de cette sorte. Jusqu'au soir où avec effarement, alors qu'il l'admonestait pour une peccadille, une anicroche dans le carême, une bière intempestive ou une cigarette mal dissimulée, le Vieux entendit son aîné maugréer pour la première fois : « Les anciens, ils sont nés là-bas. Ils ont connu une certaine tradition. Ils l'ont vécu, c'est acquis, on ne va pas leur retirer. Mais les gens qui sont nés ici, ils peuvent pas, en deux heures le soir, savoir toute une culture de vingt ou vingt-cinq ans. Alors, au fil des années, ça va se perdre. A mon propre avis, ça se perdra. »

Arabes à la maison, Européens dehors, jeunes et assez bien faits, leurs enfants s'échappaient, pareils à des pur-sang devenus chevaux fous. Qu'on juge de la stupéfaction immense du désarroi sans fond du Vieux : il poussa un sanglot. Dès que le bruit d'un événement si tragiquement considérable se fut répandu à travers les cités, les autres vieux poussèrent des cris épouvantables. Mais il était trop tard. Chair de leur chair, sang de leur sang, les jeunes venaient de basculer dans la modernité, s'enivraient de Marseille, oubliaient un pays qu'ils n'avaient pas connu.

LES TEMPS MODERNES

Allah est grand, ma mobylette et ma *Kronembourg* sont ses prophètes, oh putaing, con ! Juché sur son engin, Mohamed fait le beau. Juillet crame la cité, l'Aïd c'est vraiment la fête. Sauf que Mohamed se gratte l'occiput : « Moi, je savais même pas que c'était l'Aïd aujourd'hui, j'te dis pas... » Ce con, c'est pourtant visible. Complètement sur les nerfs, ceux qui font le Ramadan se trimballent des têtes cadavériques. Du lever du jour au coucher du soleil, ils ne bouffent pas, ne boivent pas, ne fument pas, ils sont dans un état... Hargneux ils sont. Du coup, même les Français tirent une tronche de six pieds de long, comme contaminés par l'ambiance survoltée. Les fatmahs, on ne les voit plus. Trois jours et demi avec le henné sur la tête, elles ne sortent pas de la carrée. Elles font ce qu'elles veulent, Mohamed s'en tape complètement. Ce soir, il va rentrer, allumer la téloche, mater les coco-girls à Collaro. C'est la culture occidentale, une manière de s'habiller — encore que pour les coco-girls... — de vivre, de se comporter. Et ça fait partie de lui, c'est enraciné maintenant. Franchement, le Ramadan c'est pas sa tasse de thé, qu'il soit à la menthe ou non. D'ailleurs, y'en a très peu qui le font réellement, le Ramadan. Les filles, chez elles, elles font semblant. Les garçons, de moins en moinsse. Même pour la charcuterie, qu'on excuse l'association d'idées. Théoriquement, ils n'en mangent pas. Mais quand ils font une descente au supermarché, bien avant les bouteilles d'Anisette, la première chose qu'ils piquent c'est du jambon.

Mohamed pose sa meule et retrouve les collègues, une belle bande de lascars, dix-sept à vingt-quatre ans, dans le hall de l'escalier, un cagibi cradingue que n'éclaire plus une ampoule débile, fracassée par un fada, à coups de pavés. Ça renifle l'urine, un minot a encore dû pisser sur l'ascenceur brinquebalant.

Ils vont plus à l'école les minots, ils s'amusent gentiment entre eux à coups de pierres, à proximité. Pendant ce temps-là, au moins, ils ne font pas de conneries. Mohamed fronce le nez, contemple le décor de cauchemar et lève les yeux au ciel. Franchement, tu respecterais, toi, un pareil clapier ?

Les quartiers nord c'est pas Chicago, c'est pas le Prado non plus. Cités de transit, programmes de relogement, amas de merde et de béton. Il y a même des Gitans qu'habitent là, c'est bien groupé, on y trouve toutes les races, toutes les nationalités. « Avant la fin de la décennie, la question du logement social deviendra le problème en France », a dit l'autre jour un mec qui s'appelle Pezet, costume trois pièces, habillé comme un socialiste, en visitant les cités. Mohamed serait plutôt d'accord. Les quartiers nord, va être temps de s'en occuper. Parce que lui, Mohamed, et avec lui tous ses copains, ils ont des droits. « Non, franchement, on a des droits en France ! Certains ne les connaissent pas, mais on a des droits. Déjà, pour faire des papiers à la mairie ou n'importe où, nos parents ils auront du mal, on les prend pour des billes. Mais nous, c'est pas pareil, on a de l'éducation. »

Ça fait marrer Hassan, son histoire d'éducation qu'il a dit. En fait, à défaut de droits ils ont beaucoup de problèmes. « On parle très bien le français, mais c'est entièrement faux. » Comprenne qui pourra. Quand il s'esprime, Hassan est aussi clair que Marguerite Duras. Il discute tout de même avé les copains. Sans crier gare, au milieu de la conversation, ils balancent un mot kabyle, une expression arabe. Du coup, ils continuent dans cette langue, une sorte d'arabe bizarroïde ponctué de tournures marseillaises. Semblerait qu'ils ne parlent ni l'un, ni l'autre, finalement.

Il y a un peu de ça. L'école, s'ils y ont fait des étincelles, ce n'est pas vraiment dans le sens communément admis. « Par rapport au français, on était très défavorisés. Nous, on ne connaissait que l'algérien. Et on était tout le temps au fond. C'est-à-dire, pour apprendre, c'était très dur pour nous. Vous, vos parents connaissent le français. Ils pouvaient vous aider. Nous, ils ne pouvaient rien. Si tu arrivais à apprendre, très bien, si tu n'y arrivais pas, tant pis. »

Mohamed ressort au soleil et tire des plans sur la comète. « Mes enfants, je vais les suivre. J'ai certaines capacités. Je ferai tout pour qu'ils arrivent au niveau où moi je suis pas arrivé. Parce que moi, je suis arrivé à un LEP[1], j'ai eu mon CAP, c'est bien beau mais c'est qu'un CAP, c'est plus rien maintenant. »

Il tripote son walkman et cale le mur, c'est ce qu'il a de mieux à faire pour le moment vu qu'il n'a pas encore d'enfant et qu'il n'est pas pressé d'en faire. « Les familles nombreuses, c'était bon pour nos parents... »

Passe un Français — un vrai, enfin un ancien Italien — qui lui jette un regard pas franchement assassin, pas vraiment amical non plus. « Il faut se méfier des Arabes, parce qu'ils se soutiennent tous.

On a collé une drôle de faune dans les cités. Des jeunes, toujours plantés en bas, avec le transistor... »

VIVRE ET TRAVAILLER
AU PAYS

À croire qu'ils n'ont pas grand-chose à glander non plus, en fin de journée ils sont toujours au même endroit. Les lascars se tordent de rire et Fatima — la fille du Vieux — se plie avec eux, son cabas chargé de provisions posé à ses pieds. Elle remonte du magasin Sodim. Chaque fois qu'elle y met les pieds et le porte-monnaie, un surveillant lui file le train entre les rayons, une tête qui apparaît et disparaît, maladroitement discrète. Ils savent de quoi il retourne, ils ont tous droit au même traitement. La suspiscion systématique. Tout à l'heure, n'y tenant plus, Fatima a piqué un coup de sang. Elle a de l'instruction, de la vraie, et la langue bien pendue. Elle est entrée en trombe dans le bureau du directeur, un petit monsieur bien mis : « Monsieur le directeur, il y a un satyre dans votre magasin, un bonhomme qui me suit chaque fois que je viens, je ne peux pas faire les courses tranquillement. S'il vous plaît, appelez la police... »

Il ne savait plus où se foutre, le gérant.

Après avoir bien ri, toute la compagnie garde quelque temps le silence, signe d'une intense réflexion. « C'est pas parce qu'on a le teint basané qu'on est immigrés », jette soudain Mohamed, ulcéré. « Encore moins des voleurs », ajoute Fatima. « On est nés ici, on est français — Laisse tomber », grogne son copain Karim, « Notre carte d'identité, on la porte sur le visage. D'ailleurs moi, j'suis pas français, j'suis marseillais... »

La France, il connaît pas, mais Marseille c'est sa ville, il y est né, il y mourra. Il aimerait bien, aussi, y travailler, y vivre normalement, autrement que comme un pestiféré. Pas évident, à ce qu'il semblerait. Pour le travail, c'est soit l'ANPE, soit les journaux. Ou alors, vous vous pointez dans les intérim, on vous demande des photos, des photocopies, de la paperasse, et quand vous avez fait le dossier, on vous écrit trois jours après : pour l'instant, on n'a rien. Dans d'autres boîtes, on prend moins de gants, on vous exclut d'emblée : vous êtes Maghrébin, vous vivez dans les quartiers pourris, vous avez mauvaise réputation. Driss a cru tourner la difficulté en optant officiellement pour la nationalité française malgré les réticences, pour ne pas dire le désespoir, de ses parents. « Avec la carte d'identité, même si on a une gueule d'Arabe, comme on dit, on a plus de possibilités de trouver du boulot ou passer des concours, dans les P et T, la sécu... » Le rêve s'est vite brisé sur son faible niveau scolaire, il sait à peine remplir un curriculum vitae. Moralité de la chose, son père le regarde de travers, ne lui lâche pas les baskets, le houspille constamment. « Quarante ans qu'il travaille, mon père, et on est huit à la maison. Il te nourrit, il voit que tu fais rien. C'est normal que de temps en temps tu entends crier. » Driss ne lui en veut pas, mais ça n'améliore pas les relations. A huit heures du matin, son vieux le jette du lit. Et bien souvent, le soir, pour lui, il n'y a rien à manger. « Si on travaille, on a des sous, quoi, on se sape, on a le logement, la voiture, on va danser, on fait comme tout le monde. Quand on a rien... »

Les vieux s'arrachent les cheveux. Les moins vieux également. « Moi, j'ai trente ans, j'ai tracé mon chemin. Mais c'est les petits jeunes, là, qui arrivent. Eh bien, eux, méchante affaire ! C'est vrai, putaing ! Ils sortent de l'école, ils n'ont pas de boulot. A dix-huit ans, ils pointeront. On leur filera trois cent francs par mois, ou même un TUC à douze cents francs. Qu'est-ce que tu veux faire avec ça ? »

LA MAUVAISE GRAINE

Ici, vous avez donc des HLM, des bâtiments de quatre à treize étages, tous délabrés. Ou quasiment. Au pied, des groupes de jeunes qui glandouillent, galèrent, abonnés à la Saint-scoumoune, plaqués par l'ANPE, spécialistes des coups foireux. Pas beaucoup de solutions pour eux. Ils vont tenir un an, deux ans, on va leur proposer des stages, des opérations anti-été chaud, mais à la sortie ils seront toujours dans la rue, coincés entre terrains vagues et ennui. « Les parents, ils vont être dégoûtés ! — C'est pas qu'ils vont être dégoûtés, ils n'ont plus les moyens de nous aider. Par exemple, leur gosse il arrive à dix-huit ans, il faut cinquante ou cent francs le vendredi soir. S'il en a quatre ou cinq des enfants, le vieux, il ne peut pas se permettre de sortir cinq cents francs par semaine. Donc, plus ou moins, ils devront aller... — Faire les poches ! — Déconne pas... »

Rires, klaxon, odeurs de goudron surchauffé.

Dans le temps, chez les jeunes issus de l'immigration, la délinquance n'existait pas. Une trouille terrible des pères qui faisaient la loi, à tous les niveaux. L'état de grâce n'a pas duré. Conflits avec l'école et la famille, échecs accumulés, marginalisation engagée, rapport à l'administration aux organismes sociaux, au travail, à la société, déjà pervertis, analysent sombrement les travailleurs sociaux qui ont poussé sur les quartiers nord comme coquelicots dans les prés. Rebutés, chassés, abandonnés de tout le monde et ne sachant ce qu'ils vont devenir, certains d'entre eux plongent. Ils prennent le blé là où il pousse puisqu'on leur refuse le fruit de la moisson, puisqu'on leur interdit même de moissonner. Il se présente parfois de bien belles occasions. Mais ça fait sacrément monter la tension. « Est-ce qu'on a écarté la mauvaise graine », s'interrogent des exégètes improvisés ? « Il suffit de deux ou trois jeunes qui foutent la pagaille un peu partout, et tout le monde suit. C'est trois jeunes ou c'est trois vieux, on ne sait pas, mais ils n'ont pas été maîtrisés. » Tellement peu maîtrisés que cette nuit, sur le coup de deux heures du matin, la pharmacie du quartier a été cassée, un stock de seringues a disparu ainsi qu'un lot important de médicaments du tableau B. Déjà que la parano était à son comble. Dans la cité, les gens ne sortent plus. Ils achètent des chiens, pas des caniches, des gros chiens, des molosses mal dressés qui montrent les crocs. On regarde les lascars par en dessous, des lascars qui, à quelques exceptions près, n'y sont vraiment pour rien. « La drogue, je n'y ai jamais touché. J'ai pas mal de copains qui fument. D'autres qui se fixent. D'autres qui sniffent. Et ce milieu-là, je l'ai vraiment en dégoût. Ça nous porte préjudice. Normalement, il ne faut pas généraliser. Je peux voir une dizaine de Français qui se droguent, ce n'est pas pour ça que je vais vous regarder d'une autre façon. Mais comme on est en France, et qu'il y a un certain nombre de jeunes Maghrébins qui font ça, alors on généralise tout le monde et on est tous jetés dans le même panier. »

Le fils aîné du Vieux travaille dans un garage et se shoote au cambouis, mais ça on n'en parle jamais. Il remonte au turbin. Il connaît les clients de son patron, des Marseillais de tous bords, entretient d'excellents rapports avec eux. Il est entré récemment dans les confidences avec un retraité. Ils taillent le bout de gras, le vieil homme lui fait : « Moi, j'ai voté Le Pen ! » Interloqué, le jeune Arabe n'en croit d'abord rien. « Mais pourquoi ? », il sursaute. Eh bien voici : le Marseillais, ce brave Marseillais, alors qu'il rentrait chez lui, roulant lentement peuchère, à son âge, n'a même pas fait attention que, peut-être deux cents mètres auparavant, il avait fait une queue de poisson à une Renault 5. Celle-ci le rattrape, le bloque sans autre forme de procès. Deux jeunes filles en descendent, deux Maghrébines de la nouvelle génération, de celles qui fument et mènent leur vie, sorties du gynécée, et elles le traitent de tous les noms. Mais vraiment tous les noms. « Eh bien, il s'est vengé, il a voté Le Pen ! Ce n'est pas du racisme, c'est un coup de colère, de la stupidité. Un type qui se fait voler le porte-feuilles, pareil. S'il s'aperçoit que c'est un Arabe, d'un seul coup, sans réfléchir, il devient raciste, même s'il est pas raciste. Ç'aurait pu être, j'sais pas moi, un Portugais, ou un Français, ou un Suisse, des voleurs il y en a de partout. Manque de chance à Marseille, faut reconnaître que c'est plus souvent un Arabe qu'un Suisse ! Le type devient raciste. C'est l'ignorance de l'autre et la bêtise humaine... »

Là-dessus, déboule Hassan, un pote à Mohamed. Il déambule sombrement en traînant les pieds. Vingt ans, on lui en donnerait cent tellement qu'il fait pitié. Ancien chômeur, plus ou moins toxico, déjà condamné. Il voulait s'en sortir. Il a fait des Travaux d'Intérêt Général dans un centre social qui ensuite l'a aidé à trouver du boulot, dans une espèce d'entreprise intermédiaire, plus ou moins comme TUC. Il pétait de joie, Allah n'était pas son cousin, il allait enfin vivre une vraie vie de salarié respectable et respecté. Depuis, il y a comme qui dirait des hauts et des bas. Il a gagné trois sous, c'est la première fois qu'on lui versait un salaire. Guilleret, il est allé voir le guichetier de la banque : « Il me faudrait un prêt de trois briques pour acheter une voiture, s'il vous plaît m'sieur... » Il est revenu dégoûté. il vient de téléphoner au comité de probation du palais de justice en disant qu'il en a marre, qu'il veut se suicider.

INSÉCURITÉ

Les Français se taisent. Ils se collent devant la télé et pour savoir ce qu'ils pensent... D'autres s'expriment à leur place, tiennent le haut du pavé. « Ceux qui n'habitent pas à côté des immigrés et qui n'éprouvent pas quotidiennement les différences de mentalité et de culture n'ont pas le droit de parler de ces questions », annonce avant les élections Pascal Arrighi, député du Front National. « C'est la raison de notre succès. Je prends le pari que Le Pen arrivera deuxième des présidentielles à Marseille, juste derrière Mitterrand. »

Quand on habite Bassens ou les Flamants, quand on erre dans les quartiers nord, qu'on est Maghrébin, on a bien du mal à se convaincre de sa citoyenneté. « Il faut être prudent, je pense que tout peut arriver. Nous, l'insécurité on la vit durement. »

Les Brigades de Surveillance de Secteurs (BSS), unités de policiers en civil n'ayant reçu aucune formation, les harcellent constamment. Une intervention musclée de ces cow-boys s'est soldée en septembre 1985 par la mort suspecte d'un délinquant (français) et a provoqué un début d'émeute dans la cité maghrébine de La Paternelle. La « Brigade la Bavure » n'en est pas restée là. Le 2 février 1988, accidentellement ou non, le fils d'un chauffeur de taxi, Christian Dovero, est abattu à bout portant. Le CRS Jean-Paul Taillefer qui, le 18 octobre 1980, vers vingt-deux heures, a tué de sang-froid le jeune Lahouari Ben Mohamed, dix-sept ans, lors d'un banal contrôle d'identité, a écopé le 25 septembre 1987 de... dix mois de prison dont quatre avec sursis. « C'était pas un jeune qui était en train de voler ou de piquer, ç'aurait pu être mon frère ! Des exemples comme ça, vous en voyez tous les jours. Moi, tous les soirs, quand un de mes frères tarde et que ma mère s'inquiète, je partage son inquiétude... »

On voudrait les pousser à la révolte, à la colère, à la désintégration, on ne s'y prendrait pas autrement. A défaut d'apaiser les tensions, ça leur file de beaux sujets de conversations. « Moi, fait l'aîné du Vieux, je suis prudent mais pas inquiet. S'il y a un problème, bonsoir, je ferme boutique, je rentre en Algérie. Je suis encore à cheval sur les deux. La Méditerranée, elle ne fait que quatre cents kilomètres ! » Son discours fait bondir Driss, son frangin, déjà le choc des générations. « Ta femme est née ici, elle n'est pas immigrée. Tu ne défends pas ta famille ? — Ce sont des choix de Français », jette l'autre, fataliste. « Mais on est Français, con, on est nés ici. L'Algérie, je connais pas. — Si c'est une majorité de Français qui te dit on ne veut plus de toi ? Très bien, je m'en vais. — Mon zob ! Moi, je suis né à Marseille, c'est ma ville, je me bats. — Mais s'ils nous foutent dehors... — Il le dit pour sa campagne mais il ne peut pas se permettre, Le Pen... » Là-dessus, intervient brutalement Mohamed qui a fait le tour de la question : « Tu fuis ! Demain, par je ne sais quel malheur, Le Pen ou un connard de son espèce se retrouve à la tête de l'État. Tu cèdes sur tout, tu laisses tout ? Tu rentres au Maghreb comme on dit, et tu t'installes. Et puis, trois ans après, là-bas ça va mal. Les intégristes prennent le pouvoir. Tu vas aller où, cette fois ? Tu remets un voile à ta femme ? C'est son avenir, c'est celui de tes enfants... » L'autre n'en démord pas. « Arrêtez de délirer. On croit être français, on ne l'est pas. Franchement... De tous les Français, on est les moins français. — Oui, et bah moi j'm'en tape. De toute façon, j'suis marseillais ! » Mohamed a tranché et que les choses soient claires, il ne partira pas. Jamais. Pas plus que ses copains.

Qu'une droite musclée ou même l'extrême-droite prenne la mairie, il est sûr qu'un certain nombre de structures sociales vont sauter. Mais derrière, mais autour, existent le passé, le présent du pays des Droits de l'Homme. « Ils » ne pourront pas pratiquer l'apartheid dans ce pays. Quant à la population, elle se débrouillera. « Ils parlent de réduire les allocations familiales. Ça fera quoi ? Ça ne fera qu'augmenter la misère dans les quartiers nord. Ça ne fera partir personne. »

PILES...
ET FACE

L e Vieux ne savait pas où il allait, si pauvre qu'il pouvait à peine gagner de quoi faire subsister sa femme et ses enfants. Il a gagné Marseille et a trimé, c'est sûr, dans cette ville pas plus qu'ailleurs on ne vous donne rien pour rien. Il a surmonté les affres du déracinement puis a vu s'accumuler peu à peu les difficultés, au fur et à mesure que le chômage touchait Français et immigrés. Aujourd'hui, les familles des uns et des autres manquent de ressources, éprouvent un embarras croissant, accumulent les privations pour payer les loyers. Frais de poursuites, huissiers, procédures, doublent, triplent les dettes, enfonçant chaque jour les gens dans dans un engrenage insensé. Comme il l'a fait au long de toute une vie de labeur, le Vieux serre les dents.

L'autre jour, il descend chez le photographe, là, juste en bas, au quartier. Sa fille — la petite — avait acheté des piles pour l'appareil, ces piles ne fonctionnaient pas. « Je vais le voir. Qu'est-ce qu'il a répondu comme réponse ? Écoutez, vous êtes arabe, vous savez pas s'en servir de l'appareil, faut pas l'acheter ! Je dis, monsieur, c'est pas poli de parler comme ça. Tu vois pas qu'il y en a des Arabes beaucoup trop à Marseille, il me dit ? Textuellement. Je lui dis, écoutez, les Arabes ils sont à Marseille, ce n'est pas vous qui les amenez, ce n'est pas moi non plus. Vous y êtes pour rien, moi j'y suis pour rien. Ça, c'est l'affaire des gouvernements, de l'administration, de la justice, de l'État. Alors, qu'est-ce que vous parlez ? Moi, je suis arabe, je suis fier d'être arabe et vous, vous êtes français ? Oui, il répond ! Ah, ah, je fais, mais avant d'être français ? Arménien, il me dit, mais je suis français quand même, et je vais voter Le Pen ! On parle de piles, je lui dis, et vous rentrez dans la politique ? Qu'est-ce que c'est ça ? C'est n'importe quoi. Oui, mais votre fille... Ma fille, elle est née à Marseille, elle est marseillaise, comme vous. Et mon aînée, plus française que vous, elle va à l'université. »

Il en est fier de cette petite-là, le Vieux. Fatima. Elle est en train de présenter une maîtrise en lettres modernes. Il lui a toujours dit : « Fais ce que tu veux » ; il n'a jamais obligé ses enfants à se retirer de la société, à ne pas fréquenter les Français, seulement à éviter les mauvaises relations. Garder le respect d'eux-mêmes, acquérir des manières convenables et réussir le plus haut possible, s'intégrer, s'insérer dans la société française sans renier ni la race, ni le passé.

Fatima ne va plus à Aix. Elle a été inscrite un an en faculté, elle n'a pas tenu. Certaines salles de cours sont couvertes de graffitis : *les Arabes, les Noirs dehors !* Arriver à huit heures et demi et se trouver nez à nez avec ces sanies n'incite pas particulièrement à travailler. S'y ajoute le racisme de certains profs, un directeur d'UER avec lequel elle s'est accrochée. À Grenoble, l'ambiance est meilleure, elle est retournée étudier — ironie du sort — là où son père, voici bien longtemps, avait craqué. Elle bavarde, elle sourit, elle rit, fouille dans son sac à main, écarte la plaquette de pilules, sort un paquet de Marlboros et un briquet, ne se pose pas trop de problèmes d'identité. Depuis l'hiver 86 et les événements étudiants, une conscience politique lui est née. Elle a pris un quart d'heure pour se faire inscrire sur les listes électorales. « On a toujours été j'm'en foutiste. Le Juif est représenté, l'Arménien est représenté, le Maghrébin non. Il nous faut un poids. Et donc, il faut voter. Je vais voter pour le PS, les autres non, ils n'hésiteront pas à faire des conneries. Mais je n'ai pas envie de me contenter du moins mauvais. Pourquoi ce moins mauvais on n'en ferait pas un bon ? Ce qu'on veut, c'est des socialistes plus socialistes... »

Un rire grelottant, elle se perd dans les rues, se dirige vers le port en traversant des places publiques. Elle aime Marseille, elle adore Marseille, elle aime la Corniche autant que le Cours Belsunce, elle aime Michelet et le Prado avec tous leurs Français, la Canebière et les quartiers nord avec tous ses Arabes et ses Noirs si vous voulez qu'on les appelle comme ça. Elle aime Marseille parce que c'est un mélange de tout ça.

Il suffit de se balader dans la ville pour sentir le brassage, l'échange. Au cœur de la cité, dans les grands ensembles, melting-pot fantastique, ce sont les jeunes, en général arabes, nés ici, ayant grandi ici, qui véhiculent le plus les accents et le parler provençaux, marseillais.

Un père bronzé, frisé, s'extasie quelque part devant sa gamine de quatre ans et demi. « On dirait qu'elle a avalé un transistor quand elle est née, la petite. Je ne sais pas encore ce qu'elle va être. Elle entend de la musique arabe parce que j'en écoute, c'est ma culture avant tout, elle a des souvenirs très vagues du jour où elle a participé à une de nos fêtes... Elle se lève, elle se met à danser et elle veut imiter les you-you ! Elle est toute petite, hein ! Et en même temps, elle a ses chansons françaises qu'elle apprend à la garderie... »

Pendant ce temps, pas très loin de là, un Maghrébin des quartiers nord, Ahmed, vingt-six ans, bosse dans une entreprise qui sous-traite pour le Gaz de France. Il s'agit de changer ou rénover les tuyauteries dans certains immeubles et chez des particuliers. Ahmed fait équipe avec un type, un Marseillais boules de pétanque, un jeune pas vraiment raciste, « mais disons que les Arabes il ne les porte pas dans son cœur ». Ils pénètrent dans l'ombre bienfaisante d'un bâtiment d'une vingtaine de locataires. Au quatrième étage, vivent des Algériens, pas difficile à deviner, suffit d'écouter la musique qui sourd par-dessous la porte. Ils attaquent le chantier. Sur le coup des dix heures, la femme sort avec le plateau de café. « Tenez messieurs, vous travaillez... » Le Marseillais se gratte la tête . « Pétard, c'est bien la première fois que ça m'arrive ! » L'après-midi : « Vous voulez boire un coup ? » Elle avait sorti l'orangeade et tout. « J'ai vu que vous mangiez, en bas, dans le camion. Eh bien, écoutez : lundi, n'apportez rien, vous mangerez chez moi. »

Et le lundi suivant, elle leur prépare un couscous. Le Marseillais, peuchère, ce n'est pas le mauvais bougre, il ne sait plus où il en est. Il se confond en remerciements. Mais le contraire aurait aussi bien pu arriver, si au lieu du café il y avait eu une engueulade...

Ah, Marseille c'est Marseille, vous ne pouvez pas comprendre.

———————— MAURICE LEMOINE ————————

**Journaliste, écrivain, auteur de *Les Cités Interdites*
(*Marseille, filles et fils de l'immigration au quotidien*),
éditions Encre.**

1. Lycée d'enseignement professionnel

JEAN VIARD

LES MIGRANTS OUBLIÉS

ON LES AVAIT OUBLIÉS ; CES 20 % DE MARSEILLAIS DESCENDUS DU NORD.

Marseille fut, de toujours, comme une enclave en terre de France. « Être marseillais » conférait une identité forte, suffisante pour se définir, une identité qui s'appuyait sur les collines et s'ouvrait vers la mer. La ville était au peuple de la Méditerranée. Aujourd'hui, de plus en plus, elle est au peuple de France ; près d'un Marseillais sur cinq est « descendu du Nord ». Telle est la novation radicale de ce siècle, celle dont on parle le moins alors qu'elle joue un rôle décisif dans la prise de distance entre « la société locale » et la société civile.

Le phénomène est vrai dans l'ensemble du sud français ; partout le peuplement nordiste représente la vague migrante dominante depuis 30 ans. Surtout que ces migrants sont homogènes — en majorité cadres ou patrons, ils appartiennent à la cohorte trop oubliée de ceux qui ne savent pas remonter après les vacances. L'attrait du Sud, du soleil et des pays capteurs du désir estival a ainsi traversé notre monde, en Europe comme aux USA ; comme sans doute au sein même de chaque pays européen. Et au-delà de 1992 le mouvement devrait s'accentuer alors que l'Europe entière pourra, sans problème, aller travailler au soleil.

Si ces migrants-là sont oubliés, ce n'est pas mauvaise volonté. Seulement on a trop cru, trente ans durant, à la « République une et indivisible », comme si les particularismes et les schèmes culturels étaient « nationalisés ». On n'a pas vu, ou pas su voir, qu'entre un Marseillais inscrit dans un entrelac de réseaux, entre un Méridional qui avait appris les vacances en voyant passer les voitures, et un fonctionnaire ou un cadre demandant sa nomination dans le sud, les différences étaient fortes. L'un était sédentaire, l'autre un vrai migrant ; l'un était pris dans la toile d'araignée de la sociabilité de cette société laïque et méditerranéenne, l'autre jouait sa vie en choisissant de s'installer, souvent en famille, au pays de ses vacances enfantines, au pays des rêves oisifs des premiers touristes, au pays d'une aventure qui, peu à peu, sut concurrencer Paris comme but de gens entreprenants.

Longtemps le changement de « monde » fut difficile ; on « était » de Méditerranée ou du Nord, on savait l'art du frais du sud, ou celui du moindre rayon de soleil au nord. On aimait l'odeur de l'humus, le confort de la Touraine, on rêvait comme les rois de France aux charmes de la Loire. Ou alors, on savait le mistral, le soleil écrasant, la blancheur de la pierre chauffée à blanc. Certes il y eut toujours des voyageurs, des êtres hybrides. Mais ils étaient en marge du mouvement de la société.

Puis le fantastique mouvement de circulation généralisée secoua cet ordre sédentaire. Les informations, les capitaux, les marchandises, et enfin les hommes s'ébranlèrent, jusqu'à l'épopée coloniale, les guerres européennes puis mondiales, le tourisme du train bleu puis le tourisme de masse. L'économie devint mondiale, et « la planète finit ». Le monde du voisinage des sédentaires et de l'échange aux frontières, se transforma en un monde de transhumants ; les entreprises ne se localisèrent plus uniquement à proximité des marchés de consommation ou des sources de matières premières, le lointain devint plus proche, le désir des lieux se diversifia.

C'est cette toile de fond mutante pour un monde qui se pense, et se gère encore souvent dans les grilles de lecture d'un monde sédentaire, qu'il faut avoir en mémoire pour comprendre des lieux comme Marseille. Car tout y est pareil, et tout a tellement changé. Marseille fut du premier tourisme avant d'être aux colonies. Colbert lui avait imposé la France et les canons qui dominaient le port du haut des forts. Puis la porte de l'Orient devint son surnom. Et le grand pouvoir sur les affaires, sur le port et les bateaux, monta au « Nord », la ville s'embellit, mais fut dépossédée de son ancestrale raison d'être. Ensuite la cité vibra de la décolonisation et des rapatriés. Mais parallèlement la pression du Nord sur le Sud s'accentua, car entre temps le Sud était devenu désirable. En soi.

Et ainsi Marseille se replia dans une région en croissance, retrouvant la raison d'être des hautes collines qui la protègent de la terre depuis que les Phocéens y prirent pied. Cependant malgré ce rempart naturel une partie de la vague nordiste pénétra dans la ville — un Provençal sur quatre est né ailleurs en France, un peu moins d'un Marseillais sur cinq est dans la même situation. Vu le poids décisif des emplois publics dans la ville, une part importante de cette migration consiste en fonctionnaires, une autre partie, sans doute plus faible, doit avoir un statut de professions libérales et de cadres du privé.

LES « POST TOURISTES »

En trente ans la Provence a intégré près d'un million de Français du Nord c'est-à-dire près d'un habitant sur quatre — soit à peu près autant que de rapatriés en France ! Trop longtemps on confondit ces migrants-là avec les vieilles dames qu'on rencontrait l'hiver sur la côte. Puis force fut d'accepter que ces aimables grands-mères cachaient un peuple jeune et actif, diplômé et entreprenant. Et ce peuple-là prenait peu à peu en main l'administration et l'économie, laissant les emplois d'ouvriers aux migrants du sud et les emplois intermédiaires ou agraires aux natifs du pays (pour une bonne part d'ailleurs migrants eux-mêmes de première ou de deuxième génération). Sans doute l'analyse de ces mouvements doit être affinée. Car ces migrants du nord sont mal connus, on ne sait pas d'où ils viennent ni l'origine de leur famille. Peut-être une part significative d'entre eux est d'origine méridionale. Par contre, ce qui est sûr, c'est qu'ils arrivent souvent avec une formation et une expérience professionnelle qui ne se trouvent pas facilement sur place.

La société locale en subit deux grands contrecoups. D'une part le monde politique, si décisif dans les sociétés méridionales, pour la structuration de la société civile, sut peu les attirer et les intégrer. D'ailleurs eux-mêmes le désirent-ils vraiment ? Rien n'est moins sûr. Car leur « absentéisme » à la chose publique correspond à une manière de vivre en société plus liée à la compétence qu'aux réseaux, articulée par des projets et des valeurs plus que par des amitiés. Ainsi peu à peu s'est organisée une société dédoublée où coexistent ce qu'on appelle un peu injustement le clientélisme, qui s'appuie principalement sur des catégories moyennes installées depuis au moins deux générations, et ce monde chargé d'un pouvoir économique et administratif lourd mais qui profite peu à l'aventure collective du pays. L'heure de l'alliance entre ces deux manières d'être en société va-t-elle bientôt sonner ? Il est d'autant plus difficile de le dire que cette dualité voisine avec le monde en retrait des migrants pauvres du sud, nationaux ou étrangers. Et, dans ce jeu à trois, le conflit le plus visible est-il toujours le plus réel ?

Ces migrants du nord, à cause de leurs formations et de leur décision de faire leur vie loin de leur base, sont très attachés à des valeurs de liberté individuelle. Les enquêtes le montrent clairement et il y a là une conséquence logique de leur isolement. Et si on accepte que beaucoup d'entre eux sont venus parce que le sud était désiré par le tourisme, si on accepte donc de les qualifier de « post touristes » il faut comprendre que leur manière de regarder ce pays est celle des touristes. Leur regard est d'abord organisé par le sens de la mise en valeur du spectacle, celui des espaces naturels ou travaillés, celui des coutumes locales. Post touristes ils le sont fondamentalement dans leur culture, et ce

d'autant plus qu'ils sont en position d'étrangeté. Mais ils aiment le pays qu'ils ont choisi — le cadre plus que les règles de sociabilité. Alors on peut voir, et les travaux de Paul Alliés à Montpellier le montrent clairement, apparaître une double poche régionaliste. L'une traditionaliste, l'autre attachée à la défense du cadre local, mais refusant le localisme culturel ou politique.

Dans la ville de Marseille ces deux groupes sont plus difficiles qu'ailleurs à identifier. Les post touristes sont moins nombreux en pourcentage que dans la région, le *turn-over* est sans doute plus rapide que sur la côte ou dans l'arrière-pays. De plus, une part sensible des actifs de ce style résident hors les murs, à Aix-en-Provence, Cassis, ou dans les communes rurales périphériques. Par ailleurs la société marseillaise étant très particulariste se refuse au tourisme et n'accepte que depuis peu la mise en spectacle de son site et de son histoire — alors que l'un et l'autre sont forts et méconnus.

D'autre part, Marseille a une image largement négative et elle paraît encore peu se mobiliser vers un projet d'avenir. Aussi ces migrants-ci sont-ils rétifs à un mouvement local qui apparaît peu porteur de propositions et de rêves, ne valorisant pas leurs migrations personnelles. Mais, à l'inverse, il est raisonnable de poser l'hypothèse que Marseille dispose d'une réserve de force et d'imaginaire qu'un projet porteur pourrait mobiliser.

JEAN VIARD

MAURICE LEMOINE

VUE EN COUPE

D'UN VOLCAN

BON AN MAL AN, MARSEILLE A ABSORBÉ DES GÉNÉRATIONS DE MIGRANTS. ELLE Y A MIS PARFOIS LE TEMPS ET SOUVENT FAIT L'ÉCONOMIE DES FORMES. MAIS LE BRASSAGE A FINI PAR ABOUTIR À UNE ASSIMILATION RÉUSSIE. AUJOURD'HUI DEVANT L'IMMIGRATION MAGHRÉBINE LES PORTES SE FERMENT. LA COURSE DE VITESSE EST ENGAGÉE ENTRE UNE POLITIQUE D'INTÉGRATION COHÉRENTE ET LE RACISME AMBIANT.

Fille d'un roman d'amour, Marseille est une métèque, n'en déplaise à son soupirant Jean-Marie. Qu'on en juge : six cents ans avant Jésus-Christ, lequel devança lui-même Jeanne d'Arc de mille quatre cent douze années, c'est-à-dire que l'affaire ne date pas d'hier, des navires ioniens abordent l'embouchure de l'Huveaune que peuplent alors les Ligures. Hardis navigateurs, ces Grecs de Phocée envoient l'un des leurs, Protis, demander à Mann, roi des ci-devants Ligures, l'autorisation de fonder une ville. Pour être navigateur on n'en est pas moins homme, Protis commence par séduire Gyptis, la fille du roi. Elle est peut-être pucelle — l'histoire ne le dit pas — mais ne s'appelle pas Jeanne, encore moins Jeanne-Marie, elle tombe dans ses bras. Ils se marient, vivent heureux et ont beaucoup d'enfants, tout du moins on peut le supposer. Ils s'établissent sur la rive nord de la calanque du Lacydon — le vieux port —, là où la source Massilia se jette dans la Méditerranée. La première ville de l'hexagone est née. Le premier couple mixte aussi, qu'on nous pardonne l'approximation. Il s'agit là d'une affirmation symbolique, on l'aura deviné.

Immédiatement au septentrion, sur cette pointe extrême du monde occidental qui va devenir la France, carrefour d'invasions et de migrations, cinquante peuples au bas mot en prennent de la graine, se succèdent, se combattent, se fondent les uns dans les autres, se juxtaposent, se métissent un peu plus à chaque arrivée. Entre autres nos Ligures précédemment évoqués, inventeurs du bronze ; les Celtes, ancêtres de Jean-Marie ; les Gaulois, inventeurs du coq ou quelque chose comme ça ; les Romains, célibataires ayant abandonné le service armé pour devenir colons ; les Wisigoths, Burgondes, Alamans, Saxons, Francs, Normands de Scandinavie, Sarrasins dit-on, jusqu'à Poitiers...

Sans remonter aussi loin dans le brassage des races, des peuples et des communautés qui ont forgé la nation française, et pour en revenir à Marseille, ce port de commerce va représenter tout au long du XVIIIe siècle un foyer d'attraction non négligeable pour les migrants, venus essentiellement du Nord et du Nord-est, à commencer par les proches régions provençales. Les guerres de la Révolution et de l'Empire n'arrêtent pas totalement l'arrivée de nouveaux voyageurs notamment Grecs et Levantins. Au milieu du XIXe siècle, au moment où le port commence à s'étendre vers le nord, où se développent les grandes compagnies maritimes et où se construit la voie ferrée du PLM, le patronat marseillais fait systématiquement appel à la main-d'œuvre immigrée, qui présente l'avantage d'être particulièrement docile. En 1851, les étrangers représentent déjà 10 % des habitants de la ville : sur une population qui tourne autour de 200 000 personnes, 16 000 Italiens constituent la communauté la plus nombreuse, devant les Espagnols, les Grecs, les Maltais, les Syro-Libanais, les ressortissants du Nord, de la Suisse, de l'Allemagne et même de Grande-Bretagne, pauvre Jeanne d'Arc, heureusement qu'elle n'a pas vu ça. Tandis que la cité phocéenne attrape en marche le train industriel — huileries, métallurgie lourde, sucreries, etc. — la migration italienne s'accentue. Paysans pauvres du Piémont ou du sud, en route vers les Amériques qu'ils n'atteindront jamais, 50 000 d'entre eux vivent à Marseille en 1876, 95 000 vingt ans plus tard. Pendant ce laps de temps, leurs compatriotes arrivés en 1850 sont devenus Français. À la veille de la Première Guerre mondiale, 100 000 Italiens d'une part, 100 000 autres Italiens devenus Français par nationalisation d'autre part, représentent 40 % de la population de la ville. On est très au-delà des pourcentages contemporains. Quant au fameux seuil de tolérance, sous peine de le couvrir de ridicule, n'en parlons même pas.

L'ORIENT
TOUT COURT

*L*a saignée de la grande guerre amène une masse de réfugiés provenant du nord, d'Alsace-Lorraine, de Belgique, mais pas en nombre suffisant cependant pour un patronat qui insatiable fait appel à la main-d'œuvre espagnole et « coloniale ». Ainsi débute la seconde grande vague migratoire, à partir de 1920. En même temps que de nouvelles marées d'Italiens, une masse de migrants arméniens rejetés de leur pays par la persécution, s'établit. Très ancienne, la migration corse devient systématique. En 1930, Marseille compte 250 000 étrangers pour une population de 650 000 habitants, auxquels viennent s'ajouter nombre de réfugiés espagnols au moment de la guerre civile. « Alors qu'on n'aille pas prétendre que nous sommes contre les migrations », s'insurge un retraité marseillais, ulcéré par la réputation xénophobe faite à sa ville, « puisqu'on nous a collé ici toutes espèces de... » Il s'interrompt un instant, gêné. « Espèces...

Il ne faut pas dire ça, c'étaient de braves gens. Des populations dont on n'a jamais eu à se plaindre, d'honnêtes individus qui travaillaient. Mais après... »

Après, sauf rature, erreur ou omission, notre interlocuteur ne fait pas référence au régiment de tirailleurs algériens, ni aux Goumiers marocains qui ont participé à la libération de Marseille en 1944, mais bien plutôt à la grande poussée migratoire des années soixante. Aspirés par une reprise de l'activité économique dont les limites apparaîtront bientôt, des dizaines de milliers de Nord-Africains, *dûment sollicités*, débarquent sur le port, leur baluchon à la main. Bâtiment et Travaux Publics — plus de 80 000 logements, 327 écoles, sans compter les collèges, lycées, hôpitaux, seront construits de 1959 à 1977 —, nouvelles zones industrielles — en 1972, la construction de Fos absorbe 17 000 emplois — portent le nombre des étrangers à 90 000 en 1975, soit 9,5 % de la population.

Aujourd'hui, 120 000 Musulmans habitent les quartiers nord et le centre ville — 50 000 Maghrébins étrangers, 50 000 Français, anciens harkis ou jeunes issus de l'immigration. « Des millions d'Arabes arrivés clandestinement », à en croire la rumeur qui sourd par tous les pores de la cité, flotte sur le centre ville, s'incruste dans les banlieues bétonnées. « Marseille, porte de l'Orient, carrefour du monde... Maintenant c'est l'Orient tout court ! Dans quinze ans "ils" seront majoritaires, ce sera Beyrouth, on va se tirer dessus ! »

POLACS, ESPINGOUINS, MACARONIS

« *I*ls » : inassimilables et inassimilés, parce que Musulmans. Et ainsi, tout serait dit. Car l'immigration des périodes précédentes, à ce qu'il paraît, aujourd'hui harmonieusement fondue dans la population, fondement et essence même de cette population, aurait, elle, toujours suscité une attitude ouvertement assimilationniste avant de se transformer sans problèmes en immigration de peuplement.

— Va donc, eh, chien des quais !

Qu'on excuse l'interjection. Pour dévaloriser quelqu'un, lorsqu'on veut l'insulter, aujourd'hui encore on l'appelle... chien des quais. Du nom péjoratif donné aux premiers dockers, immigrés espagnols et italiens, payés au centime, les bougnouls de l'époque. En fait, cette permanente immigration étrangère n'a pas été sans soulever d'incessants mouvements de rejet. Pour l'anecdote, on notera que, ramenés d'Orient par Bonaparte, installés avec leurs familles dans les vieux quartiers proches du port, certains Mameluks font déjà l'objet, en juin 1815, de violences qui se soldent par une douzaine de morts[1]. Un mort encore et quinze blessés, à Marseille toujours, en 1881, pour une *insulte au drapeau*. Engagés à bas prix par les salines du midi et déclarés inassimilables, de nombreux Italiens — de 7 à 100 suivant les sources — sont tués à Aigues-Mortes en août 1893, au cours d'une violente échauffourée ; un peu plus au nord, les commerces italiens de Lyon sont pillés après l'assassinat du président Sadi Carnot par l'anarchiste Caserio ; en 1901, parce qu'ils agissaient « comme en pays conquis » et que le patronat local avait préféré embaucher 235 Italiens pour 151 Français, 800 d'entre eux — les Italiens — sont expulsés de la mine de la Motte d'Anveillans dans l'Isère. Lors de la Première Guerre mondiale, ils — les Italiens, toujours — se portent massivement volontaires en échange de leur naturalisation. Un sur deux restera à Verdun. Des classes d'âge entières d'Italiens marseillais seront anéanties. Cela n'empêche nullement le développement d'une violente campagne anti-métèques et un profond mouvement de xénophobie anti-italienne — *mangeurs de macaronis au couteau facile* — entre 1921 et 1930. Marseille est alors dépeinte comme un ersatz de Chicago. Un peu plus tard encore, les Espagnols ne seront pas plus épargnés. « Vous savez, tout ce qu'on dit sur les Arabes, on le disait sur nous. On était dix dans ma famille, on n'avait pas beaucoup d'argent. On disait qu'on était sales, que chez nous ça puait... Dès que quelque chose de mal arrivait dans le quartier, c'était toujours les Espingouins ! »

C'est à cette époque d'ailleurs — 1923 — qu'un certain Sabiani quitte le Parti Communiste, entraînant derrière lui une bonne partie des troupes. Profitant d'un contexte marqué, déjà, par la confusion idéologique — due aux effets en retour du Congrès de Tours —, jouissant d'un réel appui populaire, il est élu député en 1828 sur une logique clanique et ouvriériste, fortement teintée de fascisme de type italien, avec l'aide du Parti Communiste qui a refusé de se désister pour les socialistes. Arrivée en troisième position des municipales et s'étant retirée sans donner de consigne de vote, la SFIO lui permettra pour sa part de prendre, en 1929, la mairie. Jean-Marie Le Pen n'a donc rien inventé. Et les Arabes n'y étaient pas pour grand chose, qu'on nous passe cette incongruité.

Il serait quelque peu injuste au demeurant de ne braquer le projecteur, sous prétexte qu'ils sont au cœur de notre sujet, que sur les seuls Marseillais. Au tiercé de la xénophobie galopante, beaucoup d'outsiders. Peu de régions pourraient se permettre de donner des leçons. Sans prétendre à l'exhaustivité, rappelons qu'en 1798 déjà, les ouvriers parisiens tentaient d'évincer les Picards et les Normands qui affluaient dans la capitale et n'invoquaient en rien le saint nom d'Allah. Durant l'été 1830, les ouvriers selliers demandent l'expulsion de leurs collègues étrangers ; en juillet 1837, les ouvriers des forges de Charenton se dressent contre les ouvriers anglais ; août 1839, ébénistes du Faubourg-Saint-Antoine contre ébénistes allemands ; les mineurs de la Grande-Combe, de la Mure, de Graissesac, chassent leurs compagnons piémontais durant la révolution de 1848 ; mineurs espagnols et allemands doivent déguerpir en juin 1863 et novembre 1867. De dures émeutes anti-immigrés éclatent à partir de 1880.

Plus proche de nous, la situation précaire, à la limitre de la légalité, dans laquelle sont volontairement maintenus les Polonais[2], facilitera leur renvoi massif lors de la crise économique des années trente. La loi du 10 août 1932 limite l'emploi des étrangers dans les entreprises à 10 % la main-d'œuvre nationale. En 1936, Léon Blum sanctionne les patrons employant les étrangers dépourvus de carte d'identité et on pourra encore lire après la victoire du Front Populaire (mais cette fois Blum n'y est pour rien) « le sang français est pur mais ce n'est pas pour longtemps car on naturalise chez nous en masse, sans enquête sérieuse, sans aucune garantie pour notre race »[3].

La palme reviendra néanmoins au régime de Vichy qui, dans le cadre de sa politique de purification nationale, annulera 15 000 naturalisations accordées sous le Front Populaire, avant d'aider à l'organisation d'un certain nombre de charters pour les camps de concentration.

De quoi remettre sérieusement en cause le célèbre postulat mille fois entendu, dix mille fois inconsidérément répété : « oui, mais les Arabes c'est pas pareil ! » Tout autant rejetés en leur temps que le sont les derniers arrivés aujourd'hui, Macaronis, Polacs, Youpins, Espingouins, Arméniens se fondront malgré tout dans la population autochtone. Chaque génération de migrants finira par s'installer puis par s'assimiler sans retour après le passage plus ou moins traumatisant de la seconde génération par l'école laïque, axe d'intégration dans la ville et la nation. Qu'on ne nous soupçonne pas, par cette affirmation, de vouloir ranimer la querelle scolaire. Les faits sont simplement les faits.

LA GUERRE D'ALGÉRIE
N'EST PAS FINIE

Proportionnellement au reste de la population, les étrangers — 9,3 % — sont donc nettement moins nombreux aujourd'hui qu'ils ne l'étaient à l'issue des grandes vagues précédentes de migration. « Mais il y a une chose qu'il faut comprendre, vous rétorquera tel Marseillais, pas particulièrement fascisant, on peut rencontrer cinquante Italiens qui se promènent sur la Canebière, on ne les distingue pas des Français. Cinquante Arabes, ce n'est pas la même chose. »

Compte tenu du passé d'une ville qui en a vu d'autres mais a, apparamment, beaucoup oublié, comment en est-on arrivé là ?

Premier élément de réponse, c'est à partir de 1955 que l'avant-garde pied-noir — essentiellement la bourgeoisie — amorce son repli et acquiert sur cette rive de la Méditerranée, logements, commerces, etc. Lors du grand exode de 1962, Marseille, port d'accueil et de redistribution, fixe un nombre considérable de Français originaires d'Afrique du Nord, moins fortunés. De la cité d'urgence au programme social de relogement, puis du HLM jusqu'à la maison individuelle, le chemin est long. Pour certains, la chance ne sourit pas, les rouages se grippent à certain moment. Ils voient leurs anciens voisins évoluer et, tragique concours de circonstance, coincés dans des cités ghetto, fermentant au soleil, voient arriver pour remplacer ces voisins, d'autres gens : des immigrés. Des Arabes. C'est-à-dire, très brutalement, ceux qui les ont foutu dehors ! Un choc absolument insupportable pour ces écorchés vifs de la décolonisation forcée. « Vous n'avez pas voulu Alger la Blanche, maintenant vous avez Marseille la basanée ! »

Des tensions très grandes qui s'expriment encore un quart de siècle après, face aux jeunes issus de l'immigration : « il serait intéressant de rappeler à ces jeunes qu'il y a plus de vingt-cinq ans, en Afrique, les slogans les plus employés par les Arabes étaient : nous ne voulons plus être Français ! — Oh coquin, ils ne voulaient plus des Européens... — Et les voilà maintenant qui débarquent pour s'assimiler, soi-disant... »

Ces jeunes n'étaient pas nés, ou à peine, lorsque le 25 août 1973, fait divers tragique, un dément algérien assassine un traminot marseillais. Dès le lendemain, des affiches et des inscriptions à caractère raciste recouvrent les murs de la ville. La plupart sont signées *Comité de Défense des Marseillais*, émanation de nombreux ultras et anciens tueurs de l'OAS, d'Ordre Nouveau et du Front National d'un certain Jean-Marie Le Pen, lequel Front prête son local pour les réunions. Dans *Le Méridional*, quotidien d'une droite marseillaise qui déjà exploite et amplifie un racisme diffus, en une politique tout aussi haineuse que délibérée, Gabriel Domenech, pourtant fils d'immigrés espagnols ayant grandi dans les rues de la Capelette au milieu des Babis (les Ritals de l'époque) lance : « Nous en avons assez ! Assez des voleurs algériens, assez des casseurs algériens, assez des fanfarons algériens, assez des trublions algériens, assez des syphilitiques algériens, assez des violeurs algériens, assez des proxénètes algériens, assez des fous algériens, assez des tueurs algériens. Il faut trouver un moyen pour les marquer et leur interdire l'accès au sol français... Un jour ou l'autre, il faudra employer les CRS, les Gardes mobiles, les chiens policiers pour détruire les casbahs marseillaises si d'ores et déjà des mesures ne sont pas prises pour limiter l'immigration algérienne et toutes les plaies sociales qui en découlent. »

Après ce vibrant appel à la haine raciale et durant la seconde quinzaine d'août 1973, à Marseille et à Aix-en-Provence, huit Algériens sont sauvagement assassinés. Leurs meurtriers ne seront jamais retrouvés. Le 14 décembre 1973, le consulat d'Algérie à Marseille est plastiqué. « Ce n'est pas un attentat raciste », déclare immédiatement face aux décombres fumants dont on retire quatre morts et vingt blessés, le préfet de police René Eckenroth. Il ne précise cependant pas s'il s'agit d'une démonstration d'amitié. En revanche, lors des obsèques des victimes, un immense cortège parti de l'hôpital de la Timonne en direction du port de la Joliette sera sauvagement dispersé à coups de grenades lacrymogènes et de matraques par des unités de police déchaînées qui se livrent alors à de véritables ratonades dans les rues du quartier de la porte d'Aix.

Vingt-cinq ans après, les anciens commandos qui défilent aux côtés d'Arrighi, le long de la Canebière, béret vert ou rouge vissé sur la tête, n'ont pas encore totalement terminé non plus leur guerre d'Algérie. Les Arabes, tout particulièrement les Algériens, constituent en effet la première communauté étrangère s'installant dans l'hexagone après qu'une guerre coloniale cruelle, encore très présente dans l'inconscient collectif de générations entières de rappelés, dans les souvenirs amers de toute une communauté de rapatriés, les eut opposés, ou leurs frères, ou leurs cousins, à l'État français à qui, de plus, défaite a été infligée. S'ajoutent à ce contentieux mal assumé, ce deuil pas terminé, la montée en puissance de l'Islam, l'OPEP et les augmentations à la pompe, les charmes discrets de Khomeiny, les facéties tchadiennes de Kadhafi, les exactions des intégristes, l'invasion arrêtée par Charles Martel à Poitiers. Comble de malchance, alors que ne manquent déjà pas les raisons susceptibles d'attiser un racisme latent, une terrible crise se profile sur l'horizon.

MOHAMED
ET L'AIDE SOCIALE

*É*chec de Fos-sur-Mer, crise de la réparation navale, déclin de l'économie portuaire, en 1977 l'industrie traditionnelle marseillaise se trouve quasiment démantelée. Supérieur de quatre points à la moyenne nationale, le chômage atteint 11 % alors que, de 1954 à 1974, la ville a augmenté de 300 000 habitants. Les équilibres fragiles d'une intégration horizontale jusque là réalisée à travers des réseaux de solidarité, reposant eux-mêmes sur des relations communautaires (italienne, arménienne, etc.), personnelles, individualisées et quasiment claniques, deviennent caducs.

Logements sociaux, logements moins sociaux, logements pas sociaux du tout, 80 000 logements ont été bâtis en dix ans dans ce qui fut la ceinture verte de Marseille, ceinture dès lors grise de plomb. Le prix élevé et les phénomènes de la spéculation ont contraint ce logement dit social à se réaliser en périphérie. Jusqu'en 1978, dans des secteurs entiers issus de cette urbanisation précipitée, aucun entretien. Quartier à forte densité maghrébine devient synonyme de quartier abandonné. Cette ghettoïsation est durement ressentie par les Français « de souche » — entendre d'origine italienne, espagnole, corse, arménienne — qu'un sort contraire a relégué là. Le ressentiment s'accroît contre les immigrés rendus responsables de ce désastre alors même qu'ils en sont les toutes premières victimes et à qui, par ailleurs, la possibilité de s'intégrer est objectivement refusée. Considérés comme « de passage », ils sont largement exclus de la communauté. « Il est clair que lorsque dans un quartier ils représentent 50 à 70 % des habitants, le fait qu'ils n'aient pas le droit de vote les a exclus de la vie civique. Surtout dans une ville où l'électoralisme et des formes de clientélisme jouent un rôle important. Dans certaines cités, il y a 70 étrangers ou personnes d'origine étrangère pour 100 habitants. L'enjeu électoral concerne donc 30 personnes. Ce qui signifie que l'élu l'aura été par 15 personnes[4]. » Dévalorisés, marginalisés, nombre d'immigrés — dont il ne faut pas oublier par ailleurs l'origine rurale qui les prédispose moins que tout autre à vivre dans l'univers concentrationnaire des cages à lapins — sombrent dans l'apathie, le fatalisme, la résignation, l'assistanat. Un total désintérêt, y compris pour un cadre de vie qui ne les a jamais respectés. Halls couverts de graffiti, jonchés de détritus, ascenseurs déglingués. Les Français craquent — certains Arabes aussi. Le racisme mijote doucement.

Ambiguë mais possible en période de croissance, la gestion sociale, sous-produit du clientélisme des périodes précédentes, devient impossible en période de difficultés économiques. Des phénomènes secondaires attisent les braises. Exemple significatif : à partir de 1977, l'Aide Personnalisée au Logement permet d'ajuster les loyers perçus dans les HLM, et en particulier les HLM rénovés, en fonction des revenus de chaque locataire. « Autrement dit, pour un même logement, le loyer peut être de 2 000 francs, de 1 000 francs ou de 300 francs. » Mesure de simple et bonne justice sociale, prise au profit des plus démunis. Parmi lesquels, bien évidemment, populations ouvrières à familles nombreuses que commencent à toucher le chômage, nombre d'immigrés. Traduction immédiate dans les cages d'escaliers : « Il vaut mieux s'appeler Mohamed si on veut avoir l'aide sociale ! On interdit aux assistantes d'aider les Français... » Premiers touchés par la crise, les immigrés en deviennent rapidement les premiers accusés.

LEUR PASSE-TEMPS
FAVORI

De 1975 à 1982, à l'image de nombreuses grandes villes françaises, Marseille perd 33 324 habitants. Les étrangers n'y sont pas plus nombreux, mais face à cette décrue démographique, leur poids relatif n'en apparaît que plus important. D'autant que la fausse neutralité des statistiques recouvre en réalité un véritable séisme sous-marin : dans le laps de temps précité, ce ne sont pas un peu plus de 30 000 personnes qui ont quitté la ville mais 140 000, tandis que 105 200 nouveaux habitants arrivaient. C'est-à-dire qu'en 1982, 13 % de la population est nouvelle, sans mémoire collective, ignorant tout des anciens modes d'intégration, d'organisation, de cohabitation. La concentration des immigrés dans certains quartiers fait le reste, fournit en munitions la réthorique de l'invasion, tout particulièrement dans le centre ville. « Si vous prenez quelqu'un qui ne connaît pas Marseille, vous lui bandez les yeux, vous lui enlevez le bandeau vers deux heures de l'après-midi au milieu du Cours Belsunce en lui disant : dis-moi dans quelle ville tu es ? Il va vous dire, j'sais pas moi, Oran, Tunis, Alger... » La réflexion est pertinente. À ceci près que ce centre ville devenu le symbole fantasmé du Paradis perdu n'a pas été envahi par les immigrés et en tout cas, avant d'être occupé par eux, a d'abord été abandonné par les Français.

Peu importe : « Ils nous ont volé la Canebière ! » Peu regardants sur les moyens de récupérer des voix, les partis de la droite marseillaise lancent ouvertement des mots d'ordre guerriers de « reconquête », propres à enraciner dans l'opinion l'idée que la ville a effectivement été envahie.

Embourbés dans un chômage sans fond, peu ou mal formés, victimes d'un ostracisme non déguisé, les jeunes de la seconde génération — et en particulier ceux des quartiers nord — jouent quant à eux un rôle non négligeable dans le développement d'une petite délinquance qui s'abat sur une population fragilisée, à peine mieux lotie qu'eux. Vols de voitures, rapines dans les grands magasins, vols à l'arrachée, cambriolages, la délinquance des pauvres s'abat sur les pauvres, ce qui la rend insupportable à une opinion d'autant plus exaspérée qu'on la conditionne quotidiennement. « Avec les vacances », écrit à l'occasion *Le Méridional* histoire de calmer les esprits, « c'est une recrudescence de la délinquance juvénile qui se développe dans tous les quartiers de Marseille, dans le centre ville mais aussi dans les communes de l'agglomération marseillaise et entre autres dans celle du canton vert à Allauch et à Plan de Cuques où commerces, villas, appartements et voitures en stationnement nocturne sur les parkings publics sont visités, saccagés par des bandes de loubards venus des cités périphériques de Marseille, parmi lesquels une majorité de jeunes Maghrébins qui arrivent en catastrophe dans des voitures et motos volées pour casser et faucher, par intérêt d'abord, mais aussi par plaisir, car pour eux faire du mal constitue leur passe-temps favori ».

Cette délinquance des jeunes — nous parlons ici de la délinquance réelle, pas de la délinquance fantasmée — prend inévitablement ses sources dans les quartiers défavorisés, là où tous les paramètres sont réunis pour que s'opposent jeunes en difficulté — y compris jeunes Français — et populations des couches populaires, confrontées au même cataclysme social, au même désarroi face aux mutations, aux mêmes insupportables conditions d'existence. On pourrait rêver des circonstances plus propices pour se découvrir, apprendre à se connaître et à cohabiter. D'autant que ces jeunes, dont l'objectivité impose de préciser qu'une large majorité ne verse, n'a jamais versé et ne versera jamais dans la délinquance — et le constat touche là encore les jeunes Français « de souche » issus des mêmes milieux — d'autant que ces jeunes, disions-nous, nés en France, légalement Français et aspirant à s'intégrer, commencent à relever la tête et à revendiquer leurs droits. « Certains Français, par exemple, il y a vingt ans de ça, ils bousculaient un Arabe dans la rue, c'est l'Arabe qui s'excusait. Maintenant, ils n'admettent pas que, quand ils bousculent un Arabe, il dit : oh ! Tu ne peux pas faire attention ! »

L'INQUIÉTANT ÉCHEC

Plutôt que de tenir ferme sur ses positions, la gauche se laisse aller, ne fut-ce qu'à l'occasion, au jeu ambigu de la démagogie, ajoutant à la confusion. Aux municipales de 1973 et alors que depuis toujours Gaston Defferre a gouverné la ville avec le centre-droit, il monte au combat avec le Parti Communiste, en vertu de l'alliance passée au niveau national. Cette stratégie d'Union de la Gauche bouscule l'électorat traditionnel marseillais. Les modérés quittent le navire. Monté en épingle, le thème de l'immigration a bouleversé les données politiques, fourni une rhétorique tout aussi démagogique que payante à la droite qui, flattant et excitant les passions, creuse son propre tombeau, prépare déjà sans coup férir le lit de l'extrême droite. Le clientélisme de quartier a atteint ses limites. La gauche se réfugie d'abord dans le vocabulaire étroit d'un humanisme d'arrière-garde qui ne mange pas de pain. Entre les deux tours, la pression s'avère terrible. « Il faut à tout prix garder la mairie. » Dès lors, la gauche dérape — *on nettoiera mieux que la droite* —, des contacts contre-nature sont pris avec la liste « Marseille-Sécurité ». Et la mairie conservée d'un fil. Mais on ne combat pas le mal par le mal. Aux cantonales suivantes, les candidats de Le Pen arrivent en tête avec 26,5 % des voix. Tandis que la gauche marseillaise, déchirée par d'innombrables divisions, affaiblie par la mort de Defferre et le combat des chefs qui s'ensuit, tente de recoller les morceaux, la droite dite civilisée se lance sur les terres sauvages du Front National, récupère son discours, le banalise, renchérit, offre la vice-présidence du Conseil Régional au Front qui a obtenu (1986) quatre députés.

Génération Mitterrand, titre *Le Méridional* dans un articulet similaire à bien d'autres publié entre les deux tours des récentes présidentielles. « Des militants du Front National qui, en compagnie de Pascal Arrighi, un de leurs députés, étaient samedi en visite de quartier dans le premier arrondissement, ont été apostrophés par deux

Maghrébins : si Mitterrand repasse, la France est à nous ! Voilà qui devrait ouvrir définitivement les yeux des Marseillais qui croient que voter Mitterrand ne représenterait aucun danger. » La tension est alors à son comble, la ville au bord de l'implosion. Le Front National vient de progresser de quatre points par rapport à ses résultats des législatives de 1986. Jean-Marie Le Pen devance largement Raymond Barre, Jacques Chirac et François Mitterrand dans la quasi-totalité des secteurs de la cité phocéenne avec 28,34 % des suffrages exprimés. « Les chiffres sont têtus », s'exclame Pascal Arrighi, député du Front. « Ils sont incontournables. Notre prochain objectif est donc de nous installer à la Mairie de Marseille... » S'agissait-il ou non d'un message d'amour à Jean-Marie ? Celui-ci n'en doute pas. « À un an de l'anniversaire de la Révolution » déclare-t-il avant le second tour des élections législatives, en juin 1988, « Marseille se prépare à envoyer un nouveau bataillon de Marseillais pour secouer la capitale. Je suis fier d'en être le chef ». Le réveil est brutal. Malgré l'accord de la honte concrétisé par le retrait des candidats de l'Union du Rassemblement et du Centre (URC) face aux candidats du Front National arrivés en tête au premier tour, accord par lequel Jean-Claude Gaudin vend sa ville à Le Pen, tous les candidats lepénistes, dont leur leader sont battus. Échec cuisant, recul du lepénisme, s'empressent de proclamer les politologues à la petite semaine, en faisant remarquer que si les électeurs du FN se sont dans l'ensemble bien reportés sur les candidats de l'URC demeurés seuls en lice à droite, les reports de voix de l'UDF et du RPR sur le Front National ont été défectueux. Le constat est exact. Mais si déroute il y a eu, au niveau symbolique et en terme d'élus, force est quand même de constater que les candidats lepénistes battus, de Marseille et des Bouches-du-Rhône, ont regroupé autour de leur nom une part plus que conséquente de l'électorat : Jean Roussel, 49,56 % (3e circonscription de Marseille) ; André Isoardo, 36,46 % (4e circonscription) ; Gabriel Domenech, 48,61 % (5e circonscription) ; Pascal Arrighi, 42,55 % (7e circonscription) ; Jean-Marie Le Pen, 43,57 % (8e circonscription) ; Ronald Perdomo, 47,96 % (Aubagne, La Ciotat) ; Bruno Mégret, 43,90 % (Gardanne) ; Jean-Pierre Stirbois, 44,13 % (Marignane). Si l'on veut bien examiner les chiffres dans leur nudité, cette inquiétante dérive n'autorise en aucune manière l'optimisme béat qu'a pu générer l'examen trop rapide des résultats. Dès lors que faire, qu'en penser ?

« Dire chassons les Arabes c'est odieux, mais en plus, une fois qu'on a dit ça, on réquisitionne la marine de guerre et on les met dessus ? », s'interrogeait avant sa réélection dans la troisième circonscription de Marseille, le député socialiste Philippe San Marco. « Que fera-t-on de leurs enfants qui sont tous citoyens français ? Je veux dire par là : on s'amuse, on peut gagner des voix, on peut gagner des élections mais on ne règle pas les problèmes, on les aggrave. Je crois que la première réponse c'est faire appel à la raison des gens qui sont loin d'être bêtes.

« Je crois qu'il faut faire extrêmement attention à ne pas mélanger deux phénomènes. Le Front National lui-même est un parti fasciste, raciste, et que nous condamnons, et que nous combattrons. Il y a dans ses rangs d'authentiques tenants du fascisme d'avant-guerre, de type Mussolini, courant d'ailleurs très fort ici avec Sabiani, lequel avait atteint des scores électoraux bien plus considérables que ceux du Front National aujourd'hui. Pour autant, et nous l'avons étudié avec beaucoup d'attention, une énorme partie de cet électorat provient directement des milieux populaires et singulièrement des PC et PS. Et il ne faut pas dire que ces gens-là sont racistes, car ils ne le sont pas. En revanche, ils sont exaspérés par les conditions de vie quotidiennes qui sont les leurs. Et ils ont raison. Et ils nous interpellent en votant pour le Front National. C'est une espèce de geste désespéré. C'est de notre réaction qu'ils attendent en effet le salut. À nous de les comprendre, de ne pas commencer à les montrer du doigt ou à les isoler encore plus, ce qui ne ferait qu'aggraver la division des Marseillais. »

Des problèmes brûlants, une braise que le moindre souffle peut raviver, pompiers et pyromanes se livrent désormais une course de vitesse en direction de la mairie.

M. LEMOINE

——————— *MAURICE LEMOINE* ———————

1. Cité dans *Marseille, l'endroit du décor*, **Philippe Sammarco et Bernard Morel, éd. Édisud.**
2. Lire : *Longwy, immigrés et prolétaires*, **Gérard Naviel, éd. PUF.**
3. *Idem*
4. *Marseille, l'endroit du décor*, **déjà cité.**
5. *Idem.*

3

DES VILLAGES
EN MAL
DE CENTRE

Marseille se perd parfois dans le labyrinthe de ses villages. Bâtie de bric et de broc autour du littoral, la cité se cherche un centre irréfutable, un pilier. Le vieux port et la Canebière consacrés de Protis à Marius, sont au cœur du Marseillais. Seulement voilà, les quartiers du centre ville héritent, génération après génération, des vagues de migrants les plus pauvres. Comment s'en débarrasser ?...

ROBERT DAGANY

UN PARFUM

DE TERROIR

LA VILLE, DEUX FOIS ET DEMIE PLUS GRANDE QUE PARIS, EST UN CONGLOMÉRAT DE QUARTIERS, PRESQUE DE VILLAGES.

« En ville vous pouvez crever, personne s'occupe de vous. Ici, on est chez nous, c'est encore un village, on se serre les coudes. Alors, vous comprenez, la ville, on n'en veut pas ici. » Cette phrase d'un pêcheur du Vallon-des-Auffes, on peut la relever dans un ouvrage datant de 1973. Phrase banale pour qui ne connaît pas Marseille. Mais lorsqu'on sait que ce petit port — à dix minutes de la Canebière — n'est qu'un quartier du 7e arrondissement de la deuxième ville de France, on peut s'étonner d'entendre parler de village. En fait, on peut encore aujourd'hui, en plein 11e arrondissement, se trouver en rase campagne, l'horizon seulement barré d'un bouquet de pins et d'un clocher. C'est que la commune de Marseille avec ses 22 800 hectares, est deux fois et demie plus grande que celle de Paris, avec presque quatre fois moins d'habitants. Si l'on sort de Paris sans jamais trouver la campagne, on découvre facilement la campagne sans quitter Marseille. Le terroir marseillais s'étale dans un vaste amphithéâtre de massifs, culminants à près de six cents mètres. La Vierge de la Garde ne le sait pas. Du haut de ses 165 mètres, elle se croit seule à dominer la ville. Trop occupée à résister au mistral et à surveiller la mer, elle tourne résolument le dos à ce qui fait l'originalité de cette métropole : réussir le pari impossible de mettre la ville à la campagne.

Pour faire le tour de la commune, on devrait parcourir plus de cent kilomètres, et hors des murs de la vieille ville, on comptait, il y a un siècle et demi, cinquante-deux villages.

BASTIDES
ET CABANONS

Ce caractère échappe à la plupart des visiteurs qui arrivent par l'avion, le train ou la route. La ville qu'ils découvrent, c'est celle des ports, des industries, des entrepôts. Les tours et les barres d'immeubles qui dominent — çà et là — des myriades de maisonnettes sans caractère, n'ont aucun respect du site. « *O che bella vista !* » aurait dit Napoléon, découvrant le point de vue du quartier de La Viste, à qui il a donné sans doute son nom. De cet endroit, aujourd'hui l'un des plus dégradés de la ville, il pouvait voir à ses pieds la rade, les îles, le port et, en toile de fond, les collines de Marseilleveyre et de Carpiagne. De nombreux auteurs se sont émerveillés du site et de la quantité incroyable de maisons. Parmi eux, Mlle de Scudéry, Mme de Sévigné, Stendhal. C'est l'abbé Papon, moins célèbre, qui en parle pourtant le mieux : « Il y a plus de cinq mille maisons de campagne... qui se détachent par leur blancheur sur cette verdure dont la terre est couverte huit mois de l'année. Des montagnes dépouillées de terre et d'arbres... servent de couronnement à tous ces objets et constatent d'une manière frappante avec une campagne si riche et si variée. »

Dans les écrits, on désigne le terroir marseillais comme « pays des châteaux », « pays des bastides » ou « pays des cabanons ». Mais, comme Louis Méry, on vante aussi l'atmosphère particulière qui s'en dégage : « Je ne sais quelle transparence marine, quel air de gaîté exhalée par le golfe, pénètrent sur le moindre coin de la campagne, et y font pleuvoir une riante lumière. Les sentiers qui s'y croisent ont des marges fleuries, les monticules qui s'y élèvent portent tous des panaches de pins, partout les tuiles rouges et les contrevents verts répandent leurs teintes joyeuses sur les milliers de toits qui s'y pressent. » Chaque fin de semaine, chargé de victuailles, à pied ou en charrette, il échappe à l'appartement sans confort, au quartier malodorant, au tumulte de la rue. Il retrouve sur place les habitants d'autres cabanons, d'autres « bastidettes » avec lesquels il mangera sur l'herbe, boira, chantera, « galègera », se « radassera » en un délicieux « pénéqué »[1]. C'est de là que vient sans doute l'image du Marseillais paresseux qui irritait déjà, au XVIIe siècle, l'intendant des Galères. Il écrivait à Colbert : « Ces gens-là sont tellement abâtardis à leurs bastides, méchants trous de maisons qu'ils ont dans le terroir, qu'ils abandonnent la meilleure affaire du monde plutôt que de perdre un divertissement de la bastide. » Presque trois siècles après, Alibert vantait au monde entier les plaisirs d'un « petit cabanon pas plus grand qu'un mouchoir de poche ». Qu'en reste-il aujourd'hui ? Plus grand-chose : seul le village des Goudes peut donner une idée de ce que pouvait être ces cabanons, ancêtres des résidences secondaires.

Ne restent dans la mémoire populaire que les bastides. Elles appartenaient à des nobles, de gros armateurs, ou de riches marchands. La plupart d'entre elles n'ont pas résisté à la pression immobilière des trente dernières années. Les vieux Mazarguais évoquent encore « Belle-Ombre », la bastide champêtre de Mme de Simiane, petite-fille de Mme de Sévigné. Elle s'élevait au bord de l'Huveaune dont les rives, paraît-il, voyaient « défiler des gondoles sous une voûte de tamaris ». Aux Aygalades, qui doit son nom aux cascades, on trouvait — disent ses habitants — les « maisons de plaisance » les plus riches et les mieux entretenues de Marseille. Près de Saint-

André et de Saint-Henri, sur le plateau de Séon, le château des Tours, au milieu d'immenses pinèdes, dominait — luxe inouï dans le Marseille de l'époque — un lac entouré de prés où paissaient des chevaux. Des pêcheurs de l'Estaque se souviennent y être allés pique-niquer. « Pendant la guerre, disent les Sacoman, les pinèdes ont brûlé. À la libération, les Tuileries ont rasé le château pour y créer une gigantesque carrière d'argile. »

Au-dessus du village de La Pomme, le château de la Grande Bastide, qui appartenait à la famille Clary[2], possédait un verger d'arbres fruitiers ramenés des conquêtes napoléoniennes. « Je me souviens qu'enfant, dit Paul Courtès, j'allais chaparder ce qu'on appelait les "cerises de Napoléon". »

LA DURANCE
ET LE TRAMWAY

Deux événements vont transformer le paysage marseillais, et accélérer l'avance tentaculaire de l'urbanisation. D'abord, l'arrivée des eaux de la Durance en 1847 — qui vient irriguer des milliers d'hectares d'un territoire désolé —, puis le développement des transports. « Notre "terradou", dit Albert Julien de Château-Gombert, était d'une nudité et d'une sécheresse proverbiale. On y cultivait seulement l'olivier et du blé entre les rangées de vigne. »

Pour que le miracle ait lieu, Marseille y a mis le prix. Les eaux de la Durance empruntent 254 ouvrages d'art sur 120 km, dont 38 sur la commune de Marseille, avant de se répandre en un stupéfiant réseau de rigoles (220 km) et de conduites (430 km). Le paysage change radicalement : irrigués, les flans des collines se couvrent de prairies, les chèvres et les moutons cèdent la place aux vaches. Le fourrage permet de développer l'élevage et de nombreuses laiteries s'installent. Curieusement, se sont souvent des Piémontais qui y travaillent. Le dernier maraîcher de La Pomme, Alexandre Héritier, aujourd'hui reconverti en horticulteur, se souvient que les éleveurs se réunissaient par centaine, deux fois par semaine, au Grand Café Français à Marseille. « On y parlait provençal, italien mais très peu français. » Claire Partois est née au hameau des Comtes, proche de La Pomme : « Il y avait trois laiteries et deux propriétés agricoles. Le soir, après avoir trait les vaches, les Piémontais allaient tremper les bidons dans des sources qui gardaient le lait frais jusqu'au matin. Puis, de concert, ils "tapaient"[3] leurs faux sur de petites enclumes. Le développement des transports marseillais achève de changer les habitudes des habitants. « Je me souviens, raconte Mireille Barthelemy, qu'il y avait à Saint-Just le premier dépôt des tramways à chevaux. Les écuries contenaient sept cents bêtes. Ça occupait du monde ! Il y avait un atelier de forge et de sellerie. »

Le grand-père de Marie Pei lui racontait qu'à Saint-Louis, il y avait un relai de bêtes de renfort. « La côte de La Viste était trop raide et il y avait des convois spéciaux avec quatre à six bêtes supplémentaires qui, à grands coups de fouets et de jurons, grimpaient jusqu'au plateau. Les « renforts » redescendaient ensuite. » Bien des Marseillais n'hésitent plus, dès lors, à s'installer définitivement dans leur cabanon. À Endoume, simple lieu-dit en bord de mer, on ne comptait — en 1818 — qu'une dizaine d'habitants. Ils étaient plus de douze mille en 1876. Le phénomène va encore s'accélérer avec la modernisation de ces transports : au début du XIXᵉ siècle, le réseau des tramways électriques, avec 200 km de ligne, est l'un des plus vastes et des mieux organisés d'Europe. Le prix du voyage en est très bon marché. Les échanges entre la ville et la campagne s'intensifient. C'est l'âge d'or des villages marseillais qui va durer jusqu'au début de la Deuxième Guerre mondiale, et parfois même au-delà. Les témoignages sont encore nombreux de cette période bénie, où les habitants profitent du progrès sans perdre leurs traditions.

Émilie Odde tenait une épicerie à Notre-Dame-Limite : « Tout le monde, ou presque, parlait provençal, on nous réclamait plus de "cèbes"[4] que d'oignons. » « Y'a juste à l'école qu'on parlait français, précise Robert Aprosi, de Mazargues, et encore... On nous distribuait le "signal"[5]. Les pastorales, que la population jouait chaque fin d'année dans presque tous les villages, ont beaucoup fait pour la conservation de la langue. À Saint-Marcel, Chaumery aîné faisait invariablement le "Boumian"[6]. Nous l'avons jouée jusqu'en 1950. Il a fallu que je réapprenne le patois. »

DU VILLAGE
AU QUARTIER

Ces anciens habitants ne parlent-ils plus de leur village qu'à l'imparfait ? Dans la plupart des cas, la réponse est malheureusement positive. Ce qui faisait toute la vie du village, mais aussi son charme et son originalité, c'était son travail. Aujourd'hui, on vient surtout y dormir, et les témoins du passé ne peuvent qu'évoquer avec nostalgie ce qui était pourtant aussi le temps du labeur.

Selon leur emplacement, les villages avaient leurs métiers. Ceux qui longeait les cours d'eau ou le canal, vivaient des bugadières[7]. À Saint-Marcel, Hermine Merle s'usait les genoux dans la caisse de son « lavadou »[8], il y a moins de cinquante ans. « En ce temps-là, explique-t-elle en provençal, il n'y avait pas encore de bordilles[9] dans l'Huveaune. On s'y baignait, et on y pêchait l'anguille. » La mère d'Émilie Odde lavait quelquefois jusqu'à minuit. Elle dormait sur place pour être, à quatre heures, la première à étendre les draps sur les carrés d'herbe. Dans les villages maritimes, les vieilles poissonnières, assises devant leur porte, ressassent les mêmes souvenirs. Celle que l'on surnomme à l'Estaque, « Cinq sous », est intarissable : « Quand y z'arrivaient 'èque la barque pleine de sardines, y fallait se bouléguer[10], qué ! Après la vente au port, j'allais les distribuer avec la "bourette". Souvent, j'étais enceinte. Combien de fois j'ai failli faire une éventration de mon ventre en montant les rues ! » Rillette de Morgiou, est née de l'autre côté de la rade, au fond d'une calanque où son père était pêcheur. « On mettait le poisson à dos d'ânesse pour grimper les kilomètres qui nous menaient au col. »

Les vieux pêcheurs de l'Estaque, dont beaucoup sont d'origine napolitaine, vont toujours « s'encagnarder »[11] sur le quai. Ils disent ne pas regretter les dures conditions de leur métier, mais ne cessent d'évoquer avec nostalgie le temps des « mourre de pouar »[12], des voiles latines, des « tis »[13] qu'il fallait remailler sans cesse et teindre dans le chaudron.

Chaque village, ou presque, avait sa spécialité. On allait boire l'eau des Aygalades, se soigner dans celle des Camoins, manger les pieds-et-paquets à la Pomme. « Il n'y avait pas que des restaurants, précise Claire Partois. Nous étions tête de ligne (du tramway) et il y avait aussi des "maisons accueillantes" pour célibataires. À l'Estaque, c'était l'oursinade. Célestin Scotto, dit "Carême", a beaucoup pêché dans sa vie. Mais il n'a pas pardonné au Port Autonome de Marseille d'avoir bouleversé son village natal. « Avant que le port vienne nous "manger" la plage, les oursins se pêchaient ici par barques entières. François Bonnifay était le champion incontesté de la grive. « J'allais caler aux petites "verguettes"[14] pour les prendre vivantes. Mais au poste, au fusil, j'en ai fait jusqu'à dix-huit mille dans la saison. » Enfin on pouvait aussi se procurer à Allauch du nougat, ou bien à Mazargues, capitale de la sparterie, des espadrilles ou des « savonniers »[15]. Chaque village avait sa fête : celle du saint patron dont il portait souvent le nom[16]. Les paysans fêtaient saint Éloi, patron des animaux. À cette occasion, Paul Gassy faisait, à Château-Gombert, le crieur de « gaillardet »[17] : « Les chevaux du terroir arrivaient par centaine d'Allauch, La Valentine ou Saint-Marcel, mais aussi de villages extérieurs à Marseille. Pour le défilé, récompensés par des prix, ils rivalisaient d'élégance. Les brides, en particulier, étaient richement décorées et frottées au sang de bœuf pour briller. La plus belle était mise aux enchères. Pendant trois jours nous mangions la macaronade, la daube et l'aïoli. » Cette tradition est restée vivante à Château-Gombert, désormais seul « village » à Marseille à célébrer la Saint-Éloi. Mais les chevaux se font rares !

Si aujourd'hui les quartiers de Marseille cohabitent dans une morne indifférence, les rivalités anciennes apportaient du piment à la vie quotidienne. Albert Julien, à Château-Gombert, n'aimait pas les habitants de Plan-de-Cuques, ses voisins : « On les appelait les "Mange-Marlusso". Ceux de Saint-Jérôme parlaient de nous en disant : "les Mange-biòu", et nous les avions surnommé : "les Pessegaù"[18]. » Cet usage des surnoms étaient très fort à l'Estaque où ils servaient à différencier les patronymes des familles trop prolifiques. Ainsi, pour les Giraud, il y avait : Giraud du Chaudron, de Nini, du Rouge, du By, le Capitaine, le Pégot, le rémouleur, etc. À Mazargues, il y avait beaucoup de Gaudin. Claude Gaudin, maçon, était surnommé « Marlusso ». Son fils, Jean-Claude, brigue aujourd'hui la mairie de Marseille.

Chaque village prétendait, bien sûr, être le plus beau. « Nous, à La Pomme, raconte Claire Partois nous n'aimions pas ceux de Saint-Loup ou des Caillols. Nous nous sentions supérieurs. Nous étions un peu chauvin ! » Et pourtant ils étaient modestes à côté des Mazarguais qui, sur l'air des « Pescadous de la Marciale », avaient écrit une chanson qui commençait par : « À Marseille, c'est vrai/ y'a beaucoup de quartiers/ oui, mais Mazargues en est la Capitale incontestée. » De leur côté, les pêcheurs napolitains de l'Estaque chantaient un air dont le refrain disait « C'est la mar de l'Estaca la piu bella ! » Ce sont les bourgades côtières qui ont, d'ailleurs, le mieux gardé leur caractère. L'Estaque en particulier, a conservé sa fête des pêcheurs et ses joutes. À l'intérieur, hors des grands axes, seuls Eoures, les Accates, les Camoins, La Treille, s'ils ont perdu leur âme de village, en ont conservé au moins l'aspect. Ils étonneront longtemps encore les « estrangers du dehors »[19] par leur anachronisme, et la bonne humeur de leurs vieux habitants. Surtout lorsqu'il chantent, comme à Mazargues : « Dans ce petit coin charmant/ rien que des braves gens/ toujours plein d'entrain/ le cœur sur la main. »

———————— *ROBERT DAGANY* ————————

1. **Paressera, fera la sieste. 2. Désirée Clary sera reine de Suède. 3. Pour redresser la lame déformée.**
4. **Oignons, en provençal. 5. Pancarte infamante que l'instituteur mettait au cou de l'enfant qui avait parlé « patois ». 6. Bohémien, en provençal. 7. Lavandières.**
8. **Caisse en bois remplie de paille, posée à même le sol, au bord de la rivière. 9. Saletés, détritus, déchets.**
10. **Se bouger. 11. Se mettre au soleil. 12. Bateau baptisé, pour sa forme, « museau de porc ». 13. Filet.**
14. **Bâtonnets enduits de glu. 15. Chaussures en corde à tiges hautes, utilisées dans les savonneries. Antidérapantes, elles étaient aussi précieuses aux pêcheurs.**
16. **St-Marcel, St-Henri, St-Antoine, St-Just etc. On peut en dénombrer ainsi une vingtaine. 17. Pour vendre la « bride » (gaillardet) aux enchères, il fallait un annonceur à voix puissante et parlant provençal.**
18. **« Mangeur de morue », « mangeur de bœuf », « mangeur de pêche ». 19. « L'estranger » est l'étranger au village. « L'estranger du dehors » est l'étranger à la ville ou au pays.**

MAURICE LEMOINE

LE CENTRE, LE SOUK

ET L'HYPERMARCHÉ

« Aux portes et aux devantures des maisons, des chéchias. Aux fenêtres des étages, des chéchias. Sur la tête des hommes qui marchent dans la rue, des chéchias. Il n'y a point de Blanc ici, ni de Noir. Il y a des Africains du Nord, tous coiffés de la chéchia. La rue des Chapeliers est devenue le campement central des Kabyles. » *L'Illustration*, 24 août 1929.

TOUT COMME LES PRÉCÉDENTES VAGUES DE MIGRANTS — ITALIENS, ESPAGNOLS, GRECS, ARMÉNIENS — LES MAGHRÉBINS ONT ÉCHOUÉ AU CENTRE VILLE. AUJOURD'HUI CERTAINS PRÊCHENT LA « RECONQUÊTE » DE LA CANEBIÈRE SUR « L'ENVAHISSEUR ARABE ».

Une odeur étrange et désagréable rampe entre les murs crasseux. Dans la pièce obscure, le soleil entre à peine. Ou plutôt non, il n'entre pas. L'homme ne porte pas de chéchia. Il s'appelle Hassan. Ses yeux se posent sur le réchaud à gaz, les trois chaises, les trois misérables sommiers. Les grosses mains abîmées de l'Algérien saisissent le bocal de Nescafé. On entend un chuintement, une sorte de glissement diffus et persistant. Sans doute un rat. Un fond d'eau demeure dans une casserole, près d'un seau à demi empli, posé près d'un robinet aussi sec que silencieux. Les autres ne devraient pas tarder à rentrer. Ils travaillent dans le bâtiment. Aussi mobiles que les travaux qui les emploient. Trois mois dans un quartier, trois mois à Marignane, trois mois ailleurs, trois mois n'importe où. Ils ont bâti les grands ensembles, ils ont construit le métro de Marseille, bossent actuellement sur les chantiers du Conseil Régional. Pas des fainéants.

Hassan boit son kaoua, sort sur le pallier, grimace. Les effluves. Nauséabondes, s'échappant d'un réduit. Par manque d'eau, le chiotte commun est encore bouché. Une fois de plus, le propriétaire a oublié de payer la facture. Il se montre moins négligent sur les loyers. Trois cent cinquante francs par lit. Ce qui veut dire la chambre — le réduit — à plus de mille francs. Sans chauffage, sans douche, sans flotte, sans rien. Un pincement serre le cœur d'Hassan. Voici six mois à peine, il vivait encore dignement. Un petit appartement — une pièce, une cuisine — mille francs. Dix-huit locataires, tous Algériens, tous en situation régulière et un seul au chômage. Certains payaient leur loyer depuis quartorze ans. Obligés de partir, l'hôtel meublé, vétuste, a été vendu. Donc vidé. Pour cause de démolition, de rénovation, on ne sait trop. Hassan s'est replié sur cette cage à rats gérée par un marchand de sommeil. Quinze ans de travail pour en arriver là. C'est toujours mieux que rien.

L'homme descend les escaliers crasseux, se retrouve dans la rue. Il passe devant la Boucherie nationale, rôtisserie islamique. Par la porte ouverte d'un troquet, on entend les claquements secs d'une partie de dominos. Des hommes seuls qui passent le temps. Des travailleurs isolés. La première génération de l'immigration, celle du début des années soixante. Des types qui ont toujours travaillé, n'ont pas été rejoints par leur famille, constituent aujourd'hui un groupe social à part, qui ne se renouvelle pas.

Hassan croise ensuite des Arabes inconnus, sans s'en préoccuper. Il ne fréquente que des gens comme lui. Ou mieux. Du coin de l'œil, il aperçoit la silhouette voutée de Bouadjadj, qu'il salue. Celui-là a tout perdu. Il végète au chômage depuis plusieurs années. Plus d'argent à envoyer au pays, plus d'argent pour aller voir la famille. Il y a eu une rupture, comme on dit. « La femme, elle a pris quelqu'un d'autre. Ses enfants ne le connaissent plus. »

De minuscules bouibouis s'échappent des musiques arabes, sirupeuses et sucrées, des odeurs de merguez et de thé à la menthe, tout ça mélangé. Hassan passe sans le voir devant un magasin, tapis arabes made-in-Taiwan, tissus au mètre, tenues de foot aux couleurs de l'équipe algérienne, verres peints, plateaux, bracelets. Une autre boutique, encombrées de tissus. Et puis une autre encore. En débouchant sur le Cours Belsunce, il croise un vieux Français au masque bougon. Pour en voir un sourire, dans ce quartier, faut vraiment se lever tôt.

Il n'y a pas plus que des marchands de chiffons, il n'y a même plus de marchands de souliers, dites ! Dans la rue d'Aix, on ne voyait que ça : des marchands de souliers. Maintenant : marchands de chiffons, marchands de chiffons, marchands de chiffons ! Tandis qu'avant, té, dans la rue d'Aix, excusez du peu, il y avait des bureaux de tabac, deux pharmacies, trois boulangeries, trois boucheries, une charcuterie. Et des marchands de souliers. « Vous voulez une tranche de jambon, il faut traverser la Canebière ! Faut aller de l'autre côté, faire cinq kilomètres ! Pour une tranche de jambon ou un pied de cochon, parce qu'eux n'en vendent pas, alors... Du moment qu'Allah leur interdit, les autres ne doivent pas en manger... »

Intarissable. Le vieux peut être intarissable et se souvient de tout. Hou là là, l'Alcazar, s'il s'en souvient... Il se souvient aussi, comment il s'appelait déjà ? Raimu, non, pas Raimu, encore plus vieux, celui qui chantait *Les mains de femmes*, hein ? Maillol, oui ! Il était tout minot, le vieux, mais il s'en souvient. Le quartier était tranquille, sélect en ce temps-là. Pour dire : c'était tous des Européens. Il y avait beaucoup d'Arméniens aussi, ça il ne faut pas l'oublier.

C'était un quartier résidentiel, avec de beaux appartements. Le soir, jusqu'à minuit, on discutait sur le pas de la porte. Maintenant, à vingt heures, vous n'avez plus personne dehors. Vous me direz, il y a la télé qui joue un grand rôle aussi. Mais quand même. Les gens ont peur de sortir. Comme dit Reboul, si vous connaissez, le pharmacien, président du comité d'intérêt du quartier Saint-Charles : « Il semble que le centre ville de Marseille se soit paupérisé et qu'il y règne une insécurité permanente. » Reboul dit ça, coincé dans son officine, entre drogues et flacons.

Dans sa définition administrative, puisqu'il en faut une, le centre ville englobe, de part et d'autre de la Canebière, et sur une superficie de 420 hectares, quatorze quartiers dans lesquels vivent environ 107 000 habitants. Dont 19 500 étrangers. Dont 15 700 Maghrébins qui représentent, pour être précis, 14,6 % de la population. À l'intérieur de ce périmètre, à quelques centaines de mètres d'un vieux port qui sent de plus en plus la bagnole et de moins en moins la marée, dédale de ruelles étroites, d'immeubles délabrés, de murs lézardés, délimité par le boulevard d'Athènes et la porte d'Aix, mais surtout la Canebière — la célèbre Canebière —, s'étend le centre du centre ville : les quartiers Belsunce, Grand Carmes, Noailles, Opéra, accueillent 70 % de cette population étrangère du centre et 80 % des Maghrébins. Fin de l'apparté.

Il faut nuit à présent. Sur le cours Belsunce, une portière a claqué. Le chauffeur de taxi dévisage son passager — un Parisien peut-être car il n'a pas l'assent — met le contact, enclenche le compteur et engage la conversation. « Ah, ça me fait plaisir de charger un Français ! » D'un geste du menton, il désigne la gueule noire des ruelles qui s'enfoncent sur sa droite, dans l'obscurité. « Vous n'êtes pas d'ici... Je vais vous donner un conseil : ne vous promenez jamais dans ce quartier à cette heure-là. C'est très dangereux. Vous rentrez dans cette casbah, vous n'en ressortez pas vivant. Il n'y a plus de Français, les Arabes ont tout envahi. »

Il débraye, passe la première, la seconde, et se lance férocement sur un Maghrébin qui, il faut tout de même le préciser, traversait en dehors du passage pour piétons.

LA FIÈVRE, LE THERMOMÈTRE ET LA DÉGRADATION

*T*out bien pesé, Faure aurait plutôt tendance à nuancer. Faure est syndicaliste, ou communiste, ou quelque chose comme ça. Peut-être même les deux en même temps, ça s'appelle le cumul des mandats. Eh bien, lorsqu'il est arrivé en cinquante-trois à Belsunce, Faure, il y avait déjà de la prostitution et une certaine dégradation de l'habitat. « Résidentiel il l'a été, peut-être, ce quartier, mais au moins à l'époque de Zola ! »

De vieux immeubles du XVIIIᵉ siècle, d'étroites ruelles, toutes d'ombres, enténébrées. Sauf à midi. Le blocage des loyers survenu après guerre fait que les propriétaires privés, généralement des gens peu fortunés, ne trouvent plus, à partir des années quarante-sept, quarante-huit, un revenu suffisant dans les loyers versés par les locataires pour faire les investissements nécessaires au simple entretien, à plus forte raison à la modernisation de leur patrimoine. À compter de ce moment, la population — française — commence à déserter. Et elle part d'autant plus facilement qu'existe une offre de logements ailleurs : c'est la grande période de construction — par les Arabes — des HLM dans la périphérie. La nature a horreur du vide. Ces habitants qui s'en vont sont remplacés par d'autres, moins argentés, prêts à accepter les toilettes à l'étage et l'eau courante sur le palier. Sans que personne n'en soit vraiment conscient, s'enclenche un processus de dégradation relative de l'ensemble de l'habitat. Passé un certain temps, même cette nouvelle population ne supporte plus de vivre dans ces immeubles où, le trou dans la toiture n'ayant pas été bouché, la gouttière dégouttant, l'escalier se dérobant, c'est l'îlot entier qui commence à se délabrer. Vient le temps des rumeurs, l'annonce des grands projets. « Par exemple, ma rue », précise Faure qui a suivi le processus d'un œil tout aussi intéressé qu'accablé, « il a été question pendant vingt ans qu'elle soit démolie. Ça ne s'est pas fait. Après, nous avons eu l'opération *curetage*. Toutes ces opérations, réelles ou supposées, n'encourageaient pas les petits propriétaires à arranger leurs maisons... » La dégradation s'accélère. De fil en aiguille et de déménagements en réaménagements, habite là une population de plus en plus pauvre. Or, qui sont les pauvres dans la société française contemporaine, s'il est vraiment utile de poser la question ? Les immigrés.

À partir de là, effectivement, ceux-ci s'installent, procèdent même, puisqu'ils le peuvent, à un véritable regroupement. « Vous, les Français, vous ne savez pas ce que c'est que de quitter sa terre, sa famille. On se retrouve seul dans un pays étranger, on est regardé de travers par beaucoup de gens, on a envie de recréer une espèce de communauté. Bien souvent on a peur, à cause du racisme de certains Européens. Alors on cherche une grande famille, une amitié, on préfère vivre entre nous. » Qui plus est, et pas plus que les Français, les Arabes n'apprécient les grands ensembles, vite devenus inhumains, passée l'euphorie de la construction : ils préfèrent partager un grand appartement au loyer peu élevé dans le centre que s'exiler à Perpète-les-Flots.

Entre 1975 et 1982, la population du quartier Belsunce, à l'encontre de celle des autres quartiers du centre ville, augmentera de 10 %. Mais toujours parce qu'il existe une offre — celle de propriétaires français. Personne ne chasse personne. Dire que le centre de Marseille s'est dégradé à cause des Arabes est une imbécilité, un mensonge, c'est accuser le thermomètre d'être responsable de la fièvre.

Pourtant la fièvre, puisqu'il faut en parler, monte lentement mais sûrement. Une fièvre maligne, sournoise et oppressante, une fièvre qui annonce une bien sale maladie.

VERT, JAUNE, ROUGE, CLINQUANT

Des effluves de mouton s'échappent de la cuisine, au milieu des interjections. Sur les tables fument des couscous généreusement servis. Certains mangent en silence, perdus dans quelque oasis intérieure, d'autres échangent des nouvelles du pays. D'autres encore préparent leur loto, leur tiercé, c'est ce qu'on appelle un commencement d'intégration. Un mot ici, prononcé en arabe, une phrase là, jetée en français, Nouredine le patron revient à son comptoir et surveille les mastications. Depuis plus de seize ans, en plein cœur de Belsunce, il gère son restaurant : le Constantinois. « C'est-à-dire, au moment où nous on s'est installés, la majorité des commerçants c'étaient des Européens et, au fur et à mesure que les Algériens ils s'installaient, les Européens... C'est-à-dire ils quittaient le quartier, pas tellement parce qu'il y avait beaucoup d'Arabes, mais ils arrivaient à un âge où ils ne pouvaient plus exercer leur commerce. Ils les ont cédé aux nouveaux arrivants. Et nous, on a donné un second souffle à ce quartier. »

Parti de la rue des Chapeliers dans les années cinquante, un marché arabe à la clientèle composée d'immigrés originaires d'Afrique du Nord, habitant Marseille et sa région, mais aussi en transit, s'est étendu lentement sur ce qu'on nomme le triangle Sainte-Barbe. La municipalité ayant entamé dès 1960 une procédure d'acquisition amiable des immeubles et commerces du triangle en question, en vue de rénovation — 15 000 m² de bureaux, 6 000 m² de commerces et 4 000 m² de para-hôtellerie y sont prévus pour le courant de l'année 1990 —, ce marché arabe se déplace vers la fin des années soixante-dix, pas très loin, à l'est de la rue d'Aix.

Depuis la guerre, le centre ville, comme tous les centres villes de France, d'Europe et même d'Afrique du Nord, subit de plein fouet les évolutions commerciales. Les consommateurs font leurs courses en voiture, le samedi après-midi. Ils ont besoin pour ce faire de gigantesques parkings, des sortes d'autodromes à caddies, auprès de grandes surfaces envictuaillées jusqu'au plafond. Peu à peu, toute la périphérie de Marseille et les communes environnantes s'équipent. Le commerce du centre ville est frappé de plein fouet. D'autant que la clientèle européenne a commencé à déserter le quartier, remplacée par une autre population, plus pauvre, et qui moins est, aux habitudes différentes. Les commerçants français baissent le rideau. Et à qui vendent-ils ? « Aux étrangers », répond un Kabyle qui en sait quelque chose et trône rue des Dominicaines, comme dans une caverne d'Allah Babis, au milieu de ses rayonnages de tissus orientaux. « Moi, il y a dix ans que je suis là. Mais je crois que ce sont les Juifs qui ont commencé à acheter des anciens bars pour faire des magasins. Les Juifs d'Algérie sont arrivés les premiers. Ils ont appelé leurs amis, ils leur ont dit, ce n'est pas la peine de faire les marchés, on achète un petit magasin à deux ou trois millions, on le remplit, les gens passent, ils achètent... Les Juifs de Tunisie ont vite fait signe à leurs amis puis, aux Juifs marocains. Ils se sont accaparés le quartier. Après sont arrivés les Maghrébins. Surtout les Algériens. Ça a commencé comme ça. »

La clientèle existe, le marché fait tache d'huile. C'est l'ouvrier immigré de Strasbourg, Montbéliard ou Paris, qui descend au volant de sa *Pigeot* avec toute sa famille et le coffre vide — il ne va pas traverser la France avec une voiture chargée — qui arrive à Marseille en direction de son pays, achète tout ce dont il a besoin pour rapporter « là-bas ». C'est aussi le résident du Maghreb qui débarque un matin par bateau ou par avion, effectue des achats pendant quarante-huit heures — clinquaille électronique, électro-ménager, vêtements pour hommes, femmes et enfants, trousseau pour la fille à marier — car il ne trouve rien chez lui, et repart les bras chargés. En 1980, le gouvernement algérien a assoupli sa règlementation sur le tourisme et l'importation de biens de consommations.

Cent dix-sept hôtels recensés, animés jour et nuit, complètement bondés, une étoile ancienne norme dans le meilleur des cas. Trente-cinq mille Algériens les bonnes semaines, venus parfois acheter pour toute la famille, quand ce n'est pas pour tout le village, et dépensant chacun entre cinq et dix mille francs. « C'est des gens qui ne savent pas acheter. Ils viennent, ils ont vu ça, c'est jaune, c'est vert, c'est rouge, c'est clinquant, ils achètent, vous voyez ? C'est le bas de gamme en vérité. Nous, on leur vend des costumes à trois cents francs. Ils n'ont pas beaucoup d'argent. Regardez derrière vous : cent cinquante francs ! C'est un tailleur. Vous allez rue de Rome, vous allez le trouver à mille francs. Le même, hein... C'est un lot qu'on a acheté à Paris. S'il y a une robe qui leur plaît, un coupon de tissu qui leur plaît, ils en achètent un pour eux, plus trois qu'ils revendent aux voisines une fois rentrés. Comme ça, ils ont gagné le passage. Et il y a des gens plus organisés qui débarquent et achètent par millions. Pour revendre à des magasins, là-bas. »

Forte augmentation de la demande, à partir du début des années quatre-vingt, le marché arabe s'étend sur une bonne partie du centre ville, devient l'hypermarché maghrébin, structure importante composée d'alignements commerciaux, de boutiques que les commerçants — français — cèdent peu à peu, ravis que les Arabes paient cash et consentent à les leur racheter. Les immeubles changent de mains, les hôtels de propriétaires. Le Cours Belsunce lui-même, haut-lieu du Marseille traditionnel, des alignées de platanes et de l'Alcazar d'antan, se transforme de fond en comble en moins de trois années, de 1980 à 1983. « Des magasins qui ont été rachetés à des prix... Nous-même on se dit, est-ce que c'est vrai ? Parce que les gens ont tendance à toujours exagérer... Alors moi, j'ai entendu dire que M. Sabeur, un Arabe, a acheté des magasins cinq cents millions anciens. Le cinéma « Le Français », cinq cents millions... Un Juif qui s'appelle Amar, lui, il aurait acheté quatre magasins pour deux milliards... »

Deux bateaux français, trois bateaux algériens et des avions sur Marignane, chaque jour, comme s'il en pleuvait. Le parc des hôtels accessibles ne suffit plus. Sous les trophées, médaillons et bas reliefs sculptés de l'arc de triomphe de la porte d'Aix, à même le gazon, des ribambelles d'hommes en djellabas, de femmes piaillantes, d'enfants aux yeux écarquillés, dorment à la belle étoile, derrière des forteresses de valises et de baluchons.

MARCHÉ SAUVAGE

Disparition des commerçants traditionnels, disparition des points de rencontre sur le quartier — pour les Français s'entend. Population immigrée. Raz de marée de touristes maghrébins. S'y ajoute un terrible laisser-aller de la part de la municipalité. Pendant des années, on ne ramasse plus les ordures qu'épisodiquement, va savoir pourquoi. Cela ne viendraient à l'idée de personne dans les beaux quartiers. Ou même dans les moins beaux. Ou même dans les pas beaux du tout mais fréquentés exclusivement par les Marseillais purs-anisette. Les habitants de Belsunce ont soudain honte de leur lieux de vie, honte d'y recevoir des parents, des amis.

D'autant que le marché sauvage n'arrangeait rien, inutile de faire un dessin. « Ce marché, nous l'avons subi pendant dix-sept ans », s'indigne encore Faure, la casquette vissée sur la tête et ses boules de pétanque à la main — d'où, sans doute l'expression : avoir les boules. « Un ramassis de gens qui vendaient n'importe quoi, beaucoup de vêtements, de la friperie, des stocks américains, mais aussi de la drogue et tout ce qu'on voulait, un tas de gens douteux qui empêchaient pratiquement les habitants de circuler et créaient une nuisance permanente, ce qui a été la cause du départ de beaucoup de gens. Là, nous avons eu affaire à un laxisme total des pouvoirs publics qui nous disaient que la police était impuissante, qu'ils ne pouvaient rien faire alors que, lorsqu'ils veulent mettre des CRS dans la rue pour casser des grèves, ils sont capables de le faire avec efficacité. » Un bref sourire et la précision qui s'impose : « Une efficacité que pour ma part, dans ces cas-là, je n'approuve pas. »

C'est la cour des miracles. Des relents de drogue, de sexe cradingue, de bière éventée. Des putes ghanéennes et des dealers frisés. « Toutes les cinq minutes », les flics qui débarquent, qui cavalent, contrôlent sans douceur, opérations coup de poing, très bon pour la presse, coco ! Celle-ci embraye sans plus de ménagements sur le souk, incontrôlable, incontrôlé, sale, douteux, dangereux, peuplé de pirates barbaresques, d'Arabes au couteau entre les dents.

Ce pourrissement relatif — insécurité similaire à celle de tous les quartiers populaires de Marseille, ni plus, ni moins — n'est en rien neutre dans la dégradation des conditions de vie des habitants de Belsunce. Mais voyez comme les gens sont méchants : de mauvaises langues subodorent et répandent le bruit qu'on a laissé volontairement la situation se dégrader pour amener les habitants à déserter, facilitant ainsi les futures opérations de réhabilitations-rénovation...

Au banc des accusés, les immigrés, qui n'en peuvent mais. En 1984, les commerçants algériens adressent une pétition au consul de leur pays pour dénoncer l'insécurité. Décidément, ils se croient vraiment tout permis !

Sous soleil ou mistral, le ventre de Marseille s'agite en permanence, klaxons intempestifs, hululement incessant de la circulation, foules bigarrées, pressées, indolentes, étalées sur les trottoirs, déferlant sur la chaussée. Le centre ville se trouve à deux cents mètres du port, vous l'a-t-on dit ? Lequel port est situé à deux cents mètres de la gare, à vol d'oiseau. Elle-même, plantée sur sa colline, au débouché d'une autoroute. Comment ne pas comprendre qu'à l'intérieur de ce triangle va fonctionner une formidable pompe de transit qui implique à son tour un important commerce ? « Si vous êtes commerçant dans le secteur et si vous constatez que votre clientèle fuit, il est certain que vous n'êtes pas particulièrement satisfait... » Courant 1985, la chambre de commerce de Marseille dresse un sinistre constat. « Transfert de population, insécurité, nuisances, paupérisation, maghrébisation de tout un secteur d'activité : le centre ville à l'abandon. » Un tableau accablant. D'après ses évaluations, l'équipement commercial de l'*hypermarché maghrébin* regrouperait alors plus de cinq cents boutiques, sans compter les services. Fait surprenant, elle omet de dénombrer les négociants juifs, passe également sous silence que 100 % des grossistes et 50 % des détaillants possèdent des cartes d'identité françaises. Être commerçant et Arabe conférerait-il en France un statut particulier ? « On est accusés de tout », ne manque pas de s'indigner un de ces derniers, « qu'on est des escrocs, qu'on ne paie pas les taxes, qu'on fait travailler les gens au noir, que c'est le quartier des clandestins et des drogués... On a donné une mauvaise image à des fins politiques, c'est tout. »

Plus d'un million de touristes d'outre-Méditerranée chaque année, donc. Un entrelac de venelles quasiment orientales où l'on parle davantage l'arabe que le français, soit. Un chiffre d'affaires estimé à trois milliards et demi de francs par an. « Il s'agit d'un marché parallèle, un manque à gagner considérable pour les Marseillais », hurle-t-on ici et là, au comble de l'exaspération ! Voire...

« On fait venir des gens qui font travailler tout le monde, les hôtels, les taxis, les restaurants, les bistrots.. Notre clientèle à nous, elle est d'origine paysanne, mais il y a des gens plus fortunés qui vont à la rue de Rome et achètent des costumes à deux mille cinq cents, trois mille francs... Tout le monde travaille, c'est bénéfique. Les gens marchent, ils vont, ils reviennent, ils achètent un peu partout... »

L'aéroport de Marignane accroît de 11 % son trafic en 1984 et devient avec 4,5 millions de passagers le premier aéroport de province en 1986. La Caisse d'Épargne du Cours Belsunce est la plus florissante de Marseille et l'encaisse en liquide de la Banque de France atteint des niveaux tout à fait exceptionnels. Sur la Canebière, la clientèle étrangère du magasin de chaussures André se situe, début 1986, autour de 90 % ; elle représente 80 % chez Monoprix, approche 50 % dans le nouveau magasin C & A. « La situation ne fait donc que s'aggraver », conclut alors sans rire la chambre de commerce qui, entre parenthèses, a la mémoire courte : au lendemain de la Seconde Guerre mondiale, elle réclamait, ainsi que certains industriels locaux... 500 000 nouveaux immigrés par an.

Les immigrés sont là — pas au rythme souhaité jadis pour autant — et sont là également touristes et commerçants.

Charles Martel, Jeanne d'Arc et Jean-Marie se pointent à l'horizon.

DROIT DE GHETTO

*E*n 1985, la chambre de commerce n'y va pas par quatre chemins. Elle suggère tout simplement de déloger tous les commerçants du centre — les Maghrébins s'entend — pour les exiler du côté d'Arenc — là où l'on parquait il y a peu de temps encore les immigrés en cours d'expulsion — ou à proximité des abattoirs, ou même à la Joliette, en tout cas loin du centre et du monde dit civilisé. Dès lors, tout serait simple : les touristes maghrébins descendent du bateau, font leurs achats au port, dans le ghetto qui leur est réservé, repartent immédiatement, et même si possible par le bateau d'avant, sans traverser la ville qu'ils défigurent de leurs visages basanés. Manque de chance, les Arabes ne sont plus vraiment des bons sauvages et ne sont pas nés du dernier sirocco. « Les gens ils ont des conseillers techniques, des conseillers juridiques, ils ont tout maintenant ! Ils ne sont pas bêtes, ils ont du pognon, c'est des commerçants. On peut dire à quelqu'un, votre magasin on va vous le racheter, d'accord ! Mais ça va coûter combien ? Il n'y a pas assez d'argent à Marseille ! »

Le projet capote. Pas le verbe assassin. Dans une ville rongée par la xénophobie et où le Front National s'est solidement implanté, certains discours politiques ne font pas forcément dans la dentelle. Lors des élections municipales précédentes, l'ancien ministre RPR Joseph

Comiti s'était déjà exclamé : « Ils nous ont volé la Canebière ! » On parle désormais de plus en plus ouvertement de *reconquête* du centre ville. « C'est un terme que je n'aime pas beaucoup », confie sans animosité le patron du Constantinois. « Plutôt que reconquête, on pourrait dire renouveau. Mais comme Jean-Claude Gaudin, président du Conseil Régional est passé président avec les voix du Front National, que son vice-président s'appelle Gabriel Domenech, député du Front, il faut contenter l'électorat d'extrême droite. On a besoin de termes un peu forts, un peu crus... »

A-t-on jamais demandé à un fast-food Mac Donald, un marchand de fringues Benetton, une boutique des chaussures Manfield, une pizzeria italienne, une station service de la British Petroleum, de s'expatrier au milieu des hangars d'une lointaine périphérie sous prétexte qu'ils déparent dans le concert tricolore des marchands de pinards et de cassoulet ? L'endroit est bien situé, leur activité légale, les commerçants arabes n'ont aucune envie de le quitter. Lorsque la municipalité construit un marché couvert, l'espace Velten, spécialement à leur intention, ils ne se précipitent pas. En 1984 seulement, après un temps de réflexion, changement d'attitude. L'espace Velten est occupé... par des succursales des magasins déjà existant, confiées à un fils, un cousin. Ironie d'une logique purement commerciale, au lieu de se déplacer, l'Hypermarché s'étend. Mais qui trouverait à y redire en ces temps bénis de libéralisme triomphant ?

RÉÉQUILIBRAGE SOCIOLOGIQUE

Il suffisait de presque rien. En 1986, et en prévision sans doute des municipales dont on dit qu'elles se joueront en grande partie sur l'image du centre ville, un certain nombre de mesures sont prises sur Belsunce. Un commissariat s'y installe. Le marché sauvage est chassé. Dans le cadre d'une opération « Marseille ville propre », mieux vaut tard que jamais, les rues sont soigneusement et régulièrement nettoyées. Un programme de travaux de vingt millions de francs est prévu sur la Canebière entre 1987 et 1990. Le Cours Belsunce lui-même est en pleine réhabilitation. « Il y a encore des rues dans lesquelles traditionnellement il y a toujours eu de la prostitution, comme la rue Thubaneau. Pour le reste, une fois que les commerçants ont fermé leurs portes, après dix-huit heures, le quartier devient d'un calme incroyable. » Il suffisait de presque rien pour que le souk reprenne visage humain. Mais le mal est fait au niveau de l'opinion et tous les problèmes ne sont pas réglés pour autant.

« Une politique relançant l'habitat de qualité, avec occupants à bon pouvoir d'achat, est nécessaire pour relancer l'activité commerciale du centre », a avancé la chambre de commerce. Dans un document daté de juin 1985, l'Agence d'urbanisme de l'agglomération de Marseille parle quant à elle de la « reconquête de Belsunce ». Qu'on le veuille ou non ne serait-ce que dans le vocabulaire, le Front National fait des petits.

Deux cent trente ménages dont 69 Français et 161 étrangers, ainsi que 300 travailleurs isolés en meublé, devront être relogés d'ici à la fin 1988 pour permettre l'engagement des opérations nécessaires à la restructuration du quartier Sainte-Barbe/Belsunce[1]. Quatre-vingts logements municipaux sont vides dans Belsunce, mais la municipalité souhaite les affecter en priorité à d'autres projets permettant un « rééquilibrage sociologique » du quartier : location à des fonctionnaires municipaux ; création de logements pour étudiants ; cession à des Marseillais désirant revenir dans le centre. Le poids des mots, le choc des projets. Même les Français du quartier manifestent leur inquiétude. Petites gens aux ressources souvent modestes, pourront-ils demeurer dans ce lieu qu'ils aiment malgré tout, après une éventuelle rénovation ? Quant aux étrangers...

« Les logements sociaux réhabilités dans le quartier Belsunce participent à cette action de rééquilibrage. Seuls 10 % des logements seront affectés à des ménages étrangers. Une partie de ces logements sera affectée aux 69 ménages français à reloger[2]. On peut difficilement être plus clair.

Belsunce, un triste soir de printemps. Ils sont Arabes, s'appellent Youssef, Driss, Mohamed, vivent en hôtel meublé. Une épave d'hôtel meublé, pleine de bestioles, de fissures, de trous, une ruine d'hôtel meublé comme il en existe beaucoup alentour, navires à la dérive faisant eau de toutes parts, à deux doigts de couler. Payant des taxes pourtant, et même répertoriés au Service d'hygiène. Un service plus que laxiste, et depuis trop longtemps. Soumis à un perpétuel chantage, il faut le préciser. « Si on ferme l'hôtel, qu'est-ce qu'on fait des gens ? » Trente personnes sans logement. Et comme il y a cinquante hôtels, le compte est vite fait. On laisse courir, on laisse pourrir l'hôtel et la situation. Mais les Arabes en ont eu marre — Youssef, Driss et Mohamed —, cela arrive parfois. En novembre 1987, ils se sont plaints auprès du bailleur des conditions d'hygiène, ont saisi la mairie pour obliger celui-ci à effectuer des travaux. L'occasion est trop belle. En pleine opération de rénovation, la municipalité achète des immeubles, paye davantage lorsqu'ils sont vides. Prétextant qu'il n'a pas les moyens de procéder à de quelconques travaux, le propriétaire saisit le tribunal pour arrêter son activité. Youssef, Driss, Mohamed s'accrochent, veulent rester. Du jour au lendemain, plus d'eau, plus d'électricité. Ils pratiquent mal la langue, ne connaissent pas les rouages administratifs. Se retrouvent invités par le tribunal à quitter l'hôtel. Sans possibilité de relogement.

Un meublé n'est pas un logement mais juridiquement un commerce. Autrement dit, qui habite un meublé n'est en rien locataire mais client. Fait fondamental parce qu'un locataire bénéficie d'un certain nombre de protections. Le client d'un meublé n'a aucun droit. Sauf celui de payer. Et de partir quand on ne veut plus de lui.

La commune de Marseille vit actuellement une crise du logement, une crise sélective touchant particulièrement les familles d'origine étrangère. Les organismes susceptibles de leur louer un logement le leur refusent dès lors qu'ils ont des « clients français » en grand nombre. La cité phocéenne est organisée de telle façon qu'on ne peut plus bâtir de nouvelles villes nouvelles autour, comme on a pu le faire par exemple à Lyon avec Vaulx-en-Velin. Lorsque le bruit a couru qu'une cité allait être construite à Martigues pour ces perpétuels déracinés, ces Arabes errants, la levée de boucliers fut telle que... Que rien. Il ne s'agissait que d'une rumeur. Quant à intégrer cette population, petit à petit, dans les HLM existant, c'est tout aussi problématique. Tous les Comités d'intérêt de quartier protesteraient de telle façon qu'on n'oserait pas. « Cette population, on voudrait la faire partir pour accélérer la rénovation », analyse lucidement Fathi Boaroua, directeur du centre social de la porte d'Aix, « mais on ne le peut pas, car personne n'en veut. Une tête d'Arabe, et tout le monde hurle au loup... »

Reste, bien sûr, le foyer. Youssef, Driss, Mohamed, refusent catégoriquement. « C'est des gens qui vivent le fait de quitter cet hôtel comme une nouvelle immigration, un nouveau déracinement. Ils se sont habitués, y compris à la misère, en quatorze ans. Et également au centre. Ils y ont des réseaux de solidarité, de village, de famille... » Moyennant quoi... « Ils » poursuivent leur avancée. « Où vont-ils ? De l'autre côté de la Canebière où se montent d'autres hôtels meublés. Et il y a effectivement déplacement de population en direction du sud, un territoire qui leur était jusque-là interdit, et ce à la grande panique des Marseillais. Mais ce n'est pas une volonté délibérée, un envahissement. C'est un transfert de population causé par la réhabilitation. »

L'un après l'autre, Driss, Youssef, Mohamed vont céder, déguerpir, incapables de faire valoir leurs droits. Un « collègue » les hébergera un temps. Un jour, ils passeront la frontière, en direction d'un nouveau meublé, de ceux qui commencent à fleurir, toujours dans le centre, du côté des quartiers du Chapitre, de Thiers, Saint-Lazare, la Vilette-la-Joliette. L'« occupation » s'étend.

Seule une politique intégrant le droit au logement des immigrés pourra, cela va de soi, éviter et supprimer un jour le phénomène de concentration.

Pour autant, le centre ville doit, c'est sûr, appartenir à tous les Marseillais. Renouer avec l'image symbolique de la Canebière. Redevenir un quartier dans lequel il fait bon habiter, quelle que soit l'origine du citoyen. Quelle que soit l'origine de ceux qui y reviendront. Car paradoxalement, l'ensemble du centre ville et de ses immeubles délabrés sont vides d'habitants. Le taux de logements vacants y est de 11 %, soit 5 500 logements. Disparition de 1 900 propriétaires occupants entre 1975 et 1982 ; vieillissement de la population : 21 % de plus de soixante-cinq ans contre 15,5 % pour la ville entière. Le centre devient de plus en plus difficile à vivre en raison des multiples nuisances qui l'assaillent, bruit, encombrements, pollutions sonores et diverses, absence de crèches, de terrains de sports, de centres récréatifs culturels, etc. Et ça, les Maghrébins n'y sont pour rien.

MARSEILLE
EST UN PORT

Depuis une dizaine d'années, la municipalité s'est délibérément engagée dans une opération de revitalisation pour inverser la tendance. Outre l'Hôtel de Région qui s'élève désormais sur la butte des Carmes, deux équipements majeurs sont en cours d'aménagement et contribueront demain au rayonnement du quartier : la Faculté des sciences-économiques qui accueillera 1 200 étudiants et la Halle Puget, ancien marché couvert de boucherie-poissonnerie, édifice historique remarquable qui abritera des activités tournées vers les loisirs.

Pour le reste, c'est-à-dire l'*hypermarché maghrébin*... Marseille est un port. Un port qui ne se trouve ni sur la mer du Nord, ni sur le lac Léman, mais sur la Méditerranée. En face de ce port, le Maghreb, personne n'y peut rien, c'est la géographie. La vocation de Marseille sera toujours de commercer avec ses riverains.

Pour l'heure, le climat est à la morosité. À l'atmosphère suspicieuse à laquelle sont confrontés les commerçants maghrébins, vient s'ajouter une double menace. D'abord, la concurrence des ports étrangers, appatés par cet énorme marché. « En ce moment, les Espagnols, les Italiens, sont alléchés par cette foule qui vient, qui est grandiose ! Faites le compte ! Alors les Italiens, ils ont dit merde, nous aussi ! Alors à Naples, ils ont créé un marché. Nous, on a averti les gens de la mairie : attention, vous allez voir... Alors les Espagnols, à Alicante, ils ont créé un marché aussi. Mais là-bas, l'Algérien, il est beaucoup plus respecté, parce que les Espagnols ils se disent : si on peut se récupérer cette clientèle... Ils sont accueillis par les policiers : bonjour, soyez les bienvenus, eh oui, il y a de l'argent qui va rentrer ! Par contre, à Marseille, quand ils arrivent, oh là, viens ici toi, tes papiers... Ils ont une petite fierté, ces gens. Alors la plupart ils nous disent, on nous agresse, avec notre pognon, on ne remettra plus les pieds ici. »

S'ajoute à ce danger... la chute des cours du pétrole. Tout est dans tout et vice versa. Les restrictions aux sorties de devises appliquées par l'Algérie à ses ressortissants ont fait brusquement chuter la fréquentation touristique et les activités de Belsunce. Jusqu'à 50 % dans certains commerces. Toute la ville s'en ressent. L'aéroport de Marignane tourne moins, le port plus du tout, dans une cité dont l'activité économique marque déjà et par ailleurs un ralentissement certain, voire un réel déclin.

Comme ceux du caoutchouc, les cours du pétrole sont élastiques. Le trafic peut reprendre, reprendra certainement, compte tenu de l'élévation du niveau de vie du pays du Maghreb, de l'Algérie surtout, et des difficultés d'approvisionnement, dans ces pays, en produits européens.

Une hypothèse d'école à présent. On atteindrait des degrés de tension considérables, voire extrêmes, avec la communauté immigrée marseillaise, si le Front National s'adjugeait tout ou partie de la mairie en 1989. Quant aux touristes maghrébins, point n'est besoin d'être prophète, ni même Mahomet, pour deviner qu'ils éviteraient à coup sûr des rivages aussi peu hospitaliers. Pour le plus grand profit de Gênes, Naples, Alicante. Les Marseillais s'apercevraient alors, coquin de sort, qu'ils ont jeté le bébé dans le vieux port, avec l'eau du bain.

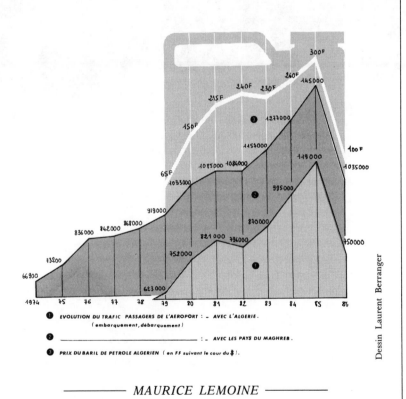

❶ *EVOLUTION DU TRAFIC PASSAGERS DE L'AEROPORT : _ AVEC L'ALGERIE.*
  (embarquement, débarquement)

❷ ————————— *: _ AVEC LES PAYS DU MAGHREB .*

❸ *PRIX DU BARIL DE PETROLE ALGERIEN (en FF suivant le cour du $).*

Dessin Laurent Berranger

MAURICE LEMOINE

1. Somica-BICV, « Opération Belsunce, point sur la question du relogement », 13.2.1986.
2. *Idem.*

139

4

TU ME FENDS LE CŒUR

Marseille sent le farniente anisé. Une image qui dérange les Marseillais qui ne sont pas loin de crier au complot de Parisiens en mal de galéjades. Marseille mérite-t-elle sa mauvaise réputation ?
De l'incendie des Nouvelles Galeries à l'Ohême, radiographie du sottisier marseillais.

PIERRE ÉCHINARD

LA MAUVAISE

RÉPUTATION

LE MARSEILLAIS EST SUPERFICIEL, EXCESSIF ET VOLUBILE, PARESSEUX, MENTEUR, JOUEUR, TRICHEUR, SOUVENT MALHONNÊTE... ARCHÉOLOGIE D'UN CLICHÉ.

Née de la mer qu'elle regarde depuis toujours, isolée des terres derrière sa barrière de hauteurs, plus méditerranéenne que provençale et française, Marseille est maritime et originale, marginale par essence, au sens propre du mot comme au figuré.

AU SEUIL
DE LA FRANCE

*P*resque toujours, ses choix politiques, ses intérêts commerciaux, ses coutumes, ses passions l'ont entraînée à contre courant de sa région et de la nation. En vingt-six siècles d'histoire, la plus ancienne des villes de France n'a eu cesse d'être terre de sécession, d'opposition, de différence, d'indifférence aux causes nationales a-t-on même dit parfois non sans exagération : un particularisme forcené que Jules César, Louis XIV ou Hitler lui ont fait chèrement payer et qui, avec le temps, d'incartades en défis répétés, a semé une invincible prévention dans l'inconscient collectif des Français.

Ayant pris le parti de Pompée contre César, Marseille a durement résisté avant que le vainqueur ne rase ses murs ; dernière ville de France à bouder Henri IV, celui-ci ne se sentit vraiment roi qu'après l'avoir soumise ; quant à Louis XIV, entré en triomphateur par une brèche symboliquement ouverte dans son enceinte, c'est vers la ville qu'il tourna les canons des forts qu'il avait édifiés à l'entrée du port.

Au XIXe siècle, le divorce tourne au système : après avoir soutenu puis rejeté les différentes factions révolutionnaires, Marseille repousse Napoléon qui ruine son commerce et applaudit un instant à la Restauration avant de se révéler libérale contre Charles X. Républicaine à la fin de la Monarchie de juillet, opposée à Napoléon III malgré ses bienfaits et, en 1892, sous la République modérée, l'une des premières en France à être socialiste, avec la municipalité Flaissières, Marseille reste fidèle à Defferre sous De Gaulle et n'est pas loin de plébisciter Le Pen sous Mitterrand !...

Bravades, mouvements d'humeur, rancunes tenaces n'expliquent pas tout, loin de là ; la prospérité de toute une ville, bourgeois et peuple confondus, liée aux intérêts vitaux de sa navigation et de son commerce, voilà la source de bien des conflits avec le pouvoir central. Ville libre, ville *mère*, fondatrice de nombreux comptoirs sous l'Antiquité, Marseille eut ensuite pendant des siècles les clés du Levant jusqu'à décider du passage et du séjour des individus, jusqu'à être gardienne de la santé du pays, quitte à payer d'une peste dévastatrice le premier instant de relâchement en 1720. Plus tard encore, ville de la conquête coloniale et du canal de Suez, Marseille, au fond, n'attendait rien du reste de la France que la liberté de poursuivre ses affaires ; de là son hostilité à tout renforcement de la centralisation.

La sanction exemplaire contre celle qui, après avoir donné son nom à l'hymne national, était devenue le symbole du fédéralisme girondin vint, un jour de janvier 1794, de la plume de Fréron : Marseille était désormais la ville *Sans Nom*. Terrible châtiment pour l'orgueil de cette cité qui, en d'autres circonstances, eût pu devenir une « République » à l'italienne, à l'image de Venise ou de Gênes ! Et Fréron de commenter : « Je crois que Marseille est incurable à jamais, à moins d'une déportation de tous les habitants et d'une transfusion des hommes du Nord... » Un autre débat pointait déjà sous la condamnation, celui des valeurs comparées du Nord et du Midi.

LA CITÉ
DE L'«ÉTRANGER »

Autre forme de marginalité, une fois encore liée à la prépondérance de la fonction portuaire, les marginalités de l'interlope et du cosmopolite.

Ville où les races ne cessent de se croiser, de se mêler depuis la nuit des temps, Marseille a toujours été le rendez-vous des aventuriers des mers, du négoce et de la pensée, toujours en avance d'une découverte, d'une bonne affaire, d'une idée ou d'une croyance.

Venus en nombre, attirés par le commerce et la navigation, les étrangers connaissent des réussites spectaculaires dans la ville dès les XVIe et XVIIe siècles. Ils s'y font « naturaliser » et fondent des communautés bientôt promises à un grand développement : les Corses avec les Lenche, Napollon, Franciscou, les Italiens comme les Magy... D'autres rencontrent une méfiance instinctive, qu'ils soient « Levantins » comme les Arméniens, les Juifs, les Grecs, les Turcs, ou « Nordiques » et protestants comme les Suisses, les Allemands, les Hollandais. Ils vont être à certains moments indispensables aux intérêts de la France. Alors, le pouvoir central les protégera, les imposera momentanément, tels les Suisses symbolisés par la puissante famille des Sollicoffre qui maintiendra la présence protestante dans la région malgré la suppression de l'Édit de Nantes.

Après une percée grâce au commerce de la soie, au cours du XVIIe siècle, la présence arménienne devient surtout imposante au XXe siècle, avec l'arrivée de plusieurs dizaines de milliers de réfugiés. En revanche, malgré les interdits officiels, l'établissement juif, bien que modeste, reste constant tout au long des XVIIe et XVIIIe siècles, en liaison avec la Barbarie et avec l'axe juif Bordeaux, Avignon, Nice, Livourne. Quant aux Grecs, orthodoxes ou catholiques, ils deviennent plus nombreux chaque fois que la navigation et le commerce avec le Levant sont plus délicats. Encore ressentis comme de redoutables rivaux par la chambre de commerce qui s'opposera violemment à leur naturalisation dans les années 1820-1830, les négociants juifs et grecs, profitant de l'essor de la ville sous le second Empire, parviendront à se fondre dans la grande bourgeoisie d'affaires marseillaise et à y tenir une place de choix comme les Altaras ou les Zafiropule.

Mais, au-delà de la réussite éclatante de quelques opulents négociants, la présence étrangère à Marseille est avant tout celle des petites gens qui tantôt passent, tantôt séjournent une saison ou bien se fixent pour tenter d'y survivre de leur maigre activité de journalier, pêcheur, *robeyrol* (porteur), ouvrier de l'artisanat ou de l'industrie. D'emploi précaire et de mœurs brutales, ils font craindre aux autorités tous les débordements : « Foule de personnes sans aveu... lie du peuple... sentine de tout ce qu'il a d'impur en Méditerranée... », tels sont déjà, à la fin du XVIIIe siècle les jugements affolés de l'administration ; demain, ils deviendront le refrain de l'opinion publique.

En fait, le terme d'« étranger » doit être bientôt pris au sens le plus large du mot. Marseille ne se contente plus d'être un port : au cours du XIXe siècle, la ville passe de 100 000 à 500 000 habitants. Dès lors, c'est une métropole qui attire aussi bien les Gavots, les Bas-alpins, les Varois, les Ariégeois... que les Piémontais ou les Espagnols. Tous ont du mal à surmonter les difficultés de leur nouvelle vie. Ils connaissent les tentations de regroupement et d'enfermement intra-communautaires, la misère, souvent, et aussi l'appel de la délinquance. Le phénomène est inévitable dans une grande ville portuaire, il devient particulier lorsque de la masse étrangère se détache progressivement un groupe italien qui, vers 1900, représente à lui seul 100 000 personnes, soit 20 % de la population totale, sans compter la masse flottante de tous ceux qui ne font que transiter par le port et par la gare.

Malgré le voisinage géographique, les liens séculaires, les affinités culturelles et religieuses, l'immigration italienne fut reçue comme éminemment dangereuse par les autorités politiques et administratives qui, après avoir redouté Mazzini et ses conspirations aux premiers jours de l'Unité italienne, tremblèrent devant les groupes anarchistes des années 1880 à 1900. Elle apparut dangereuse aussi aux yeux des ouvriers qui craignaient la concurrence déloyale d'une main d'œuvre peu qualifiée, acceptant des conditions de vie et de salaires misérables. Plus généralement, l'opinion publique était frappée par la dégradation de quartiers sous-prolétarisés, par la difficulté des Italiens à s'alphabétiser et à pratiquer la langue française, par leur prolifération démographique, leur religiosité superstitieuse, leur « clientélisme » et leur taux élevé de délinquance.

Le rejet fut parfois brutal, tels les violents incidents de juin 1881, souvent méprisant et chargé d'insultes raciales, plus souvent encore « sécuritaire », confondant dans une même crainte le cosmopolite et l'interlope, comme le fit Louis Bertrand en 1906 avec *L'Invasion*.

De fait, au XXe siècle, un certain nombre d'Italiens dévoyés, avec quelques « cousins » corses, vont avoir la haute main sur une pègre locale qui accède à la renommée mondiale par le rôle de relais que prend Marseille dans l'internationalisation de la prostitution et de la drogue. Mais, tout au contraire, l'énorme majorité de l'immigration italienne va s'assimiler au reste de la population marseillaise, jusqu'à en devenir aujourd'hui un élément constitutif fondamental. Bien plus, la longue et profonde implantation italienne à Marseille a renforcé l'empreinte méditerranéenne naturelle dans la langue comme dans les coutumes locales, que ce soit au XIXe siècle dans l'emploi du *San Janen* par le peuple marseillais plutôt que du provençal, que ce soit à travers le goût prononcé des Marseillais pour le chant, le geste et la parole, pour le *farniente* aussi, tous éléments d'une méridionalité renforcée perçue comme futile et décadente par le reste de la nation.

LE MIROIR DÉFORMANT

Au-delà de ses bases structurelles et historiques, c'est surtout avec le XIXe siècle que la « différence » marseillaise prend réellement place dans la conscience nationale.

Alors, l'intérêt renouvelé pour l'Antiquité et pour l'Orient attire sur les bords de la Méditerranée la longue cohorte des poètes et des romanciers qui découvrent en Marseille l'antichambre de l'Italie et la porte de l'Orient, mais aussi « cette ville vivante et croissante qui grandit presque à vue d'œil comme une plante des tropiques » qu'Edmond About, subjugué par son prodigieux essor démographique et économique, décrit en s'exclamant : « Avant dix ans, s'il plaît à Dieu... Marseille sera en mesure de sucrer la Méditerranée comme une simple tasse de café ! »

Soleil, odeurs, couleurs, foules exotiques, Marseille c'est déjà l'étranger et le dépaysement pour Théophile Gautier qui s'attarde à la devanture des marchands d'oiseaux tropicaux, avant d'entrer au Café Turc et d'y trouver peints sur les murs, comme un prélude à son voyage à Constantinople, tous les mirages de l'Orient. Le jeune Flaubert visite les beuglants du quartier de l'Opéra hantés par les filles à marins et y laisse son... innocence. Stendhal y est tout surpris de pouvoir entendre à l'Opéra la *Sémiramis* de Rossini et, errant dans les rues, cède à l'impression naïve de retrouver le profil grec des bas-reliefs antiques parmi les gens du peuple ; Mérimée, lui, ne retient que l'odeur violente et nauséabonde de certaines rues...

Marseille, c'est aussi une autre façon de vivre : Flaubert, encore lui, s'y « bourre de bouillabaisse » ; Théophile Gautier, Lamartine, Gérard de Nerval apprécient ses bains de mer ; Alexandre Dumas, piloté par son ami Joseph Méry, le plus parisien des Marseillais, goûte aux joies du cabanon, de la cuisine provençale... et de la galéjade. À partir de 1834, il y reviendra presque toutes les années, avant d'en faire le point de départ de son *Comte de Monte-Cristo*, roman violent, coloré et secret à la fois, où se rencontrent autour de Marseille Edmond Dantès, des Orientaux, des Espagnols, des Italiens, des Corses, bref toute la Méditerranée...

Tandis que les Parisiens découvrent Marseille, souvent, dans la capitale, les nouveaux Rastignac sont désormais marseillais. Ils y peuplent la vie politique comme Thiers, Émile Ollivier ou Garnier-Pagès, et, plus encore, les salons littéraires et les rédactions de journaux qui s'ouvrent à leur jeune talent et leur préparent une gloire éphémère. C'est le cas d'Amédée Achard, Eugène Guinot, Joseph Autran, Léon Gozlan, Louis Reybaud et de l'omniprésent Joseph Méry qui magnifie le soleil, le jeu de boules et la paresse, qui acclimate les histoires marseillaises et esquisse des types populaires toujours drôles mais pas toujours à l'avantage de ses compatriotes. Et que penser de Marc-Michel, cet autre Marseillais, complice habituel d'Eugène Labiche, qui ne craint pas en 1855 de semer le ridicule provincial sur sa ville à travers sa *Perle de la Canebière* ?

Ainsi, la littérature nationale, fatiguée des gasconnades, commence-t-elle à exploiter la veine marseillaise. Sûrs d'étonner, de briller, de plaire en présentant un peuple dont les façons d'être et de se comporter tranchent si nettement avec les habitudes parisiennes, Méry et ses amis lancent un stéréotype du Marseillais qui, loin de s'estomper, n'a fait depuis que s'affirmer. Ils ne font qu'importer dans la capitale un *genre* que les Marseillais sont au même moment en train d'inventer pour eux-mêmes, dans leur langue et dans un cadre de convivialité qui permet une caricature acceptée avec complicité, humour et tendresse, et dans laquelle ils se reconnaissent.

Réaction probable contre l'accélération du brassage national qui accompagne l'essor de la modernisation, contre les progrès fulgurants de la langue française à Marseille comme ailleurs, une série de poètes populaires et de chansonniers ont multiplié autour de 1840 les écrits *réalistes* sur le peuple de Marseille dans la langue locale.

Du lot émerge Victor Gelu qui, après s'être voué à Béranger, commence son œuvre en dialecte marseillais par sa plus célèbre chanson, *Fenian è grouman* (Fainéant et gourmand), puis campe une série de portraits hauts en couleur des gens du peuple de Marseille. Étienne Bibal, dont l'œuvre est plus éphémère, n'en produit pas moins en 1840 un chef-d'œuvre, *lou Cabanoun*, qui raconte les joies collectives et simples d'une journée de détente au cabanon, cette bastide du pauvre qui va fasciner des générations de Parisiens. Au même moment encore, Gustave Bénédit, journaliste et professeur de chant réputé au Conservatoire de Marseille, lance une série de pièces qui mettent en scène un voyou local bon enfant, le *nervi*, à la fois marginal et populaire, dont le type va lui aussi marquer le genre marseillais.

À travers des centaines de monologues, de dialogues, de saynètes, de poésies, de chansons, Gelu et ses émules ne se contentent pas de chanter les joies de la vie au soleil, ils disent aussi, dans le dialecte marseillais qui est la langue du peuple, les difficultés à vivre dans un monde qui se modernise, mais les problèmes économiques et sociaux ressemblent trop à ceux des autres Français pour faire couleur locale. Le succès va au typement marseillais : le soleil, la mer, le *farniente*, la cuisine locale, l'*estrambord* des gens dans leur vie quotidienne : l'ampleur des gestes, l'abondance et la sonorité des paroles, accompagnées de leur cortège de blagues et d'expressions imagées.

C'est cette veine qu'exploitent en français les chroniqueurs et nouvellistes marseillais de Paris, ainsi que certains journalistes locaux dont la gloire va jusqu'à la capitale, tel Horace Bertin, peintre charmant des types de la rue et des passe-temps populaires.

Prises au premier degré par des Français imbus de leur supériorité, simplifiées à l'extrême, dépouillées de la saveur de la langue et de leur vérité locale, leurs charges vont largement contribuer à ternir l'image de Marseille et des Marseillais, parce qu'elles insistent sur la différence, parce qu'elles renforcent aussi l'image déjà conventionnelle d'une légèreté et d'une insouciance qui, plus que sympathiques, finiront par apparaître coupables.

LE VICE
SANS LA VERTU

Au même moment, l'essor remarquable et l'enrichissement de Marseille sous le second Empire soulèvent certes l'admiration mais entraînent aussi de sérieuses réserves. Rangés en deux classes très contrastées, grande bourgeoisie et petit peuple, les Marseillais sont tous finalement l'objet des mêmes suspicions.

Et d'abord, l'indifférence au sort national. La bourgeoisie d'affaires regarde tout entière vers l'extérieur : la Méditerranée, le Levant, les colonies, les grandes capitales européennes, Vienne, Genève, Londres ; et son libre échangisme la rend pacifique. Le petit peuple est soit étranger, soit enfermé dans ses intérêts immédiats, ses habitudes, sa culture locale.

Incapables de saisir la richesse d'une culture populaire qui leur échappe, ne serait-ce que par l'emploi encore fréquent chez le peuple du dialecte marseillais, les *Parisiens* sont tout aussi persuadés de l'inculture d'une bourgeoisie trop exclusivement préoccupée d'arrondir sa fortune et que dénoncent à l'envi Stendhal, George Sand ou Zola.

Par ailleurs, bourgeois et prolétaires, les uns corrompus par l'argent, les autres poussés par la misère, ne peuvent que faire de Marseille la ville du vice et de l'insécurité. Taine admire la réussite commerciale mais en condamne tout aussitôt les conséquences : « le luxe, le jeu, les femmes : voilà les trois idées dominantes d'un Marseillais. Ils ne songent qu'à gagner et à jouir... ». Zola le rejoint bientôt en dénonçant les vices d'une ville pourrie par l'argent facile et rongée par « la plaie dévorante du jeu » : « Lorsqu'une population entière est livrée à une spéculation effrénée, lorsque toutes les classes d'une ville trafiquent du matin au soir, il est presque impossible que ce peuple de négociants ne se jette pas dans les émotions poignantes du jeu... Ceux qui ont de gros capitaux jouent à la Bourse, achètent et revendent. Mais les pauvres, ceux qui ne possèdent que quelques francs, ont la ressource du jeu... Une ville commerciale est donc forcément joueuse et débauchée... » Et Zola de faire dans ses *Mystères de Marseille*, parus en feuilleton dans *le Messager de Marseille* en 1867, un tableau mélodramatique de la criminalité phocéenne qui aura par la suite de nombreux continuateurs. Ainsi, cette même année 1867, *le Petit Marseillais*, premier grand journal populaire local à 10 sous, se fait-il dès sa parution une spécialité du fait divers, si possible crapuleux et sanglant, exploitant la profusion de rixes, de trafics et de criminalité en tous genres commune à Marseille et à tous les grands ports du monde. Dès ses débuts, il monte en épingle une sombre affaire d'empoisonneuses, puis une autre d'étrangleurs bientôt mise en scène à l'Alcazar par le mime Deburau.

Par la suite, *le Petit Marseillais* exploitera souvent les thèmes de l'insécurité, de l'insuffisance de la police, du laxisme dans l'application de la justice, de l'omniprésence de la prostitution et, plus généralement, de la dissolution des mœurs, au nom de la morale et de l'ordre public. Le journal avait beau jeu de dénoncer une longue tradition de délinquance, la fréquence des crimes de sang, l'apparition des bandes organisées, la prostitution séculaire que Casanova avait déjà remarquée en connaisseur : « Il n'y a pas de ville en France où le libertinage des filles soit poussé plus loin qu'à Marseille ».

Renforcées à la veille des échéances politiques municipales ou nationales, ces campagnes répétitives, destinées à battre le rappel des « honnêtes gens », eurent un effet désastreux sur la réputation déjà bien altérée de la ville, une ville de danger et de perdition.

Ainsi, voici plus d'un siècle, l'image de Marseille est-elle déjà nettement individualisée et détériorée dans la conscience nationale : une ville et un port dont on admire la réussite, dont l'exotisme fascine (déjà la mer, le soleil, le *farniente*, la bouillabaisse, les boules, mais aussi l'invitation au voyage), en même temps qu'on redoute son cosmopolitisme et son mode interlope, qu'on méconnaît et qu'on brocarde sa culture locale, qu'on condamne son égocentrisme provincial.

Rançon de son essor, c'est sur Marseille que se reporte désormais, de façon ultra-simplificatrice, tous les attributs négatifs d'une méridionalité ressentie comme décadente et étrangère aux valeurs nationales que représentent l'homme du Nord et sa civilisation.

En 1861, Edmont About s'insurge contre la présentation déjà conventionnelle du *Marseillais pour rire* : « Une sorte de macaque bourru qui mange de l'ail, écume de l'huile, vend des nègres et tutoie tout le monde ». Un Marseillais qui au hasard des auteurs et des humeurs se révèle aussi bien brutal, superficiel, vantard, grotesque, arriviste, paresseux ou jouisseur et qui, par-dessus tout, vit « à côté de la France » et non dedans. Une marginalité synonyme de trahison dès lors qu'il s'agit de défendre le territoire national.

BOUC-ÉMISSAIRE

*É*loignés par leur simple position géographique de la France où l'on se bat, vivant loin des destructions et des privations, les Méridionaux, et donc les Marseillais, vont apparaître dépourvus de sens patriotique, insensibles aux malheurs du Nord ou de l'Alsace-Lorraine et, pour tout dire, lâches.

Malgré l'important mouvement de mobilisation et les fortes souscriptions recueillies à Marseille pour l'effort de guerre, les « Parisiens » ne retinrent que les graves mutineries de février 1871 parmi les mobilisés des Bouches-du-Rhône. Ils stigmatisèrent le comportement des Méridionaux, alors que les mêmes phénomènes s'étaient également produits dans le reste du pays. L'attention s'était naturellement focalisée sur les faiblesses méridionales parce qu'elles ne cadraient que trop bien avec l'image négative qu'on avait déjà du Midi. Le *De Profundis* de Déroulède est à ce titre l'un des plus tristes exemples de l'émergeance d'une sorte de « racisme » antimarseillais, fruit du patriotisme blessé par la défaite de 1870 :

Tu l'as bien connu ? C'était un grand diable,
Leste comme un cerf et fort comme un bœuf ;
Le causeur d'ailleurs le plus agréable...
Il brisait un sou, comme on casse un œuf.

Ce n'était pas lui qui voulait la guerre,
Et je puis jurer qu'il a voté non ;

Mais quand il a vu qu'il fallait la faire,
Il a dit « Eh bien, qu'ils la fassent donc ! »

Les Français de France ont la tête prompte ;
Mais lui de Marseille est homme de poids,
Il sait qu'on ne meurt jamais qu'une fois,
Et que cette fois vaut bien qu'on la compte.

« D'ailleurs, disait-il, de plus ou de moins
Qu'est-ce qu'un soldat dans l'armée immense,
Dans tous les duels il faut des témoins,
Nous serons témoins des Français de France.

Maintenant s'ils n'ont ni force ni chance,
Si les gens du Nord se font battre exprès :
Eh bien ! mais alors reste la Provence !
Qu'on y vienne un peu, nous serons tout prêts ! »

Et quand il apprit qu'aux champs de l'Alsace,
Le Dieu des combats nous abandonnait,
S'il n'eût écouté que sa folle audace,
Il allait partir mais il se tenait.

« Plus tard, disait-il ; je crois que la France
Sera trop heureuse en me retrouvant ;
Montrons-nous de loin, comme l'Espérance,
Et pour rester fort, gardons-nous vivant ! »

Note discordante dans les très patriotiques et très populaires *Chants du soldat*, la férocité d'une telle attaque allait laisser des traces, à n'en pas douter, dans des esprits déjà prévenus.

Le 24 août 1914, écho lointain de ces accusations infâmantes, l'affaire du XVe corps allait avoir des conséquences désastreuses pour nombre de soldats provençaux. Ce jour-là, le sénateur Auguste Gervais publie dans *le Matin* un article qui accuse le XVe corps d'armée, composé de Provençaux et notamment de Marseillais, d'avoir flanché devant l'ennemi dans la région de Dieuze. Une accusation totalement injustifiée qui permettait, en rendant les troupes provençales responsables de l'échec cuisant de la bataille des frontières, de transformer la déception des Français en colère contre « l'impardonnable faiblesse des troupes de l'aimable Provence ».

Engagé sur le terrain habituel d'exercice de l'artillerie allemande, le XVe corps était voué à l'échec et à la mort, son repli était inévitable. La calomnie du sénateur Gervais condamna les soldats provençaux aux pires brimades militaires tout au long de la guerre (punitions, offensives et missions périlleuses, parfois mortelles, refus de soins aux blessés...). La légende qu'elle créa, toutes les mises au point historique n'ont pas encore pu totalement la dissiper.

CHICAGO
SUR MÉDITERRANÉE

Les lendemains de la Première Guerre mondiale se révèlent difficiles pour la grande cité phocéenne. La réussite du port est moins éclatante, l'activité des industries marque le pas. Premier port de France en 1914, Marseille est dépassé par Rouen ; premier port de Méditerranée, il cède devant Gênes, premier port d'Europe encore en 1870, il n'est plus que le cinquième derrière Rotterdam, Hambourg, Anvers et Gênes. Le trafic de 1913 n'est retrouvé qu'en 1937, et c'est grâce à l'extension vers les annexes de Lavéra, Berre et la Mède où le pétrole commence à arriver, grâce aussi aux échanges avec les colonies qui cachent le déclin avec le Levant et plus généralement l'étranger. Quant aux industries traditionnelles des savons, des huiles et des sucres, toujours présentes, elles trouvent difficilement d'autres activités pour les relayer. Marseille perd peu à peu le prestige de la réussite économique et commerciale. Du fait de la crise, elle se trouve prise dans des luttes politiques et sociales où se profile rapidement l'ombre inquiétante d'un *milieu* qui va achever le déshonneur moral de la ville.

Marseille fascine toujours ceux qui recherchent l'aventure, avec ses foules bariolées, ses bateaux en partance pour les mers lointaines, tel *le Malaisie* qui doit emporter Marius. En 1921, le jeune Philippe Daudet fait à douze ans sa première fugue : il prend le train pour Marseille. Un commissaire dira à sa mère : « C'est le cinéma (déjà !) qui met les idées de voyage dans la tête des gosses. Tous les jours, il y en a un ou plusieurs qui prennent la poudre d'escampette. Et c'est drôle, presque toujours ils sont attirés par Marseille... »

Des écrivains comme Carco, Mac Orlan, Cendrars, Montherlant, en quête d'odeurs, de couleurs, de sensations fortes, viennent se prendre à l'exotisme frelaté des quartiers chauds du port et de l'Opéra.

Quant aux journalises parisiens, désormais « grands reporters », c'est avec délectation qu'ils viennent y suivre à la trace *les Chemins de Buenos-Aires*, où se sont engagés les souteneurs marseillais dès avant 1914, et les routes du Moyen-Orient et de l'Extrême-Orient qu'emprunte la drogue vers 1930.

Corses ou Italiens, les nouveaux riches de la pègre marseillaise visent à la respectabilité bourgeoise. Avec leurs bandes de *nervis*, ils sont désormais à la tête de véritables empires du crime qui nécessitent complicités policières et protections politiques. De 1928 à 1932, la fréquence des élections législatives et municipales dans la ville favorise l'institutionnalisation des combines, des trafics d'influence, de la corruption et des fraudes (Marseille est la ville qui *fait voter les morts*). C'est une prolifération d'agents électoraux « professionnels » qu'on récompense en protégeant leurs activités clandestines, selon les meilleures traditions du clientélisme méditerranéen.

En 1934, la mort du conseiller Prince va curieusement aboutir à l'arrestation des deux caïds de la pègre marseillaise, Carbone et Spirito. L'opération, qui consistait à calmer l'opinion publique inquiète des mystères de l'affaire Stavisky et de la mort de Prince en ouvrant la piste « romanesque » d'une intervention du *milieu* marseillais, séduisit le naïf Georges Simenon, reporter à *Paris-Soir*, mais déboucha rapidement sur un non-lieu. Elle eut pour effet principal de faire éclater au grand jour, et de façon spectaculaire, les liens qui unissaient Carbone et Spirito à Simon Sabiani, le tout puissant adjoint au maire de Marseille. Lors de l'arrestation de ses amis, Sabiani, fou de rage, fit placarder des milliers d'affiches blanches sur les murs de la ville : « Peuple de Marseille, Carbone et Spirito sont mes amis. Je n'admettrai pas qu'on touche à un seul de leurs cheveux. Signé, Simon Sabiani, Adjoint au Maire ».

Dès lors, on eut beau jeu de parler comme Henri Béraud, spécialiste des calomnies en tous genres, de *Marseille-Chicago*, la ville du crime et de la corruption. Une étiquette qui ne l'abandonnera plus, d'autant que, six mois après le scandale de Sabiani, c'est à Marseille que le roi Alexandre Ier de Yougoslavie est assassiné le 9 octobre 1934, en compagnie du ministre des Affaires étrangères Louis Barthou. Aux yeux du monde entier cette fois-ci, la ville est rendue responsable, non pas de l'attentat qui est le fait des oustachis, mais du mauvais fonctionnement du service d'ordre qui n'a pas repéré à temps les préparatifs des terroristes et n'a pas su intercepter le tueur. Pourtant, la responsabilité incombe toute entière aux services du ministère de l'Intérieur qui ont systématiquement tenu les Marseillais à l'écart. Le préfet des Bouches-du-Rhône n'en sera pas moins injustement révoqué. Confusément, on ne peut s'empêcher de lier à l'attentat le fait qu'il se soit produit dans la capitale du crime et, désormais aussi, de la pagaille !

PUNITIONS

Le 30 novembre 1935, c'est encore à Marseille que revient le déshonneur du premier kidnapping en Europe, celui du petit Claude Malméjac, fils d'un professeur à la Faculté de Médecine. Œuvre d'un isolé sans lien particulier avec le « milieu » marseillais, l'enlèvement écorne encore un peu plus, s'il en était besoin, la réputation de la ville. Trois ans plus tard, le 28 octobre 1938, l'épouvantable incendie des Nouvelles-Galeries, avec ses soixante-treize morts, est enfin l'occasion de régler les comptes avec la ville. Le gouvernement sanctionne très lourdement la carence des services municipaux dans l'organisation tardive des secours et l'insuffisance des moyens mis à la disposition des pompiers. le décret-loi du 20 mars 1939 met Marseille sous la tutelle d'un administrateur extraordinaire nommé par Paris et supprime la fonction de maire. L'humiliation d'avoir à subir la contrainte d'un « gouvernement colonial » fut terrible pour la fierté des Marseillais. La tutelle se renforça encore après la défaite, à partir d'août 1940, lorsque le pouvoir de Vichy rattacha directement aux ordres du préfet la direction des affaires municipales.

Ville à part, réprouvée, soumise à un régime d'exception, mais aussi ville libre, Marseille devint avec la défaite une terre de refuge pour de nombreux intellectuels, pour de nombreux étrangers juifs ou antifascistes qui avaient fui la zone occupée. C'est là aussi que se formèrent avec Henri Frénay les premiers groupes de résistance de la zone libre. Autant de raisons supplémentaires de désigner Marseille à la vindicte nazie. Deux mois et demi après l'invasion de la zone sud, les Allemands déclenchaient le 24 janvier 1943 une opération d'une ampleur inconnue en France, la liquidation des quartiers nord du vieux port.

En quelques heures, 40 000 Marseillais sont contrôlés dans la ville et 2 000 sont arrêtés, tandis que 20 000 autres, les habitants des vieux quartiers du port, sont expulsés de leur domicile et évacués par les forces de police combinées allemandes et françaises. Quelque temps plus tard, le quartier est entièrement rasé.

Les raisons immédiates d'un tel acte paraissent évidentes :

— volonté de punir la ville des multiples attentats qui s'y étaient déroulés contre la présence allemande depuis son occupation.

— désir de donner un gigantesque coup de pied dans la fourmilière potentielle de juifs, déserteurs, résistants, terroristes, clandestins en tous genres que permettait l'inextricable dédale des rues et ruelles des vieux quartiers.

— peut-être aussi, liée à la complicité active des autorités françaises, la perspective de fructueuses opérations immobilières que permettait cette occasion unique de se débarrasser et des vieilles maisons et de leurs habitants.

Tout cela ne suffit pas à expliquer la brutalité et l'ampleur d'une opération qui fut directement exigée par Hitler. D'autres villes en France posaient des problèmes à la domination allemande, mais la « punition » tomba sur Marseille : ce n'est pas un hasard. Ville de toutes les marginalités, ville dont le sempiternel cosmopolitisme s'était encore accentué avec la guerre, ville perdue de réputation, notamment par ses quartiers du port, ville indocile depuis toujours, Marseille n'était pas de la même « race » que le reste de la France. Elle représentait tout ce que Hitler et les nazis pouvaient haïr. Son châtiment exemplaire se voulait donc à la fois une œuvre de salubrité nationale et le symbole de la prise de pouvoir des Allemands sur le Midi, sur l'ancienne zone libre. Jouant sur la confusion du cosmopolitisme avec l'interlope, les nazis en frappant Marseille étaient persuadés de rencontrer la compréhension, sinon la reconnaissance de ceux qu'ils délivraient de cette « suburre obscène où s'amasse la lie de la Méditerranée », comme osait l'écrire au même moment l'académicien français Louis Gillet.

À considérer la brutalité des rejets ainsi subis par Marseille à la fin des années 30 et durant la Deuxième Guerre mondiale, une question se pose inévitablement : n'est-il pas paradoxal que les répressions anti-marseillaises se soient produites au moment même où les Marseillais après les triomphes scéniques et cinématographiques de Pagnol et des opérettes marseillaises, pouvaient légitimement croire qu'ils avaient gagné à tout jamais la sympathie des Français ?

MARSEILLE
EN SCÈNE

Le 9 mars 1929, en découvrant avec enthousiasme le *Marius* de Pagnol, le public parisien ne se doute pas qu'il ouvre une décennie de triomphes pour le *genre marseillais*. Né, on l'a vu, avec Gelu, Bibal, Bénédit, Méry et quelques autres, il a ensuite mûri sur place, à Marseille, à travers des revues locales qui, avec leurs personnages typiques, leurs scènes de la vie quotidienne, leurs galéjades ont fini par devenir une tradition du théâtre populaire local. Pagnol s'en empare, dépouille les scènes populaires de leur dialecte trop typé (l'accent suffit à l'identification, surtout s'il est accompagné de quelques expressions colorées) et lie le tout par une intrigue adroitement agencée. À la suite de Pagnol, Alibert et Sarvil suivent la même recette en créant à Paris, à partir de 1932, une série d'opérettes dont l'intrigue faite de sentiment et de galéjade est simpliste mais dont la musique due au génie méditerranéen de Scotto est rapidement popularisée par le disque et la radio... et le cinéma parlant en plein essor, dont le genre marseillais devient une des valeurs les plus sûres.

Le stéréotype marseillais qui, jusque-là, n'était que livresque, prend corps, visage et voix avec Raimu, Alibert, Gorlett et une pléiade d'acteurs méridionaux qui brûlent les planches et crèvent l'écran. Par ailleurs, les temps ont changé : le *farniente* et la galéjade se combinent désormais avec un besoin d'évasion touristique qui n'est plus l'apanage des romanciers et des poètes mais touche tout le monde, en prélude au Front populaire et aux congés payés ouvriers. L'exotisme d'un paradis terrestre qui se situerait entre Marseille et Toulon suffit au public des années 30 qui se met à rêver aux loisirs, aux joies simples du cabanon, des boules et du pastis (en vente libre depuis 1932 !).

Hélas pour les Marseillais, passé le premier mouvement de sympathie, c'est leur image négative qui finit par ressortir plus forte que jamais ; celle du Marseillais superficiel, excessif dans ses gestes comme dans ses paroles, paresseux, menteur, joueur, tricheur et, trop souvent, malhonnête.

Soulignée ou à peine suggérée, la présence du milieu dans les pièces et les films marseillais est inévitable car, essentiellement construits sur l'observation de la vie quotidienne, ils ne peuvent ignorer cette réalité. Cependant, la peinture des « gangsters » y est toujours édulcorée, qu'ils soient débonnaires et populaires tel Justin de Marseille, folkloriques et inoffensifs comme les *durs de durs* des opérettes marseillaises, ou même imaginaires, comme le paisible Marius devenu garagiste mais présenté à son fils Césario, élevé à Paris, comme un dangereux bandit.

Marseille n'en est pas moins la ville de perdition pour la tante Zoé ou pour Angèle, la ville des *nervis* maintes fois symbolisée par Berval ou Andrex, la ville où l'on invente la fausse usine de sardines en boîtes de tante Clarisse de Barbentane et où le très bourgeois et très honnête Maître Panisse vend à son ami Monsieur Brun *le Pitalugue*, un bateau qui chavire dès qu'on y pose le pied !... Bien sûr, tout cela est bien loin des Carbone et Spirito, des tristes réalités de la pègre marseillaise, mais n'en a pas moins contribué, derrière le rire, à renforcer la réputation douteuse des Marseillais.

Au total, le « genre marseillais », longtemps mûri, sans cesse perfectionné dans ses formes et dans ses personnages, s'est définitivement retourné contre les Marseillais dans les années 30. À des degrés divers, Pagnol, Alibert, Sarvil et Scotto, Darcelys avec sa *Partie de pétanque* et son *Pastis bien frais* n'ont pourtant été qu'accompagnateurs, et peut-être accentuateurs, d'une dégradation de l'image de Marseille dont les causes, on l'a vu, sont complexes et anciennes.

Depuis cinquante ans, le stéréotype marseillais est resté vivace et n'a plus évolué, d'autant plus caricatural que beaucoup du Marseille traditionnel a disparu dans un processus d'uniformisation accélérée.

TAIS-TOI MARSEILLE !

*L*a ville s'est transformée et change encore tous les jours. Les quartiers traditionnels ont perdu leur intimité sous le flot de la circulation automobile ; la corniche ne serpente plus au milieu des cabanons désormais remplacés par des résidences secondaires dans l'arrière-pays ; la Canebière après avoir perdu ses grands cafés, perd ses cinémas mais récupère ses théâtres ; le métro remplace le tramway, le tunnel sous le vieux port succède au ferry-boat et au transbordeur, l'Alacazar n'existe plus depuis vingt ans..., la casquette blanche ne se porte presque plus, la pétanque est devenue un sport national et la bouillabaisse un plat pour touristes... Et que dire des reconversions portuaires et industrielles ? Le pétrole de Fos remplace le vrac colonial de la Joliette, restituant au port son premier rang en Méditerranée et le deuxième en Europe. Les huiles et savons font place à la Comex, à la haute technologie médicale ou informatique. Tout cela est bien loin du Marseille d'opérette que perpétuent complaisamment les médias nationaux.

Cependant, les vieux démons ne sont pas tous morts, Marseille n'est devenue ni sage, ni parfaite. Avant-hier embarrassée de ses Italiens, elle l'était hier de ses Pieds Noirs, elle l'est aujourd'hui de ses Maghrébins, et aussitôt le problème y prend une résonance plus forte qu'ailleurs. Déstabilisée par la disparition de Defferre, la vie politique y est redevenue agitée et menace sans cesse de tourner au *Clochemerle* électoral. Le vice, le crime et l'insécurité, sans toujours y être plus graves ou plus spectaculaires qu'à Lyon, Nice, Grenoble ou Paris, continuent à tenir une place de choix et défrayent la presse nationale et internationale. Enfin, le patriotisme marseillais, qui n'a plus de César ou de Louis XIV à combattre, reporte sur l'Olympique de Marseille ses débordements populaires.

Autant de faiblesses « coupables » qui font désespérer certains Marseillais d'être un jour « comme les autres », qui nourrissent de leur part une autocritique sans complaisance et, bien entendu, encouragent le maintien de toutes les préventions nationales.

On l'a dit et écrit, aujourd'hui « Marseille est fatiguée d'être Marseille ». Leur mauvaise réputation a fini par faire douter les Marseillais d'eux-mêmes et de leur ville. Ils surveillent la pointe d'accent qui leur reste, trouvent les rues sales, la Canebière sinistre, le petit peuple vulgaire, Pagnol ridicule et Scotto démodé. Pour ne plus entendre les critiques, ils vont au devant de leur interlocuteur et sont les premiers à se dénigrer, sans comprendre que leur droit à la différence est un droit sacré qu'il faut protéger et non pas renier. Vivre depuis 26 siècles au bord du creuset de civilisations qu'est la Méditerranée, avoir appris à lire, écrire et compter au reste de la Gaule, avoir ouvert avec Euthymènes et Pythéas la route des océans, avoir pendant des siècles mis l'Orient et ses richesses aux portes de la France, autant de titres de gloire pour la cité phocéenne qu'aucune autre ville de France ne peut lui disputer. Illustrant sa devise « Actibus immensis urbs fulget » (la ville brille en actions immenses), ils sont des exemples éclairants d'une marginalité positive.

PIERRE ÉCHINARD
Président de l'Institut Historique de Provence.

DANY BOMPA

ET PAGNOL,
PETITS... ?

COMME TOUTES LES PLAISANTERIES, LA PAGNOLADE S'USE

Entre l'ingratitude, l'agacement et l'indifférence, on a le choix. Outre quelques groupuscules d'inconditionnels qui vous parlent, l'œil en émoi et l'accent doucement affûté, de leur attachement à l'enfant du pays, à Marseille, on ne se soucie guère de Pagnol. La pagnolade, perçue comme transfuge anisé de la pantalonnade lourde et grimacière, ne fait plus rire grand monde. Comme toutes les plaisanteries, elle s'use. Surtout quand on la ressert, depuis les premières vociférations de César au Bar de la Marine. C'était en 1929, sur la scène du Théâtre de Paris et le public, conquis, applaudissait à tout rompre la verve pittoresque d'un théâtre « mêlé au jus de bouillabaisse », selon Pierre Brisson. C'était le Midi, ça sentait le pistou, l'accent, les galéjades mouillées de pastis et de larmes, les choses les plus profondes dites avec les mots les plus simples. C'était « Marius ». C'est-à-dire, Marseille. Et Pagnol.

Le succès fut foudroyant, les tournées triomphales, Raimu proclamé génie, et Pagnol, qui avait trois pièces à son actif, *Les marchands de gloire* (1925), *Jazz* (1926) et *Topaze* (1928), s'imposait comme l'un des auteurs les plus talentueux de son époque. Mais la vraie vedette, c'était... Marseille.

Certes, on connaissait la littérature méridionale d'un Mistral ou d'un Daudet, celle, plus âpre, de Giono et de Zola, mais jamais encore, les remparts de Notre-Dame-de-La-Garde n'avaient paru si proches. La France entière s'était promenée à la brise du soir sur le vieux port, entre les sacs de café et les gamins aux pieds nus qui jouent à seb. Elle découvrait une cité vivante, chaude, authentique, aux racines puissantes comme des souches d'oliviers, une ville de négoce, le front offert aux vents chargés d'odeurs, de promesses, d'avenir. Déjà, Pagnol avait tenu à mettre les choses au point : dans *Fanny* (1931) il tente d'en finir avec la légende, tenace, de la bourgade alanguie comme un vieux lézard au soleil, peuplée de fadas au gros ventre, portant la barbe à deux pointes et le casque colonial, nourris à la crème d'oursins et ne s'exprimant qu'avec des « ô bagasse tron de l'air, tron de l'air de bagasse ». Il fait dire à César exaspéré, ces paroles étrangement prophétiques :

« Eh bien, Monsieur Brun, à Marseille, on fait le tunnel du Rove, on construit 20 kilomètres de quai pour construire toute l'Europe avec la force de l'Afrique... ! »

Pagnol aimait Marseille, « sans le savoir », comme il se plaisait à l'écrire, tout en ayant su, paradoxalement, lui restituer sa couleur, son âme, sa richesse. Incomparablement. En composant sa Trilogie, Pagnol n'a pourtant touché à rien. La pagnolade existait bien avant Pagnol, sous d'autres formes, avec d'autres mots, une sorte de littérature populaire et spontanée, trouvant ses origines dans l'expression d'une exubérance proprement latine. Pagnol n'a rien inventé, il a trempé sa plume à la source de choses vues, entendues, vécues, observées. Et les a immortalisées. Rarement fiction et réalité n'auront atteint un tel degré de fusion. C'est là toute la magie de son écriture. Une écriture orale, crachée, qui s'écoute comme on respire, sans y penser. Chaque soir pendant des années, et d'où qu'il fût, le public de *Marius* et de *Fanny* entrait dans le bar de César ou dans la salle à manger provençale de Panisse, comme chez lui. Il s'installait, et y vivait, en famille. Nullement gêné par l'accent du cru, le vocabulaire, ou l'esprit, tout frais émoulus de la Canebière. Marcel Pagnol y gagna une formidable popularité, et Marseille, toute fière, des milliers d'admirateurs, perdus là-haut, dans les brumes du Nord.

Peu importait désormais, le cadre ou le contexte d'un succès dont Marcel Pagnol était l'auteur, l'action de *La femme du boulanger* ou celle de *Manon des sources* se déroule au cœur de quelque petit village de Provence, loin des sirènes du vieux port. Marseille, indéniablement liée à Pagnol, en récoltait les lauriers, d'emblée. Ce n'est que bien plus tard, alors que Pagnol était déjà installé dans sa gloire et pourvu de tous les honneurs, que la petite ville d'Aubagne jouxtant la grande métropole, réclama, tardive, la paternité de son fils prodigue. Marcel Pagnol y était né, le 28 février de l'année 1895, dans l'appartement de fonction qu'occupaient ses parents, au n° 16, cours Barthélémy. Au village de La Treille, à quelques lieues d'Aubagne, rendu célèbre par les tournages de films successifs réalisés par Pagnol, et surtout par les *Souvenirs d'enfance* publiés en 1963, on restait bon enfant. On connaissait Marcel

depuis toujours. Il avait été le pitchoun, puis l'adolescent espiègle, enfin l'ami, très attaché à son petit hameau des « collines », et que chacun aimait en toute simplicité. Aux centaines de curieux qui s'aventurent aujourd'hui sur les pas de Joseph et de l'oncle Jules, on a dressé des avertissements accueillants, annonçant que les propriétés sont désormais privées, avec, pour les récalcitrants, un gardien quadrupède, velu et méchant, tenu de vous le rappeler. Systématique.

Seule, une petite pancarte accrochée à la grille d'une accorte maison, se moque humblement des incommodités de la célébrité. Trois mots d'un humour que n'aurait pas dédaigné Pagnol : « Ici, chien gentil »...

Qu'on se rassure cependant, la « Pagnolie » reste accessible par circuits motorisés et pédestres, organisés par les municipalités d'Aubagne, d'Allauch et de La Treille.

Et Marseille ? En favorite trop courtisée, elle a fini par se lasser. Pas mécontente, sur la fin, que ses petits satellites lui enlèvent un peu de l'attraction pagnolesque. Le folklore à la sauce Escartefigue commençait à lui courir sur les pavés.

Mais on ne passe pas ainsi, de l'affection débordante à la distance respectueuse, sans motifs préalables. Les Marseillais, pour la plupart, en ont ras la coucourde d'être associés au mythe Pagnol et surtout à l'image puissamment déformée, engendrée par les scories folkloriques qui ont contribué à le dénaturer. Marre d'être bassinés avec Marius-Fanny-César, bombardés par l'artillerie lourde de *la gloire de mon père*, sommés de fondre d'intérêt pour des confidences qui ne le sont plus tant elles ont été criées à la cantonade, recueils de galéjades usées jusqu'à la fibre, et autres élogieux rapporteurs de souvenirs d'aïoli...

A-t-on jamais su apprécier Marcel Pagnol à travers toute la subtilité, la profondeur de son talent ? De l'observateur et du moraliste qu'il fut, on en a fait un caricaturiste de boulevard. Parce que son art excellait dans l'authenticité orale et picturale, il est devenu le pondeur de perles attitré aux Bouches-du-Rhône. On a crié au chef-d'œuvre devant ses vers de mirliton et autres niaiseries d'adolescent lunaire. A-t-il été à court d'inspiration ? Qu'importe, ses fadeurs ou notes distraites griffonnées en coin de table seront proclamées sublimes avec la plus entière mauvaise foi, de ses fours les plus cuisants, on fera des gorges chaudes. Sans faire la part des choses. Comme l'enfant prodigue que l'on condamne à la réussite totale et permanente, pour la bonne commercialisation de son image.

De l'auteur des comédies les plus fines, qui comme nul autre savait distiller le rire et l'émotion, la cruauté et la tendresse, le réalisme et l'imaginaire, on n'a retenu, bien souvent, que la grosse farce digne des bateleurs qui, jadis, débitaient leurs galimatias sur le pont Neuf et ravissaient un public inculte. La formidable popularité de Pagnol a été outrageusement exploitée par ceux qui l'ont couronné roi du mélo et de la galéjade. Un Pagnol pour touristes débarqués sur le vieux port, persuadés qu'ils entendraient Raimu tonitruer ses invectives, et qu'ils verraient une Honorine mourir d'estransi derrière son étal de rascasses.

Il serait ridicule de vouloir au prix d'on ne sait quel snobisme intellectuel, ôter à Marcel Pagnol ce qui représente la quintessence de son œuvre et le génie de son écriture. Pagnol, auteur comique a très longtemps été qualifié de « gentillet », « léger », « facile », avec cette petite pointe dédaigneuse qui jugera l'opérette inférieure à l'opéra, et élèvera la tragédie bien au-dessus de la comédie. Le grand Molière lui-même rêvait de drames en alexandrins, s'y essaya sans succès, et ravalait son amertume quand ses rivaux, le vieux Corneille et Racine, l'impétueux, triomphaient à l'hôtel de Bourgogne. Les genres sont incomparables, mais son génie souffrait de la dépréciation, instinctive, de ce qui est risible par rapport à ce qui est sérieux. Rivalité absurde, qui perdure pourtant, rancœurs et clichés s'accumulent : les auteurs comiques évincés par les créateurs dramatiques parlent d'élitisme et de masturbation cérébrale. Quand l'inverse se produit, le clan tragique se montre condescendant, évoque l'acte de charité.

Pour Pagnol, fêté par des adaptations théâtrales, cinématographiques et une relance littéraire en 85/86, après une longue période de quasi-indifférence, on a parlé de réhabilitation. On le classe désormais, parmi les classiques.

A-t-on donc ignoré, toutes ces années, le poète élégiaque disciple de Virgile, le dramaturge, l'érudit, le moraliste, le pamphlétaire et l'écrivain extrêmement puriste qu'il fut... ?

DANY BOMPA

Écrivain, auteur d'un livre sur Marcel Pagnol.

CHRISTIAN BROMBERGER

LES DIEUX

DE L'OHÊME[1]

IL N'EXISTE PAS UNE VILLE EN FRANCE OÙ LE CLUB DE FOOTBALL SUSCITE AUTANT DE FERVEUR, DE COMMENTAIRES PASSIONNÉS, DE POLÉMIQUES, VOIRE DE DRAMES.

À chaque étape du trajet dans la cité, on ressent le même enthousiasme : dans les bars de quartiers où se forment les groupes de supporters, où l'on discute à n'en plus finir de la composition de l'équipe, où se colporte la mémoire du club ; au stade-vélodrome, bien sûr (mieux vaudrait dire à l'OM car à Marseille on ne va pas au stade, on va à l'OM), où le nombre de spectateurs est régulièrement supérieur à celui d'autres métropoles régionales comparables ; dans les pages de la presse locale où, au palmarès des sujets traités, l'OM occupe la première place... S'il est un objet de consensus, un seul, dans cette ville divisée et en crise, c'est bien le succès de l'équipe de football. Fait exceptionnel et hautement significatif, les subventions versées à l'OM ont toujours été votées à l'unanimité des groupes composant le conseil municipal.

LE STADE,
UN MIROIR DE LA VILLE

*L*ieu de spectacle d'une pratique sportive, le stade est aussi le lieu du spectacle d'un spectacle, celui offert par le public. Par son ampleur et par sa forme en anneau, cet espace est un des seuls où une société urbaine, à l'échelle des temps modernes, peut se donner une image sensible de son unité mais aussi de ses différenciations. À chaque grand match de l'OM, la population marseillaise se donne ainsi en représentation, offrant, en raccourci, le spectacle de ce qui la cimente et la compartimente. S'agit-il vraiment d'un miroir fidèle ? Écartons d'emblée deux objections, colportées par des images conventionnelles : le public du stade-vélodrome, comme toute foule sportive, formerait une masse invertébrée où les différences de statut entre spectateurs s'annuleraient dans la joie festive d'être ensemble. Les amateurs de football seraient issus en grande majorité de la classe ouvrière et, à ce titre, l'OM serait le porte-étendard exclusif du « Marseille populaire ». Images déformantes qu'une analyse, tribune par tribune, voire travée par travée, vient sérieusement démentir. En fait, le stade offre, en réduction, un calque fidèle de la structure sociale et spatiale de la cité. Dans les gradins, les cadres supérieurs, les professions libérales, les chefs d'entreprises, les artisans et les commerçants sont à peu près autant représentés que dans la cité ; légère sous-représentation des cadres moyens et... des ouvriers ; nette surreprésentation des petits employés.

Par ses origines résidentielles, le public du stade offre aussi une image fidèle de la structure de la ville : les différents quartiers sont représentés à proportion de leur importance démographique respective (avec toutefois une légère surreprésentation des « beaux quartiers », ceux du sud).

Bref, l'engouement pour l'OM est un phénomène spatialement et socialement généralisé. Il ne se limite pas à la seule ville de Marseille, confirmant l'attraction de la métropole pour la population régionale. Si 60 % des spectateurs résident dans la ville, 20 % viennent des zones industrielles situées dans un rayon de cinquante kilomètres autour de l'agglomération : le bassin minier de Gardanne, La Ciotat, mais surtout la région de l'étang de Berre où se sont implantés dans les années cinquante d'importants complexes pétrochimiques et sidérurgiques, drainant de nombreux ouvriers marseillais. Pour ces « exilés », « venir à l'OM » constitue une sorte de pèlerinage, un retour aux origines. Fait significatif, de toutes les sections du Club central des supporters de l'OM, c'est celle de Marignane qui compte régulièrement le plus de membres. Mais l'attraction du club ne se limite pas au département des Bouches-du-Rhône ; une minorité non négligeable (10 % environ) des fidèles vient du Vaucluse, du Var, des Alpes-de-Haute-Provence, bref des départements provençaux. En définitive, seules les différences de sexe et d'âge sont très nettement accusées lorsqu'on compare les profils du public et de la population : 85 % des spectateurs sont des hommes, et des hommes jeunes (65 % ont de 15 à 39 ans contre 37 % dans la population de la ville).

NORDISTES
ET SUDISTES

Comment les spectateurs se répartissent-ils dans l'espace annulaire du stade, cloisonné en tribunes, virages, quarts de virages, demi-virages, etc. ? Un trait frappe d'emblée : la géographie sociale de la cité se projette *grosso modo* sur celle du stade, offrant une carte vivante et en modèle réduit de la ville dans toute sa complexité, une théâtralisation expressive des rapports sociaux et vicinaux.

Premier grand partage, entre les virages nord et les virages sud, reproduisant le grand clivage qui façonne la cité. Au nord, se

regroupe un public jeune, scolaire et ouvrier, issu en forte proportion des quartiers et des banlieues populaires du nord de la ville :
L'Estaque, Saint-Louis, Saint-Antoine, Sainte-Marthe... Parmi eux, on
compte bon nombre de jeunes « beurs » dont les pères, en revanche, fréquentent peu le stade. Comme si l'adhésion à l'OM était un
baromètre de l'intégration à la cité et la présence au stade une sorte
de rite de passage sur ce chemin. Ce public jeune des quartiers nord
forme une cohorte bruyante, passionnée, démonstrative et facétieuse.
Sous les panneaux d'affichage des résultats qui se dressent au centre du virage, se tiennent les supporters les plus ardents, organisant une indescriptible mêlée quand l'OM marque un but. Ici, les
corps se fondent dans la masse, formant une vague solidaire qui se
balance au même rythme quand l'équipe gagne ou domine. Les laz-
zis.. et les objets les plus divers fusent du haut des gradins dans
une atmosphère festive, désordonnée. Le nord est fortement conscient de ce qu'il représente dans le stade et dans la cité : il expose
aux regards une immense banderole sur laquelle est inscrit *North
Yankee Army*, emblème symbolisant une appartenance territoriale
mais aussi, de façon diffuse, idéologique. Pour un jeune supporter
des quartiers nord, quitter « son virage » n'est pas un geste anodin
mais correspond, nous y reviendrons, à un changement dans sa vie
personnelle ou sociale. Au nord, deux types de joueurs jouissent
d'une forte popularité : le joueur lui-même originaire des quartiers
nord, « mouillant le maillot », allant au contact, tel les saisons pas-
sées, José Anigo, célèbre pour son jeu rude et ses démêlés avec les
arbitres (de façon significative, les clubs des quartiers nord de Marseille, à l'inverse de ceux du sud, sont réputés pour leur jeu dur) ;
la vedette étrangère, prisée par l'ensemble du public, mais qui jouit
ici d'un aura maxima, tel Joseph-Antoine Bell, gardien camerounais,
fantasque et spectaculaire, capitaine de l'équipe de 1986 à 1988,
figure emblématique du cosmopolitisme idéal de la cité.

Jusqu'à la fin de la saison 1985-1986, les « ultras », groupe de jeunes supporters les plus démonstratifs et les mieux organisés, occupaient un espace bien délimité dans cette partie nord du stade. Au
début de la saison 1986-1987, ils décidèrent d'investir le virage sud
et d'y établir leur territoire. Cette migration dans l'espace du stade
fut l'objet d'âpres discussions et vécue par certains, originaires des
quartiers nord, comme un arrachement. « Ça m'a fait mal. Je suis
de La Rose — un quartier du nord-est de la ville — et depuis que
je suis tout petit, je viens aux virages nord. Depuis le début de cette
saison, quelque chose s'est cassé », nous confiait l'un d'entre eux.
En fait, cette migration tient aux projets, aux ambitions, à la composition sociale de ce groupe de jeunes supporters. Peu nombreux
à leurs débuts, ils s'étaient installés dans la partie la plus turbu-
lente du stade. Organisés, reconnus, ils gagnèrent un espace plus
conforme à leurs origines (beaucoup sont étudiants résidant dans
les quartiers sud de la ville) ou à leurs aspirations. Cette partie du

Cette carte et les suivantes ont été réalisées sur la base d'une enquête menée auprès de 640 spectateurs lors du match 0. 4.-Lens, le 22 mai 1987. Traitement des données et cartographie automatique effectuées avec la collaboration de J.D. Gronoff et R. Cagnasso (IMEREC, Marseille). En légende de chaque carte les différentes classes de pourcentage, représentées par des trames plus ou moins unies et foncées.

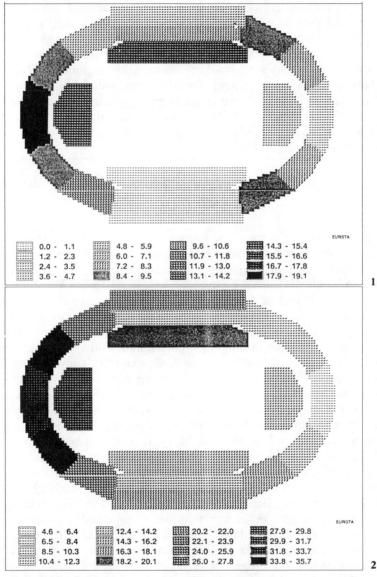

1. Le public d'origine maghrébine dans le stade. *Forte présence des jeunes « beurs » dans le virage nord du stade (à gauche sur la carte) où se regroupe un public issu en majorité, des quartiers populaires du nord de la ville.*

2. Au nord, le nord. *La géographie sociale de la ville se projette sur celle du stade : présence massive des habitants des quartiers nord (13e, 14e, 15e et 16e arrondissements) dans la partie nord du stade.*

stade est, en effet, occupée massivement par un public issu des quartiers résidentiels du sud de la ville ; les « cols blancs » y sont largement plus représentés que les « cols bleus ». L'itinéraire personnel du fondateur du groupe est particulièrement révélateur du sens de cette transition du nord vers le sud : fils d'un immigré italien, il est né dans un quartier du nord de la ville ; aujourd'hui, installé dans la vie, il habite au sud-est de l'agglomération et ne se sent plus guère d'affinités avec le public du virage nord. À la banderole *North Yankee Army* répond l'hymne sudiste qu'entonnent les « ultras » et qui n'est pas dépourvu non plus de résonances idéologiques (ne l'en surchargeons pas pour autant). Paradoxe marseillais, plein de sens cependant si l'on considère la géographie sociale de la cité : le sud de la Méditerranée s'identifie au nord de la ville et au mythe nordiste, le nord de la Méditerranée davantage au sud de l'agglomération et au mythe sudiste...

VENT D'EST, VENT D'OUEST

Il existe un autre grand partage dans l'enceinte du stade : celui entre la tribune ouest (Jean Bouin) et la tribune est (Ganay). Bien que le prix des places y soit voisin, le contraste est net entre les deux publics. Ganay, c'est en un sens le refuge du Marseille profond. C'est là que se regroupent, en plus forte proportion, les artisans, commerçants, petits patrons, cadres moyens, ouvriers qualifiés portant volontiers la casquette, ce symbole de l'âge mûr. On vient ici souvent en famille : quelques femmes au verbe haut émergent de ce public attentif, connaisseur, exigeant, commentant chaque phase de jeu au point qu'une rumeur permanente accompagne le déroulement de la partie. « Ganay c'est les vrais », dit-on sous forme d'hommage à un supporterisme avisé. On aime ici à employer des expressions marseillaises bien frappées, à l'adresse des joueurs ou de l'arbitre : « Tête de gobi, lui ou degun c'est pareil, il se fait des ganses, le pauvre ! » Ce public apprécie tout particulièrement les joueurs sérieux, brillant davantage par leur sens tactique que par leur fantaisie ou leur force. Lors de la saison 1985-1986, c'est à Ganay que Jacky Bonnevay, alors capitaine de l'équipe, réputé pour la sobriété de son jeu et son sens des responsabilités, obtenait sa meilleure cote de popularité. En 1987, c'est Alain Giresse, remarquable tacticien, qui est le plus apprécié dans cette tribune, alors que J.-A. Bell devance tous les autres joueurs dans le public des virages. Bonnevay, Giresse, ces « petits patrons » n'exhibent-ils pas sur le terrain des valeurs similaires à celles que prisent, dans leur univers professionnel, les spectateurs de Ganay ?

Face à Ganay, Jean Bouin, tribune la plus prestigieuse, regroupant, au moins aux places de première série, une forte proportion

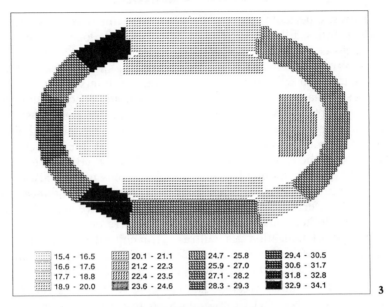

3

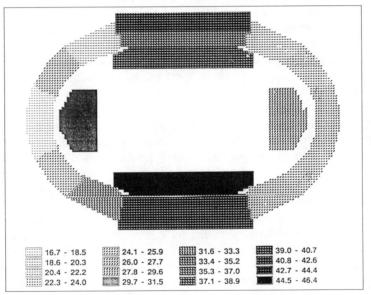

4

La popularité relative de deux vedettes. 3. *J.A. Bell, spectaculaire goal camerounais, idole des virages (en particulier du virage nord);* **4.** *A. Giresse, patron sur le terrain, héros des tribunes (en haut Ganay, en bas Jean Bouin).*

de cadres supérieurs, patrons de l'industrie, membres des professions libérales. Elle est surmontée de boxes et de loges, récemment aménagés et loués à l'année par des sociétés (de service et de commerce surtout, témoignage, parmi d'autres, de la faiblesse du tissu industriel de la ville) pour leurs employés méritants ou des clients qu'elles souhaitent séduire. Au centre, la tribune officielle dont les places des premiers rangs sont réparties selon une rigoureuse hiérarchie entre les détenteurs du pouvoir politique (maire, adjoints, etc.) et du pouvoir sportif. Jean Bouin est souvent la cible des quolibets du public des autres tribunes et gradins : on stigmatise volontiers ses spectateurs que l'on juge guindés, moins marseillais, « parlant pointu ». On les conspue pour leur manque d'enthousiasme quand ils interrompent, par leur réserve, un mouvement d'ensemble du stade, telle une « ola »[2] ; celle-ci démarre en général dans le virage sud à l'instigation des « ultras », franchit difficilement Ganay, s'amplifie dans le virage nord avant de retomber, voire de s'interrompre quand elle atteint le seuil critique de Jean Bouin.

Dans cette tribune prestigieuse on apprécie aussi les fins tacticiens sur le terrain, tel Giresse, mais on réserve une faveur particulière aux joueurs élégants. En 1985-1986, l'OM comptait dans ses rangs un Danois, Kenneth Brylle, qui ne fit pas de miracles. Le public populaire, rapidement désenchanté, le surnomma « Canette ». Terriblement inefficace pendant l'année qu'il passa à Marseille, il n'eut guère de supporters. Mais c'est parmi les spectateurs huppés de la tribune Jean Bouin que ce joueur de luxe recueillait le plus de faveurs.

Ces espaces, dessinés par la morphologie du stade, se décomposent eux-mêmes en unités plus restreintes (travées, rangs...) où se regroupent, rencontre après rencontre, les habitués d'un même bar, des camarades de travail ou des membres d'une société dont les places sont totalement ou partiellement payées par le comité d'entreprise : ici, dans la tribune Ganay, plusieurs centaines de dockers se retrouvent, match après match, dans les mêmes travées ; là, les employés de la Sécurité sociale ; ici des ouvriers de l'Aérospatiale de Marignane, là le personnel de tel grand hôpital... Ces regroupements volontaires s'opèrent parfois par affinité d'origine : ainsi des « Pieds Noirs » résidant dans différents quartiers de la ville, se retrouvent régulièrement dans telle ou telle travée.

Notons, par parenthèse, qu'il s'agit là d'une population qui s'est fortement identifiée à la ville et est tout aussi fortement représentée dans l'enceinte du stade.

Projection de la ville dans sa complexité et ses différences, projection aussi du cycle de la vie. Un jeune garçon des quartiers nord commencera sa « carrière » sous les panneaux d'affichage du virage nord ; fiancé ou marié, il s'installera dans les quarts-de-virage ; devenu artisan ou commerçant, il fréquentera la tribune est. Ainsi, sa vie bouclée, peut-être aura-t-il fait le tour du stade...

Si le stade est bien un lieu de consensus, il est tout autant, on le voit, un lieu d'affirmation, voire de prise de conscience, de contrastes et d'oppositions. À l'image de la ville, un creuset de différences, en somme.

DROIT
AU BUT

Chaque club a son style, enraciné dans la durée, marque propre de l'imaginaire d'une collectivité, reflet d'une vision particulière du monde, des hommes, d'une cité. Le style de la Juventus de Turin est ainsi symbolisé par les trois S : *simplicità, serietà, sobrietà*, devise inventée par E. Agnelli, président de la Fiat et du club, des années vingt à la fin des années cinquante, et qui résume un projet de société. Le style de jeu que l'on prise à Marseille est, pour ainsi dire, la réplique inverse de celui que l'on prône dans l'industrieuse cité piémontaise. On apprécie ici le panache, le fantasque, la virtuosité, la facétie, l'efficacité spectaculaire, autant de schèmes dominants de l'imaginaire local. La devise du club est, dès ses débuts, en 1898 : « Droit au but ». Des vers de mirliton, composés à la gloire du club à l'occasion de sa première victoire en Coupe de France, en 1924, soulignent et vantent cette singularité du style de l'équipe et donc de la ville : « Oui, du football académique / Nous sommes inintelligents », proclame le poète qui demande aux joueurs de continuer à pratiquer « un football preste / Parsemé d'exploits truculents ». Et il est vrai que ce goût pour le spectacle, l'exploit inattendu, reflète et modèle partiellement le destin de l'équipe à travers l'histoire : l'OM est davantage un club de Coupe (qu'il a remportée neuf fois) que de championnat, véritable course de fond qui demande plus de calcul, de régularité, de discipline, toutes qualités qui seraient étrangères au style local. Les choix des entraîneurs sont âprement discutés quand ils évincent des attaquants aux dribbles déroutants pour adopter une tactique trop rigoureuse et défensive. Ce sont des joueurs spectaculaires et virtuoses qui occupent, dans le présent comme dans la mémoire, la tête du palmarès établi par le public : en 1985-1986, J.-A. Bell, goal fantasque, amateur de sorties aériennes et de gestes spectaculaires, surnommé la « panthère noire ». Hier, une pléiade de vedettes dont on se remémore avec ferveur les exploits fantasques et éblouissants : Crut qui, raconte-t-on, brisa un poteau tant son tir était puissant ; Vasconcellos, goal brésilien, lui aussi spectaculaire, surnommé « el jaguar » ; Aznar qui, lors de la finale de la Coupe en 1943, frappa le ballon avec une telle force que les filets furent troués ; plus près de nous, ces attaquants virevoltants et percutants que furent Ben Barek, Andersson, Magnusson, Skoblar, etc.

Ce goût pour la facétie et la virtuosité spectaculaire établit, dans le registre de l'imaginaire, une connivence entre Marseille et les autres métropoles méridionales de l'Europe (tout sud étant relatif) : on prise à Naples et dans les villes d'Andalousie le même style de jeu qu'à Marseille, qui s'oppose à la manière rigoureuse de la Juventus de Turin, en Italie, et des clubs basques et catalans en Espagne.

La popularité des dirigeants du club, si elle tient d'abord au succès de l'équipe, repose aussi sur leur capacité à incarner les dimensions imaginaires où l'on se plaît ici à se reconnaître : la malice, la facétie, les éclats contribuèrent à la renommée de Marcel Leclerc, président de l'OM aux temps les plus glorieux du club (1969-1972). Ainsi se souvient-on encore aujourd'hui qu'à la suite du doublé historique de 1972 (Coupe/Championnat), celui-ci plongea dans le vieux port, fêtant sur un mode burlesque, l'exploit de son équipe.

L'accueil chaleureux réservé par la population marseillaise, en 1986, à Bernard Tapie, actuel président du club, tient d'abord aux promesses de renouveau et de succès sportifs qu'une telle présence à la tête de l'OM laissait espérer ; mais sa popularité n'aurait sans doute pas été aussi rapide si les qualités que le nouveau dirigeant se plaisait alors à exhiber n'avaient recoupé les stéréotypes de l'imaginaire marseillais : le sens du spectacle et les trois R (rêve, risque et rire) dont il a fait sa devise, contrepoint aux trois S austères de la famille Agnelli.

Au style de jeu sur le terrain, correspond un style de supporterisme qui porte lui aussi l'empreinte de la culture locale : une rhétorique facétieuse et frondeuse, riche en inventions verbales, en jeux de mots et en expressions imagées, un goût particulier pour défier l'adversaire et l'arbitre en stigmatisant leur manque de virilité, une ironie féroce à l'égard des siens quand ils déméritent et portent atteinte à l'honneur de la ville. S'y ajoute à chaque épisode de l'histoire du club, fertile en crises, une dramatisation emphatique de l'événement.

L'AURA
DES « ADOPTÉS »

Comme le style de jeu et le style de supporterisme, la composition de l'équipe, telle qu'on l'a conçue dès les origines du club, apparaît comme la métaphore d'un mode spécifique d'existence collective. Celle-ci a balancé, au cours de l'histoire, entre deux formules extrêmes, symbolisant les contradictions constitutives de l'identité de la ville. D'un côté, l'appel à des joueurs locaux, de l'autre, formule la plus prisée, le recrutement de vedettes étrangères. À une seule période, de 1981 à 1984, la ville s'est véritablement identifiée à une équipe composée uniquement de joueurs du cru, quand les « minots », issus du centre de formation du club, permirent à l'OM de remonter en première division. La popularité de ces jeunes joueurs tenait largement à leur autochtonie, que l'on se plaît à rappeler : « Caminiti était de Saint-Antoine, de Falco du Canet, Flos de Sainte-Marthe, Anigo de Saint-Louis », autant de quartiers du nord de l'agglomération, véritables fiefs du patriotisme marseillais. Faut-il souligner — la consonance même de leurs noms l'évoque —, que ces « purs Marseillais » sont eux-mêmes issus de vagues migratoires (italiennes, espagnoles) constitutives de l'identité de la ville ? Mais ce cas de figure — la représentation de soi par soi —, objet d'un consensus fugitif, s'efface dans l'histoire du football à Marseille derrière la formule opposée, la représentation de soi par l'autre. Sans doute doit-il toujours y avoir dans l'équipe un ou plusieurs joueurs du cru, garants de l'identité locale.

Mais ceux qui, à travers le temps, recueillent le plus de faveurs sont incontestablement les vedettes étrangères qui, après avoir donné des gages publics de leur « adoption » (déclarations valorisant Marseille, pèlerinage ostentatoire à Notre-Dame-de-la-Garde), ont pour mission de « faire honneur à la ville ». Dès ses origines, mais surtout à partir des débuts du professionnalisme en 1932, l'OM pratique une politique de recrutement de talents étrangers, associant des joueurs d'Europe centrale et d'Afrique du Nord pour former une équipe spectaculaire. De cette première période du professionnalisme (de 1932 à la guerre), les vieux supporters ont conservé, vivace, le souvenir des Hongrois Eisenhoffer et surtout Kohut (« la foudre »), de la « perle noire » nord-africaine Ben Barek (grand dribbleur s'il en fut). Des équipes d'après-guerre émergent les figures du Suédois Andersson (« Monsieur un but par match »), plus près de nous des Brésiliens, Paulo Cesar et Jaïrzinho, mais surtout, battant tous les records, celles du Suédois Magnusson et du Yougoslave Skoblar, membres tous deux de la formation qui remporta le doublé en 1972. Il est remarquable que des joueurs français qui ont pourtant joué un rôle majeur dans le succès du club (Bonnel, Bosquier, Trésor, Carnus, dans les vingt dernières années par exemple) soient moins présents dans la mémoire des supporters. On arguera que les vedettes étrangères furent, pour la plupart, des attaquants et que c'est à ce titre qu'ils doivent leur supplément de popularité dans une ville où l'on aime le football spectaculaire. Mais cet argument n'emporte pas la conviction : d'une part, parmi les « oubliés », on compte bon nombre de joueurs français (Zatelli, Dard, Pironti...) qui occupent une excellente place dans le palmarès des buteurs de l'équipe ; d'autre part, on l'a dit, c'est un goal, mais étranger, qui, en 1985-1986, recueillait le plus de faveurs auprès des supporters. En fait, à qualités égales, le joueur étranger possède invariablement une aura supérieure à celle du joueur indigène.

Ville-port méditerranéenne, la cité phocéenne se caractérise — faut-il le souligner ? — par le cosmopolitisme de sa population. L'image de l'étranger y est double : d'un côté, celle, dévalorisée, de l'immigré pauvre, arrivé en masse pour gagner sa vie sur le port, dans l'industrie et le négoce. De l'autre, celle de l'étranger, venu de la mer, fondateur de la ville, porteur de richesses matérielles et symboliques, de gloire et de prospérité, capable de hisser très haut l'image d'une ville « en or, injustement méprisée ». C'est à ce second registre que se rattache dans l'imaginaire marseillais la figure de la vedette étrangère, symbole du cosmopolitisme idéal, où la présence de l'autre serait source d'honneur et de richesse, non de conflit et de stigmatisation. Ce culte du joueur étranger adopté ne traduit-il pas aussi la prédominance du *jus soli* sur le *jus sanguinis*[3] dans cette frange de l'Europe ? En tout cas, il participe tout à la fois du sens méditerranéen du défi et de l'honneur, et d'une histoire singulière : s'attacher les meilleurs, même au prix de la ruse, faire célébrer sa propre identité par les autres, c'est à la fois affirmer sa suprématie, sa force d'attraction et répéter, sur un mode idéal, une histoire façonnée par de puissants mouvements migratoires.

Creuset de différences qui s'affichent, théâtre où s'affirme une identité imaginaire, célébrée avec d'autant plus de ferveur qu'elle est bafouée de l'extérieur, le stade s'offre comme un miroir de la ville, de ses rêves, de ses drames, de son étonnante bigarrure.

——— *CHRISTIAN BROMBERGER* ———

Maître de conférences d'ethnologie à l'Université de Provence (Aix-en-Provence), co-responsable de l'Unité de Recherche du CNRS « Ethnologie des pays de la Méditerranée nord-occidentale ». Ses travaux portent sur les fondements, les modes d'expression et d'affirmation des identités collectives en Provence et dans le nord de l'Iran, thèmes auxquels il a consacré plusieurs livres et articles.

1. Les données présentées ici ont été recueillies au cours d'enquêtes menées avec la collaboration de Alain Hayot et Jean-Marc Mariottini. La recherche que nous conduisons sur l'engouement pour les clubs et les matchs de football dans différentes métropoles méditerranéennes est soutenue par la Mission du Patrimoine Ethnologique (ministère de la Culture) et par la RCP 718 du CNRS (« Ethnologie des pays de la Méditerranée nord-occidentale »). On trouvera un premier bilan de ce travail dans « Allez l'OM ! Forza Juve ! La passion pour le football à Marseille et à Turin » (C. Bromberger, A. Hayot, J.-M. Mariottini, *Terrain* n° 8, avril 1987).
2. *Ola* : de l'espagnol « vague ». Mouvement collectif très prisé en Amérique latine.
3. *Jus soli* : citoyenneté par la naissance sur le sol ; *jus sanguinis* : citoyenneté par le sang.

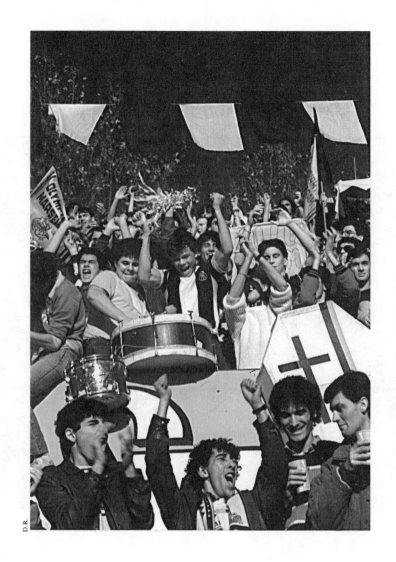

F. BUSCHARDT

5

CRÉER

Marseille change incontestablement. La vie y est moins brutale qu'il y a une décennie. Des créateurs y sont pour beaucoup qui ont tenté naguère de remonter la pente d'un semi-désert culturel. Marseille qui bouge...

LES VITAMINES ET L'INTELLIGENCE

entretien avec
—————— *FRANÇOIS KOURILSKY* ——————

FRANÇOIS KOURILSKY, DIRECTEUR DE RECHERCHE À L'INSTITUT NATIONAL DE LA SANTÉ ET DE LA RECHERCHE MÉDICALE (INSERM) A CRÉÉ AVEC JEAN-CLAUDE CHERMANN UN LABORATOIRE DE RECHERCHE SUR LE SIDA À MARSEILLE. IL A FONDÉ ET DIRIGÉ DANS CETTE VILLE, JUSQU'EN 1985, L'INSTITUT D'IMMUNOLOGIE (CENTRE D'IMMUNOLOGIE INSERM-CNRS DE MARSEILLE-LUMINY). IL A ÉGALEMENT ÉTÉ L'INITIATEUR EN 1981 DE LA SOCIÉTÉ IMMUNOTECH SA. PRÉSIDENT DES ASSISES RÉGIONALES DE LA RECHERCHE ET DE LA TECHNOLOGIE EN 1981-1982, ET PRÉSIDENT DE L'ASSOCIATION (AARRT) QUI LUI A FAIT SUITE, IL EST PARTICULIÈREMENT QUALIFIÉ POUR ÉVOQUER LE DYNAMISME DE MARSEILLE.

Je suis toujours stupéfait lorsque j'entends : « À Marseille, on ne peut rien faire. » Cette rumeur ne proviendrait-elle pas de ceux qui, précisément, ne font rien ?

Si vous regardez bien, vous décèlerez toute une série de premières à Marseille. Lorsque nous avons fait une étude, à partir des données du ministère de la Recherche et de la Technologie et du ministère des Finances, pour relever les indicateurs de la recherche industrielle en région Provence-Côte-d'Azur, nous nous sommes aperçus que cette région était en réalité l'une des plus dynamiques de France. Ce fait a pu être établi sur les indices suivants : augmentation du crédit impôt-recherche, augmentation du nombre d'emplois dans la recherche, croissance du nombre de bourses CIFRE, accroissement du nombre des aides accordées par l'Anvar aux entreprises innovantes.

Il est certain que la situation géographique de Marseille constitue, entre autres facteurs, un atout. Encore faut-il jouer cet atout au bon moment lorsqu'on veut gagner la partie ! Si Marseille aspire à devenir la « capitale de l'Europe du Sud », ce que j'espère profondément, il faut savoir qu'elle n'est pas la seule à revendiquer ce titre. On attend Marseille sur ses réalisations concrètes.

J'ai toujours été très étonné en présentant des réalisations effectuées de constater à quel point les Marseillais étaient dubitatifs sur eux-mêmes. Qu'un journal national fasse mention d'événements positifs sur la ville, tous se montrent ravis, mais aussi surpris. Les capacités de cette cité souffrent de son scepticisme et de sa dévalorisation. Cet état de fait est préjudiciable au développement de l'image de marque de la ville. Celle-ci a tendance à s'autodétruire. Le discours sur Marseille reste coloré d'un folkore historique, archaïque, certes très sympathique, mais dangereusement réducteur et inadapté. L'image de marque de la ville ne peut rayonner à l'extérieur que si elle est vécue brillante de l'intérieur.

Marseille doit sortir de son scénario « tête de Turc », elle a trop alimenté l'humour des autres. C'est facile, la ville est très typée, riche en extrêmes, défauts et qualités, propice à la caricature. Le discours repose sur trop de poncifs et de mythes, il a besoin d'être radicalement réactualisé et recadré, car très souvent démenti par les statistiques et les faits.

Prenons deux bruits qui courent toujours. L'insécurité ? Par rapport à la population, le nombre des agressions montre que Marseille est loin d'être en première position parmi les villes françaises. Le travail ? Les Marseillais travailleraient moins que les autres ? Testez les heures d'ouverture et de fermeture des entreprises, ne serait-ce qu'en appelant des interlocuteurs ! On travaille dur à Marseille.

Les forces marseillaises d'entreprendre sont indubitablement vives, peut-être aussi vives que ses forces destructrices.

L'esprit d'entreprise est-il suffisamment soutenu par la classe politique ? Je vais reprendre une phrase imagée de Michel Hidalgo : « S'il faut à Marseille une équipe dirigeante qui veut marquer des buts, on ne voit pas comment elle pourrait le faire si les membres de l'équipe se font des crocs-en-jambe. » L'importance prise par ce que j'appelle le « théâtre politicien », par rapport à la « saine politique », est en effet réellement dommageable. Dans l'état actuel des choses, les hommes politiques ne sont pas exclusivement les mieux placés pour renouveler l'image de marque de la ville. S'il existe dans cette cité des hommes politiques de grande qualité, leur parole est devenue quelque peu suspecte. Le discours de l'extrême semble seul diffusé.

Un médiateur crédible dans cette cité, un homme d'ouverture et de consensus, les journaux marseillais n'en font pas mention.

Pour redorer l'image de Marseille, il faudrait concevoir une déclaration commune de l'ensemble des personnalités de la ville. Impensable ? Et pourtant... Il devient nécessaire que la ville s'appuie sur un groupe de responsables et d'hommes d'action apparaissant comme extérieurs au milieu politicien.

Le rêve, pour beaucoup, serait que les hommes politiques orchestrent la ville sur une même harmonie. Le seul discours qui actuellement ait cours ressemble au discours gaullien des années 60 : moi ou le chaos, si ma politique n'est pas appliquée, ce sera l'horreur. C'est exact si se développaient la violence et l'exclusion prônées par le Front national. Mais ce discours actuel n'est qu'un discours d'évitement, il lui manque un moteur, celui d'un projet de cité.

Pour promouvoir l'image de marque de Marseille, il est indispensable de conjuguer cohérence et cohésion entre les différents acteurs de la ville : municipalité, chambre de Commerce et d'Industrie, conseil général, conseil régional. Il n'y a pas de communauté urbaine à Marseille. Comment peut-il y avoir un développement économique dans une ville saturée ? Ce n'est pas à Marseille intra-muros qu'on installera des entreprises, c'est sur toute la périphérie. Marseille bénéficie d'un énorme potentiel public de recherche, un des meilleurs et des plus complets de France, très dynamique dans certains secteurs, parfaitement à même d'apporter les vitamines et l'intelligence pour l'innovation nécessaire aux entreprises high-tech qui s'implanteraient. Les atouts sont véritablement considérables, les demandeurs d'emploi très nombreux. Une motivation exacerbée existe dans la population. Marseille a de remarquables points forts à exploiter, de fascinantes faiblesses à surmonter. *(Propos recueillis par Autrement.)*

ODILE QUIROT

UNE IDENTITÉ

MAL AIMÉE

VILLE D'EXIL OU D'ANCRAGE ? RÉACTIONNAIRE OU RÉSOLUMENT COSMO-POLITE ? PROVINCIALE OU EUROPÉENNE ? MARSEILLE SE SENT MAL AIMÉE, MAL CONNUE. ELLE SE CHERCHE UNE IDENTITÉ, NON SANS FRILOSITÉ. COMMENT NE PAS ÉPROUVER ICI PLUS QU'AILLEURS LA SANCTION DE CER-TAINS VOTES COMME UN ÉCHEC CULTUREL ?

« Marseille la douce »... C'est le titre d'un article ancien, d'Edmonde Charles Roux pour la revue *Décoration Internationale*. Il est assez révélateur de ces « années Defferre » où la culture progresse à pas feutrés, tente de donner à la ville une image d'elle-même valorisante — par tradition, dit-on, la grande bourgeoisie délaisse sa cité — où l'on parie sur les valeurs sûres plus que sur l'aventure. C'est l'époque où Marseille se dote d'une première génération d'institutions : l'opéra, le ballet Roland Petit. Pour le reste, la ville se satisfait d'un réseau socio-culturel fait de bonnes volontés. Et elle résiste avec opiniâtreté à la grande aventure de la décentralisation théâtrale qui innerve alors Lyon tout aussi bien que Saint-Étienne ou Grenoble. L'action pionnière d'Antoine Bourseiller au théâtre Quotidien de Marseille reçoit le soutien de l'État, fascine les intellectuels de la France entière, mais, sur place, se taille une réputation d'élitisme. Antoine Vitez, Vivianne Theophilidès, plus tard Philippe Caubère (un enfant du pays, le Molière d'Ariane Mnouchkine) et encore Denis Guenoun et son théâtre de l'Attroupement sont séduits par Marseille, mais ne s'y attardent pas... La municipalité, d'ailleurs ne possède aucun théâtre : elle n'achètera sa première salle, le théâtre du Gymnase, qu'en 1977.

Il faudra toute la ténacité de Marcel Maréchal, son expérience, son prestige d'acteur généreux à même de réconcilier la faconde de Pagnol et la rigueur de Brecht pour que voit enfin le jour un grand théâtre dans la cité.

« *Tout le monde*, se souvient Marcel Maréchal, *m'avait déconseillé de venir m'installer à Marseille. Une ville violente, bruyante, politicarde et politicienne, peu appropriée au recueillement et à l'engagement théâtral... J'ai eu envie de relever le défi. Il faut dire que Gaston Defferre m'a totalement soutenu : quand il avait élu quelqu'un, il le défendait jusqu'au bout.* »

Malgré l'État, qui se fait à l'époque tirer l'oreille pour financer un théâtre dans une cité socialiste, malgré la réticence (l'obscurantisme, serait-on tenté de dire) de certains conseillers municipaux, le théâtre national de Marseille est inauguré en 1981, dans l'ancienne criée aux poissons, sur le vieux port. C'est un lieu familier aux Marseillais et symbolique : tous les soirs, son fronton souligné d'un néon fait face, de l'autre côté du port, à l'hôtel de ville.

21 000 abonnés — un score — une pratique théâtrale qui porte tout aussi bien les couleurs de Molière que celles d'auteurs contemporains comme Jean Vauthier, Audiberti ou David Mamet, un prestige international et médiatique certain, allié à un souci réel de soutien aux jeunes compagnies locales réunies chaque année pour « le Printemps du TNM », une action de formation du comédien : Marcel Maréchal a gagné son pari. Même si d'aucuns, à Marseille, estiment que son public a vieilli, que la Criée ne concerne plus les jeunes générations. *« Ici plus qu'ailleurs, le public est fluctuant, comme les voix des électeurs, dit Marcel Maréchal. Il ne nous appartient pas. Marseille est une ville imprévue, et je l'aime pour cette raison, alors que la satisfaction lyonnaise m'a toujours un peu agacé. C'est une ville exigeante aussi : on peut difficilement y vivre sur ses acquis, on y reste un étranger. Pour un artiste, c'est plutôt plaisant. »*

Jusqu'à un certain point pourtant. Une ville a aussi les artistes qu'elle mérite, qu'elle s'attache. Marseille a su le faire avec ses poètes — mais les poètes sont gens solitaires — et avec ses peintres et ses sculpteurs. Les arts plastiques sont le secteur le plus dynamique, le plus porteur aussi d'une « identité Marseille », qui en 1986 donna son nom à une exposition regroupant de jeunes plasticiens. Ils font partie de cette nouvelle génération qui aime Marseille, veut y rester, sans pour autant s'enliser dans le notablisme ou l'isolement. Et Marseille leur en donne les moyens. Car leur énergie a été soutenue, depuis vingt ans, par des institutions fortes qui ont su l'accompagner, sans l'étouffer. L'école des Beaux-Arts de Luminy fut l'une des plus prestigieuses de France et vit naître, avec des professeurs comme Viallat, Jaccard, Kermarrec, Touzenis, des générations de jeunes artistes. Parallèlement, dans les années soixante, la ville créait une commission d'achat des musées qui au fil des ans a constitué une belle collection. L'ARCA, centre d'art contemporain devenu depuis galerie, a, sous la houlette de Roger Pailhas, contribué à insérer les artistes marseillais dans le marché de l'art. Des galeries associatives ont vu le jour. Un conservateur venu du centre Georges Pompidou, Germain Viatte a su, pour finir, revitaliser le patrimoine marseillais. En organisant notamment de grandes expositions où Marseille pouvait se reconnaître sans pâlir : « Marseille : ils collectionnent », « La Planète affolée » consacrée au passage des surréalistes dans la ville, avant leur départ pour l'exil américain, à la veille de la Deuxième Guerre mondiale. Et encore cet hommage rendu à un éditeur marseillais, qui, au fil des années, rassemble en des livres superbes, écrivains, poètes et peintres : André Dimanche et ses éditions Ryôan-Ji, dont le catalogue réunit Jean Tortel et Bernard Noël, Olivier Debré et Bernard Moninot, John Cage et Pierre Klossowski.

Une dynamique réelle s'est ainsi créée. Non démentie depuis. L'État s'est mis aussi de la partie en implantant en 1986 à Marseille le CIRVA, un centre international de recherche sur le verre qui accueille tout aussi bien Mario Merz que François Morellet. Excusez du peu, mais ça fait des appels d'air, tout ce beau monde de passage.

LA NÉCESSITÉ
DE CRÉER

L'office culturel municipal, sorte de poisson pilote des années d'après Defferre suit de près le mouvement, l'accompagne, envoie de jeunes créateurs marseillais à la Biennale de Barcelone, édite un guide des arts plastiques à Marseille, tente, avec souplesse, d'associer l'art aux actions de revalorisation de l'habitat et de l'environnement urbain. En réservant, par exemple, des espaces pour des ateliers d'artistes dans les programmes de rénovation des quartiers du Panier et de Belsunce. En tentant de suivre la cartographie inconsciente que ces peintres repèrent dans leur ville. C'est par exemple, la toute récente sculpture de Richard Baquié dans un quartier nord ; Christine Breton, madame Arts plastiques de l'office, conservateur sans lieu fixe, y lit l'expression d'un art « anti-monument, fondamentalement marseillais, ancré dans une culture populaire » : le béton, la BMW et l'aventure, un mot qui marque en toutes lettres cette sculpture.

Il n'y a pas, ou peu, de querelles de clochers entre l'institution muséale et les initiatives individuelles. Au contraire, un dialogue réel, une ouverture, un consensus, phénomène fort rare en cette ville déchirée par des querelles fratricides, fidèle en cela à ses mythes grecs fondateurs. Chacun semble s'accorder sur la nécessité de créer un grand musée d'art contemporain, le charmant musée Cantini ne suffisant plus à la tâche... pas plus que la Vieille Charité, extraordinaire bâtisse de pierres blondes qui, rénovée, accueille désormais de grandes expositions tout comme les prestigieuses créations théâtrales que l'office co-produit, depuis deux ans dans le cadre de l'Été marseillais avec le festival d'Avignon, ainsi *Oedipe à Colone* de Bruno Bayen, ou *Les amis font le philosophe* de Lenz dans la mise en scène de Bernard Sobel.

Mais en matière théâtrale, la forêt cette fois n'a pas vraiment poussé autour de l'arbre la Criée. Aucun metteur en scène, ou producteur inventif n'a véritablement franchi la barre régionale. Et ce n'est pas totalement faute de combattants. Ils n'ont pas tous déserté Marseille. En les implantant dans des lieux, théâtres rénovés ou nouveaux, avec un cahier des charges précis, Marseille tente de se doter cette fois d'une cartographie théâtrale tout à fait volontariste digne de la deuxième ville de France. À Massalia, dans le centre ville, elle crée en 1987 un théâtre permanent de marionnettes, présidé par Marcel Maréchal et confié à deux professionnels reconnus : un artiste, Massimo Schuster et sa compagnie l'Arc en Terre, qui très vite, toutefois divorce, laissant seul maître à bord un directeur gestionnaire, Philippe Foulquié. La première saison, de haute tenue, a du mal à trouver son public et Guignol l'irrévérent déchaîne d'anonymes passions exprimées notamment dans un courrier adressé au « Citoyen directeur, membre du parti du théâtre des marionnettes socialo-marxiste-communard » (sic) et signée « l'heureux pigeon »... L'ambiance culturelle à Marseille est décidément parfois un peu poisseuse...

Mais, bon an mal an, se développent des aventures plus audacieuses. Dont, aux côtés du nouveau théâtre de Lenche, du théâtre du Gymnase, du Merlan qui assurent une politique de diffusion tout à fait honorable, celle des Bernardines, un nouveau théâtre d'essai dont la direction est confiée à un metteur en scène local, Alain Fourneau. Dans cette ancienne chapelle du grand lycée de Marseille, le lycée Thiers, dès la première saison, on accueille et produit metteurs en scène et acteurs passionnés de littérature contemporaine, d'André Marcon à Isabelle Pousseur, de Pessoa à Philippe Minyana, ou Guyotat. La jeune génération de danseurs s'y reconnaît. Des liens se créent avec « Marseille Objectif Danse », une association qui regroupe quatre compagnies qui ont fait leur preuve au niveau national mais étaient, au plan local, en manque de reconnaissance et de lieu (Geneviève Sorin, Dunes, N + N Corsino, rue Ballard).

C'est tout ce réseau culturel, novateur, mais hors institution qui fait défaut à Marseille... Un lieu, un créateur : telle est la devise de l'office culturel municipal en matière théâtrale. Il s'agit de rehausser le niveau, sans renier pour autant ceux qui, depuis des années, se sont obstinés à faire du théâtre à Marseille : au Grec André Vouyoucas, on confie le théâtre du Gyptis, à la compagnie Blaguebolles, animée par des Italiens de la troisième génération, les frères Palmi, le théâtre de la Minoterie, à partager avec une autre compagnie, le théâtre Provisoire... Pour Richard Martin, figure locale, on rénove le théâtre Toursky.

TRADITION POPULAIRE

*F*ort bien. Mais il est tout de même étonnant que jamais Marseille n'ait vu naître l'équivalent, par exemple, de la Maison des cultures du Monde qui, à Paris, se consacre à l'expression des cultures extra-européennes. Ou encore du théâtre francophone de Gabriel Garran, dédié cette fois aux auteurs et acteurs venus tout aussi bien du Québec que d'Afrique Noire... Et le nom même de cette « Maison de l'étranger » où se produisent les quelques troupes beurs (le théâtre de la Mer, le théâtre des Flamands), dans un garage vaguement réaménagé, résonne de manière fortement ségrégative...

En matière de « pluri-culture », chacun à Marseille, du théâtre de la Criée aux Bernadines, chacun semble se défier de tout « *volontarisme intégrateur* », pour reprendre les termes mêmes du directeur de l'office culturel municipal, Dominique Vallon. « *La question de la discrimination travaille notre action,* assure-t-il, *tout comme elle travaille fondamentalement les œuvres des artistes marseillais. Mais il est vrai qu'il n'a pas émergé à Marseille de mouvements beurs de l'ampleur de ceux qui sont nés dans la banlieue parisienne.* » La faiblesse, le manque de professionnalisme des propositions qui viennent du terrain sont peut-être l'expression du manque de relais, de soutien institutionnel. Et de la prudence politique observée jusqu'alors — électoralisme oblige — dans l'expression officielle de cette inter-racialité et de cette pluri-culture dont l'importance est par tradition reconnue, soutenue par le réseau socio-culturel.

Ville de brassage, en perpétuel mouvement, Marseille ressemble un peu à New York. Les artistes qui l'aiment le disent. Mais Marseille ne sait pas encore que c'est un atout. Et une fraction de la ville et de la municipalité déchirée est rétive à l'ouverture. Y compris lorsqu'il s'agit de grands projets européens, comme MANABA, une opération qui tendait à associer les créateurs de Marseille à ceux de Naples et Barcelone : son budget n'a pas franchi la barre du vote municipal.

« *L'ouverture passe par de grands projets nationaux, et internationaux,* affirme Dominique Vallon. *Mais perpétuellement, en tant qu'équipe de réflexion et de proposition, nous nous posons la même question, ou elle nous est posée par les politiques : jouons-nous une carte pour Marseille, ou violons-nous ainsi la culture marseillaise ? Est-ce que notre action s'inscrit dans la filiation de cette ville qui a une culture populaire ? Parfois, on se sent au bord de la crise, de la rupture. C'est vrai sans doute dans toute ville où lorsqu'une politique culturelle avance, elle crée des conflits (...). Toutefois, à Grenoble que j'ai bien connu, la réaction était portée par la grande bourgeoisie alors que le milieu populaire était, par tradition, passionné de démocratie culturelle.* » À Marseille, il existe une tradition populaire qui est, aussi, porteuse d'ignorance.

Cette tradition populaire marseillaise, et provençale, une éditrice, Jeanne Laffitte a cherché à la retrouver dans ce qu'elle a de meilleur, en rééditant, depuis 1972 des ouvrages anciens sur la gastronomie, l'horticulture, les crèches, les beaux-arts, la littérature. Puis, peu à peu, et de plus en plus d'ailleurs, Jeanne Laffitte s'est intéressée à l'Histoire, qui « *aide à lire le présent* ». Fidèle amie de Gaston Defferre, Jeanne Laffite est aussi de tous les combats : elle a pignon sur la rue, avec sa librairie-galerie aux Arcenaulx, un quartier longtemps défiguré par un parking... Qu'à cela ne tienne, elle organise, et édite le bilan d'un concours international pour l'aménagement du cours d'Estienne d'Orves, en passe de devenir aujourd'hui, après la suppression désormais acquise du parking, le quartier le plus culturel de Marseille. Jeanne Laffitte préside aussi l'Association pour la promotion du livre en Méditerranée. Et, pour « *servir Marseille* », elle s'intéresse à la bande dessinée tout comme à la science-fiction... à tout ce qui tend à valoriser l'image d'une ville à réinventer.

D'autres éditeurs s'obstinent, eux aussi, à tenir le coup à Marseille. *Une ville qui est un peu celle d'En attendant Godot* dit Jacqueline Guiramand, l'une des fondatrices des éditions Rivages, jeune maison dont plus d'un ancêtre envie désormais le catalogue de littérature étrangère notamment, où figurent en bonne place Truman Capote, Nabokov, Allison Lurie, Soseki. Sans omettre une collection « Rivages/Noir », entrée dans la légende et la réédition bienvenue des *Cahiers du Sud* défunts. « *Ici, on nous découvre à peine* », mais Jacqueline Guiramand semble plutôt s'amuser de cette situation paradoxale : « *Nous sommes la première génération qui essaie de rester à Marseille.* » Même écho chez Parenthèses, qui, entre librairie et catalogues de livres sur l'architecture — dont un ouvrage sur *Le Corbusier et la Méditerranée* — sur le jazz, l'Arménie, vient de fêter sereinement ses dix ans d'existence à l'ombre du cours Julien. Patrick Bardou et Varoujan Arzoumanian ont démarré sans y croire vraiment, en 1978, par un livre qui deviendra, en matière d'architecture, qu'ils étudiaient encore à l'époque, un best-seller : *Archi de terre.*

Il est tentant de céder le mot de la fin à Varoujan Arzoumanian, un intellectuel tout à la fois marseillais et arménien qui porte sur sa ville un regard tranquille. Les Italiens, les Grecs, les Arméniens de la deuxième ou troisième génération ayant pris part peu à peu — l'Histoire le prouve — à la vie culturelle de Marseille, il estime qu'il n'y a aucune raison pour que le mouvement ne se poursuive pas avec les populations immigrées plus récemment. Il faut, dit-il, simplement encore un peu de temps.

Dans cette ville ni faite ni à faire, attachante précisément pour cette raison, tout, beaucoup reste à faire. Mais tout peut encore advenir.

———————— *ODILE QUIROT* ————————
Journaliste au *Monde*

ESCALE

À MARSEILLE

VENDREDI

17 h 39. Arrivée gare Saint-Charles.

Après exactement 4 h 44 de voyage (je n'ai pas cessé de consulter ma montre depuis Paris), le train est enfin arrivé à Marseille. Une chaleur de serre sous la verrière.

J'ai trop chaud. Déjà...

Première pause avant de sauter dans un taxi.

Personne ne m'attend devant l'escalier monumental qui plonge vers la ville.

Je m'assois quelques instants sur les marches.

L'Afrique et l'Asie du haut de leur socle regardent d'un œil paisible les allées et venues des passants.

« HOTEL BEAUVAU[1] s'il vous plaît ».

Le chauffeur de taxi a repéré à mon teint trop pâle que je n'étais pas « d'ici ».

Il se lamente sur la ville et me parle d'un « renouveau ». Je n'ose pas lui demander de quel renouveau il s'agit.

Le hall de l'hôtel me rassure avec ses boiseries très « british ». Jolie chambre. Meubles anciens et de bon goût, tissus provençaux. Mes fenêtres s'ouvrent sur le vieux port écrasé de soleil : c'est superbe !

Les bruits de l'agitation de la ville ne me parviennent pas.

La pièce est calme et climatisée. J'ai presque envie de m'assoupir.

Le temps de prendre une douche, de revêtir une tenue plus légère et me voici à la terrasse du NEW YORK.

L'unique brasserie marseillaise se trouve au pied de l'hôtel.

Il fait trop chaud à la terrasse ; je me réfugie à l'intérieur.

L'accueil est parfait, le décor sobre, les nappes rose pâle.

Une clientèle d'habitués, assez bourgeoise me semble-t-il, appelle les garçons par leur prénom.

J'entends parler de la CRIÉE. C'est en fait, l'ancienne criée aux poissons devenue depuis 1981 le théâtre national de Marseille dirigé par Marcel Maréchal.

Le Cid mis en scène par Gérard Desarthe, *Henri IV* avec Laurent Terzieff et *La chute* avec François Chaumette ainsi qu'une semaine de cinéma américain sont au programme de la prochaine saison qui débutera en octobre.

---

1. Les coordonnées des lieux cités en capitales sont répertoriées p. 202 à 204.

Ne pas oublier d'appeler Claire. Elle est arrivée depuis deux jours à Marseille. C'est une ville qu'elle connaît bien : elle vient y séjourner plusieurs fois par an, et y a de nombreux amis.

Elle a décidé de me la faire découvrir.

Peut-être sera-t-elle à son hôtel à cette heure.

Claire est là en effet. Elle vient de rentrer d'une longue promenade dans la colline de Marseilleveyre et me parle avec beaucoup d'excitation d'odeurs, de parfums, et du vacarme assourdissant des cigales.

« Rejoins-moi dans une heure au Bompard ! »

Situé entre les quartiers d'Endoume et du Roucas blanc, La RÉSIDENCE BOMPARD est un hôtel moderne mais plein de charme.

La chambre de Claire, climatisée, a vue sur le jardin.

L'endroit est tellement paisible qu'on a peine à croire que le centre ville n'est qu'à quelques minutes de voiture.

Claire vient me retrouver à l'ombre des sophoras où je sirote une menthe à l'eau.

Projets pour la soirée : la fatigue du voyage me fait opter pour un programme reposant.

Après consultation de la page spectacle du *Provençal*, nous décidons d'aller au PARIS ; c'est pratiquement l'un des seuls cinémas « Art et essai » de Marseille où l'on peut voir des films en v.o. dans de bonnes conditions.

Le programme du BRETEUIL me tente également beaucoup.

Là aussi, les films sont en v.o. et très régulièrement, des cycles et des festivals y sont organisés.

22 h 30 : sortie du cinéma.

Claire me propose d'aller dîner au MAS, situé non loin de là.

Nous passerons devant l'opéra dont on a fêté le bicentenaire cette année. C'est un bâtiment à l'allure néo-classique, avec colonnes et hauts-reliefs qui s'ouvre sur une belle place dallée de marbre.

Claire joue les guides et m'apprend qu'il a, en fait, été entièrement reconstruit en 1924 par Gaston Castel après qu'un incendie l'eut ravagé cinq ans plus tôt. Pour la décoration intérieure, dans le plus pur style Art-Déco, Gaston Castel s'est entouré d'artistes renommés comme Antoine Bourdelle.

Au programme : principalement des opéras italiens qui ont toujours eu beaucoup de succès à Marseille et des ballets de la compagnie de Roland Petit.

Je commence à avoir sérieusement faim.

Je ne suis pas mécontente de me retrouver au Mas, attablée devant un plat de pâtes aux clovisses. J'ai rapidement repéré le propriétaire des lieux : sur les murs s'étalent des photos qui le montrent, souriant, entouré de vedettes du show-biz.

Claire, qui est une habituée me dit que son restaurant est celui qui reste ouvert le plus tard à Marseille.

Mais quand elle doit dîner à une heure avancée de la nuit, il lui arrive aussi très souvent d'aller au STOP, sur la place de l'opéra.

Comme le Mas, le Stop propose une cuisine assez familiale à des prix raisonnables, dans une ambiance sympathique et détendue.

La clientèle ? Toute la faune noctambule qui anime le quartier la nuit, réputé pour être le plus chaud de la ville.

Une délicieuse petite mousse aux fraises pour terminer le repas et nous voilà dehors à discuter du programme du lendemain, tout en prenant la direction de l'hôtel.

Nous nous quittons devant l'entrée.

Claire passe me prendre demain à 9 heures : le planning est chargé !

SAMEDI

La visite débute d'abord place Daniel avec le superbe bâtiment en U de l'hôtel Dieu et ses galeries en arcades sur trois étages.

Il est très spectaculaire, lorsqu'il est illuminé, le soir.

Construit au XVIIIe : c'est le plus ancien hôpital de la ville.

Tout près de là, nous commençons à gravir quelques marches et nous voilà au pied du clocher des Accoules : c'est le dernier vestige de l'une des plus anciennes églises de Marseille.

C'est à cet emplacement, que se trouvait le centre populaire de la ville au Moyen Age.

L'escalier de la montée des Accoules continue de grimper entre de vieilles maisons très hautes. Du linge sèche à l'étage, deux voisines s'interpellent d'une fenêtre à l'autre : pas de doute nous sommes bien dans le midi.

Le Panier : c'est le plus vieux quartier de Marseille, le plus pittoresque aussi. C'est là que les Phocéens choisirent de s'installer, six cents ans avant Jésus-Christ. Claire m'emmène à travers une succession de ruelles étroites et sombres pour déboucher sur la place des Moulins.

Les platanes, les petites maisons, l'école primaire, les bancs publics où sont assis quelques vieux : on se croirait dans un petit village de Provence.

Au XVIe, on y trouvait une quinzaine de moulins à vent que le mistral faisait tourner. Il n'en subsiste à présent que trois tours. Rue des Muettes puis rue du Panier : ce nom dont l'origine remonte au XVIIe, viendrait d'un cabaret, « Le Logis du Panier », qui a également donné son nom au quartier.

22, rue des Petits-Puits : c'est la maison natale de l'architecte marseillais Pierre Puget.

C'est à lui qu'on doit cette étonnante chapelle baroque à coupole elliptique qui se trouve au centre de la cour de la VIEILLE CHARITÉ. Les bâtiments qui l'encadrent se constituent de trois galeries d'arcades permettant d'accéder à de vastes salles voutées.

L'ensemble est superbe et imposant. L'hospice construit à l'origine pour accueillir les mendiants, est devenu l'un des grands lieux culturels de la ville. Toute l'année y sont présentées des expositions de toutes sortes : peinture, photo, architecture, design.

Dans la salle de l'INA (Institut national de l'audiovisuel) ont parfois lieu des projections à thème.

De juin à août, dans le cadre de l'Été marseillais des gradins sont installés dans la cour et l'on peut alors venir y applaudir des concerts classiques ou des pièces de théâtre sous les étoiles.

À deux pas de là : Le FRAC (Fonds régional d'art contemporain) situé au rez-de-chaussée d'un ancien couvent, présente un panorama de la production artistique contemporaine de la région.

13 heures : l'heure du déjeuner.

Claire m'emmène rue de Lorette chez celui qui depuis vingt-cinq ans propose selon certains la meilleure pizza de Marseille : ÉTIENNE CASSARO.

Accueil chaleureux du patron jovial et grande gueule qui passe d'une table à l'autre en plaisantant avec les clients apparemment habitués de l'endroit. On se bouscule au bar en attendant une place. Les pavés de bœuf et les plats de pâtes fraîches qui passent devant moi me mettent l'eau à la bouche.

Au bout d'une demi-heure, une table se libère. « Vous avez de la chance, c'est un jour calme ! »

Les supions frits et le gratin d'aubergines sont excellents. Je suis ravie. L'ambiance conviviable, la cuisine de qualité, la personnalité du patron, tout contribue à faire de ce restaurant authentiquement marseillais un endroit où l'on a plaisir à revenir.

Nous nous dirigeons vers la cathédrale de la Major dont j'ai aperçu au loin le dôme imposant. Quelqu'un appelle Claire derrière nous.

C'est Simon, un de ses amis marseillais.

Il est plasticien et se rend cet après-midi au CIRVA.

Le Centre international de recherche sur le verre et les arts plastiques est un lieu de travail et de recherche pour les artistes, designers et créateurs utilisant le verre comme matériau. Il met à leur disposition des ateliers où ils peuvent réaliser leurs projets. Des expositions y sont régulièrement présentées. Il est très en retard. Simon nous quitte avec un sourire ravageur et promet d'appeler Claire demain.

Tant pis pour les puristes. Moi je dis que cette cathédrale de la

Major est un monument superbe. Elle a été constuite en 1853 par l'architecte Vaudoyer dans le même style romano-byzantin que la basilique de Notre-Dame-de-la-Garde.

L'intérieur avec ses larges travées et ses coupoles richement décorées est remarquable.

Juste à ses côtés, se trouve la plus ancienne église de Marseille ou plutôt ce qu'il en reste, construite au XIIe dans le plus pur style roman provençal : La Major (d'où le surnom de la cathédrale qui s'appelle en réalité : Sainte-Marie-Majeure).

C. VITTIGLIO

16 heures : j'ai chaud et j'ai envie d'un bain de mer.

Pas de problème. Claire décide de m'emmener à la grande jetée. En voiture c'est à trois minutes de là.

Il faut pour cela traverser le port autonome dont l'accès n'est autorisé au public que les weeks-ends et les jours fériés.

Qu'à cela ne tienne : Claire adresse son plus beau sourire au gardien de l'entrée et lui annonce sans rougir qu'elle est chargée d'aller faire des repérages pour un film qui se tournera dans le port le mois prochain. Ça marche.

Nous passons à travers le port autonome : les bâtiments des entrepôts qui semblent abandonnés, les quais déserts et les grues démesurées et immobiles, tout semble figé. Claire n'avait pas vraiment tort : cet endroit est très « cinématographique ». Elle m'apprend d'ailleurs que Beinex revient tourner à Marseille pendant l'été.

Nous longeons la grande jetée. Sur des quais interminables, une cabine téléphonique perdue, placée là comme par erreur ; rêve de cinéphile.

La grande jetée est un endroit merveilleux hiver comme été : parce que c'est bon de venir s'y promener quand il fait froid, que la mer vire au gris sombre, quand le mistral chargé d'embruns nous fouette le visage et que le bruit des vagues qui s'écrasent nous résonne dans la tête.

Parce que c'est bon aussi quand le soleil tape fort de s'allonger sur les énormes blocs de pierre jetés pêle-mêle contre la digue, de pouvoir se baigner avec au loin la ville et les îles en toile de fond, de regarder partir vers des destinations inconnues, les grands paquebots qui passent au large.

Nous sommes restées là très longtemps sans doute, au soleil, à rêver, à dormir.

Il devait être 21 heures environ quand nous nous sommes retrouvées chez FRANCIS LE GREC réputé pour ses spécialités grecques et ses grillades aux sarments de vigne. Sa réputation n'est pas surfaite. Ses viandes sont également excellentes. Retour en centre ville. Place Thiars : les terrasses des cafés et des restaurants sont bondées.

Nous avons quelques difficultés à trouver de la place au PEANO.

Les habitués du samedi soir s'y pressent et le bar qui n'est pas bien grand est rempli de monde. Au milieu d'un décor plutôt froid, toute cette animation ainsi que les rythmes sud-américains de l'orchestre créent une ambiance chaleureuse qui semble parfaitement convenir à la clientèle jeune et BCBG.

À nouveau, j'ai l'impression d'être à New York. Les fresques murales me rappellent Keith Haring. Les enceintes crachent un mélange de musique rock new wave et sixties plutôt réussi.

Un tiers de branchés et de punks, un tiers de beurs troisième génération (les filles les plus belles), un tiers de rockers apprivoisés : c'est la faune du DUCK.

« Satisfaction » des Stones met la piste en délire. Claire vient me rejoindre avec des amis. Je l'entends vaguement parler de béguine.

La nuit se poursuit au POURQUOI.

Les Antillais sont vraiment torrides quand ils dansent, l'ambiance est surchauffée. Je n'arrive pas à me remettre du cocktail que j'ai bu. Délicieux mais mortel ! Heureusement, l'hôtel n'est pas loin !

5 heures : la nuit blanchit déjà. Je retrouve mon lit avec plaisir.

DIMANCHE

Comme prévu, réveil tardif et difficile.

Petit déjeuner au lit.

Beaucoup d'effervescence en bas sur le vieux port : c'est le marché aux poissons dont m'a parlé Claire.

J'y suis quelques instants plus tard ; parmi tous ces gens des touristes venus là pour le spectacle, des Marseillais pour y acheter du poisson fraîchement pêché.

Sur la glace pilée des étals, beaucoup de dorades, sardines, loups et pageots qui frétillent.

Crabes, langoustes et supions sont plus rares.

Les poissonnières vantent à grands cris les prix et la fraîcheur de la marchandise.

Les pauvres poulpes sont régulièrement jetés sur les étals pour montrer aux passants qu'ils réagissent encore.

Je longe le quai du port : bars, restaurants et immeubles de Fernand Pouillon construits après-guerre.

Derrière l'hôtel de ville ; la maison diamantée construite en 1570 et ainsi nommée pour sa façade aux pierres taillées en pointe de diamant, abrite le MUSÉE DU VIEUX MARSEILLE. Il nous présente un aperçu du passé de la ville à travers des collections d'art et traditions populaires : mobilier provençal, costumes, santons, cartes à jouer (le célèbre tarot).

Devant l'hôtel de ville, je prends le ferry boat ; traversée du vieux port, arrivée place aux Huiles. Quai Rive-Neuve : c'est là que se trouve le restaurant AUX METS DE PROVENCE du père Brun, qui jouit d'une belle réputation à Marseille. On y sert midi et soir depuis cinquante ans, le même menu typiquement provençal sous les regards de Daudet, Mistral et Maurras. La formule est unique en son genre. Dommage ! Le restaurant est fermé aujourd'hui. Je me promets de venir y dîner une autre fois.

13 heures : je retrouve Claire devant les grilles d'entrée du palais du Pharo. Napoléon III le fit construire pour l'offrir en cadeau à sa tendre épouse qui n'est jamais venue à Marseille. Dès la fin du mois de juin jusque début août, des concerts et des spectacles de variétés ont lieu en plein air dans l'enceinte des ailes du palais.

Le parc qui l'entoure offre au regard du promeneur une vue imprenable sur le vieux port et la Joliette. Au contrebas, le BAR DU CHALET s'avère être un endroit idéal pour un déjeuner sympathique au soleil. Cuisine simple et pas chère, verdure et vue panoramique : parfait l'été, pour venir boire un verre sous les arbres en fin de journée. À cet endroit, les plus grands peintres provençaux ont installé leur chevalet. Pas étonnant ! C'est superbe.

Au programme de l'après-midi : promenade dans les îles. Ce n'est peut-être pas le meilleur jour pour y aller, le bateau est plein à craquer.

La balade en mer est délicieuse, je regarde avec envie les longs voiliers qui filent sur l'eau et je me surprends à rêver de croisières.

Premier arrêt au château d'If construit à l'origine pour protéger la ville d'une éventuelle attaque par mer, il devint au XVIIe, une prison d'état. On le connaît surtout grâce à Alexandre Dumas qui y fit enfermer son héros Edmond Dantès, comte de Monte-Cristo.

Nous reprenons le bâteau pour l'île du Frioul située à quelques encablures du château d'If.

Près du quai où nous accostons, des immeubles d'habitation, assez laids, des bars glaciers et des restaurants. Nous marchons jusqu'à l'hôpital Caroline qui servait au XIXᵉ siècle d'infirmerie pour les malades atteints de la fièvre jaune et où l'on mettait en quarantaine l'équipage des navires suspects.

Il n'en reste aujourd'hui que des ruines mais sa restauration a été entreprise depuis quelques années. L'été, tout comme le château d'If, l'hôpital Caroline sert de cadre aux spectacles du Festival des îles.

Une demi-heure de marche à travers l'île, sur un chemin poussiéreux et sous un soleil de plomb : c'est le prix à payer pour se trouver en Grèce, dans une petite calanque tranquille où l'eau est bleue et limpide.

La promenade jusqu'à l'hôpital Caroline m'a déjà épuisée. Je ne me sens pas le courage nécessaire pour une nouvelle excursion.

Nous rentrons à Marseille. J'ai envie de me retrouver à l'ombre, assise devant une énorme glace.

Un crochet par le square Monticelli, le quartier résidentiel le plus chic de la ville, et nous voilà au parc Borelly, installées à la terrasse du PAVILLON DU LAC.

Exactement ce que je voulais : la glace, les arbres du parc, le lac et ses canards.

Juste un peu trop de monde.

Ce petit bois de Boulogne marseillais est sûrement beaucoup plus agréable en semaine. Il faudra y revenir.

La pause a été profitable : nous voilà prêtes à repartir.

Nous longeons des plages, couvertes de monde pour nous retrouver à la Madrague de Montredon. Claire m'emmène jusqu'au petit port.

Tout près de là, les calanques du Mont-Rose, territoire des naturistes.

Passage par la calanque de Samena. La minuscule plage de galets est adorable.

Juste au-dessus : LES TAMARIS où « il faut venir, l'été déguster les spécialités grecques du patron, quand l'air du soir est doux et que le soleil couchant enflamme l'horizon. C'est le rêve ! » Claire devient presque lyrique ! Mais elle préfère aller dîner dans un endroit magique qu'elle connaît bien, situé aux Goudes, un peu après la calanque de Samena, la BAIE DES SINGES est bel et bien un endroit magique, une invitation au voyage en quelque sorte.

Les crustacés et les poissons sont délicieux mais je suis tout entière occupée à dévorer le paysage qui s'offre à ma vue.

Marseille est sans doute toujours là-bas et l'on ne mettra sans doute pas plus d'un quart d'heure pour la retrouver. J'en suis pourtant tellement loin.

Quelques pêcheurs attendent paisiblement en surveillant leurs lignes, un plongeur audacieux se jette du haut des rochers. Face à nous, l'îlot Maïre, baigné de la lumière du jour qui décline.

Pourtant rien n'a changé, la ville est là, bruyante et agitée. Mais je sais maintenant qu'à Marseille, l'évasion n'est pas très loin.

LUNDI

Je ne peux décidément pas paresser au lit avec un tel soleil dehors !

9 heures déjà ! J'ai rendez-vous à midi avec Claire.

Pour bien commencer la journée : petit déjeuner sur le vieux port. Passage par le Carré Thiars. C'est l'un des secteurs les plus vivants de Marseille, où l'on est toujours sûr de trouver une ambiance animée, quelque soit l'heure ou la saison. Les belles façades des immeubles ont été rénovées, la place avec sa fontaine est plutôt agréable. Cet ancien quartier des artistes est maintenant celui des cafés restaurants, night clubs et piano-bars où l'on ne circule qu'à pied.

Le cours d'Estienne-d'Orves, situé juste à côté est actuellement en travaux.

Le parking aérien qui s'y trouvait sera désormais souterrain pour laisser la place à un vaste jardin public.

Je poursuis ma balade quai de Rive-Neuve pour arriver au BAR DE LA MARINE. C'est là que je choisis de m'arrêter. Ce bar typiquement marseillais est le point de rendez-vous des skippers.

Aux murs : une toile de Louis Audibert représentant la fameuse partie de cartes du film *Marius*, et une photo de Pagnol et de sa femme devant le vieux port. Marcel, le patron, m'apprend que c'est effectivement là que le film a été tourné.

Croissants - thé - jus d'orange : je suis prête pour affronter le programme de Claire.

Avant d'arriver à Saint-Victor, je m'arrête au FOUR DES NAVETTES : c'est là que se fabriquent depuis 1781 ces petits gâteaux secs en forme de barque qu'on appelle les Navettes. Leur secret de fabrication transmis de génération en génération n'a jusqu'alors jamais été dévoilé.

Me voici devant l'ABBAYE SAINT-VICTOR. C'est vrai qu'elle ressemble à une forteresse de cinéma avec ses grandes tours. Fondée au Ve siècle sur le tombeau d'un martyr chrétien, elle a été remaniée et fortifiée bien après. De nombreux concerts classiques sont donnés ici. Il est vrai que le décor et l'acoustique s'y prêtent tout à fait.

Je quitte la fraîcheur et le calme du lieu pour retrouver dehors le soleil et les bruits de la ville.

Jolie vue : le port et l'ancien, bassin du Carénage, le fort Saint-Jean avec sa tour carrée et sa tour du Roy René, le fort Saint-Nicolas avec ses enceintes en étoile. Les légionnaires ont quand même une bien belle résidence (construite par Vauban au XVIIᵉ siècle s'il vous plaît !!).

Je suis en avance au rendez-vous. En attendant Claire, je flâne dans les allées du joli petit jardin du cours Pierre Puget. Situé sur une butte, il domine le port autonome.

12 heures : Claire est là ; exacte au rendez-vous.

Déjeuner très agréable au CHALET DU PETIT NICE. Verdure et calme, spécialités provençales au menu. Moi qui n'avais jamais goûté de beignets de fleurs de courgettes, je suis ravie !

L'après-midi démarre fort : nous remontons jusqu'à l'illustre basilique de Notre-Dame-de-la-Garde par la montée de l'oratoire.

Bonjour la promenade digestive !

Arrivée en haut, je n'ai plus de souffle mais nos efforts sont pleinement récompensés : une vue exceptionnelle sur la ville à 360°.

Avec le vieux port, la « bonne mère » est une véritable institution dont les Marseillais sont particulièrement fiers.

Son architecture romano-byzantine est due à l'architecte Espérandieu qui a également collaboré à la construction de « la Major » avec Vaudoyer.

À son sommet, une monumentale statue de la vierge contemple la ville de son regard protecteur et tranquille.

À l'intérieur de la basilique : une étonnante collection d'ex-voto (toiles, maquettes) ; pause à la cafeteria.

Claire me dit que depuis qu'elle a été refaite elle a perdu le côté kitsch qui faisait tout son charme.

Nous redescendons jusqu'au quartier du Roucas blanc, et poursuivons notre périple en autobus.

Tout en suivant le chemin du Roucas blanc, je découvre un quartier plein de charme, où se côtoient des villas étonnantes avec clochetons ou colonnes, et des jardins avec palmiers, lauriers roses, et figuiers.

Puis nous reprenons la visite à pied.

Chemin du Souvenir, traverse Nicolas, montée de la Napoule, rue des Roses.

Claire ne sait plus très bien où elle est.

Mais nous descendons l'escalier du Prophëte et nous voilà sur la corniche. Devant nous : la mer. Bleu et argent.

À nouveau l'autobus (je suis morte !) qui nous arrête près du parc Valmer où nous nous octroyons un répit.

Tout près de là, deux petits quartiers bien marseillais : l'anse de la Fausse Monnaie et l'anse de Maldormé.

Claire me fait découvrir le joli petit port qui se trouve au pied de l'hôtel restaurant le plus chic de Marseille, LE PETIT NICE, bien connu des Marseillais. C'est probablement le meilleur restaurant gastronomique de la ville et la vue y est superbe.

Au large de l'anse de Maldormé on aperçoit un îlot où se trouve un petit fort surmonté d'une croix : c'est le cadeau offert à Diane Degaby, vedette du music-hall d'avant 14-18, par son mari.

(Quand me fera-t-on d'aussi jolis cadeaux ?)

19 heures. Claire veut m'emmener aux FLÔTS BLEUS : elle adore venir y boire un verre à l'heure du couchant.

Une dernière balade à travers le quartier de Malmousque et nous y sommes.

Il est encore trop tôt pour assister au coucher du soleil mais qu'importe ! Nous sommes face à la mer, l'eau scintille, la lumière est superbe et les couleurs sont douces.

Est-ce la fatigue ? Mais je me sens un peu engourdie, contemplative, comme si j'étais déjà sous l'emprise de Marseille.

Claire me parle. Je ne l'entends pas.

Je crois que je commence à aimer sérieusement cette ville !

« Où veux-tu aller dîner ? » me répète Claire pour la quatrième fois.

Mais je rêve ? Nous sommes en Grèce ou en Sicile ?

L'ÉPUISETTE est un ancien hangar à bateaux transformé en restaurant situé dans un endroit merveilleusement pittoresque et dépaysant : le Vallon des Auffes.

Au menu des produits de la mer bien évidemment. Bouillabaisse, poissons et langoustes. La clientèle est un peu bourgeoise mais la cuisine est excellente.

Heureusement, Claire a payé l'addition.

De l'autre côté du Vallon, il y a CHEZ FONFON un autre restaurant de poissons très réputé : une véritable institution à ce qu'il paraît, qui a accueilli une foule de personnalités.

Là aussi, la vue est bien agréable : la baie vitrée s'ouvre sur le vallon et le port de la fausse monnaie.

Le petit port, les barques, les vieilles maisons, le bruit de l'eau, la douceur du soir, c'est magique ou peut-être ai-je un peu trop bu.

23 heures. De la fenêtre de l'hôtel, je vois la « Bonne Mère » scintiller dans la nuit au-dessus de la ville qui ne veut pas s'endormir.

MARDI

Comme chaque matin depuis mon arrivée : ciel immaculé et soleil radieux. Aujourd'hui c'est décidé : je vais à la mer. Claire est d'accord. Juste le temps de faire la visite d'une galerie pendant la matinée et elle m'emmène cet après-midi à la plage.

11 heures : nous nous retrouvons à la galerie Athanor où Jean-Pierre Slis a essayé le premier de promouvoir à Marseille l'art contemporain. Il est à l'origine du succès d'artistes comme Viallat, Jaccard, mais aussi de celui de la nouvelle génération : Sutard, Traquandi ou Baquié.

Cours d'Estienne d'Orves, le bruit des travaux s'est tu, le temps de la pause-déjeuner.

Le restaurant LES ARCENAULX est apparemment un rendez-vous d'habitués : tout le monde semble se connaître ici. L'hôtesse des lieux nous accueille très aimablement.

Plat du jour : raffiné et léger. Le style de la maison n'est pas aux excentricités culinaires. On y sert une cuisine traditionnelle savamment préparée et personnalisée avec un rien de sophistication. La cave est recherchée (ce n'est pas si courant à Marseille) et le service irréprochable.

Claire m'apprend que Simon nous rejoint cet après-midi à la plage.

Juste à côté du restaurant : la librairie où l'on peut trouver aussi bien des livres d'art ou des livres pour enfants que des ouvrages sur Marseille et la Provence, ou des ouvrages pour bibliophiles. Sans oublier les publications de la maison d'édition Jeanne Laffitte et de sa voisine Rivages. Boulevard Michelet, nous passons près de la Cité Radieuse, construite voilà près de quarante ans par Le Corbusier. C'est une véritable ville dans la ville, totalement autonome, avec une galerie marchande, un hôtel, une école, etc.

Bâti sur pilotis, l'édifice ne compte pas moins de 337 appartements de 23 types différents, abritant 1 500 personnes.

Mais les théories du grand architecte n'ont pas fait l'unanimité parmi les Marseillais : la Cité Radieuse est beaucoup plus connue ici sous le nom de « la maison du fada ».

Nous poursuivons notre route jusqu'à la faculté de Lumigny où les étudiants en architecture parlent sans doute de Le Corbusier en des termes moins familiers. La voiture reste là. La suite du trajet se fait à pied. Après quarante minutes de marche sur un chemin défoncé et caillouteux (le même qu'empruntaient autrefois les gens qui allaient à la plage à dos de mulet), la calanque de Sugiton apparaît enfin.

Oublié, le long parcours effectué en plein soleil : c'est superbe ! Les criques, les pins et l'eau transparente : bref, une carte postale grandeur nature avec en plus le vacarme de cigales.

Confortablement calée sur les rochers, je m'endors. Je n'ai même pas envie d'ouvrir le roman d'Irish acheté ce matin.

Claire me tire de mon extase pour me montrer une silhouette qui s'approche en faisant de grands signes : c'est Simon.

Il a un tatouage discret sur l'épaule. C'est Monick Tattoo qui l'a dessiné. Son studio, rue Saint-Vincent-de-Paul est, paraît-il, connu de tous les marins américains en escale à Marseille.

Simon voudrait nous emmener demain soir dans un café-théâtre qu'il connaît bien. Je l'interroge sur la situation du théâtre à Marseille.

Parmi les endroits récemment créés, il me parle avec enthousiasme du THÉÂTRE D'ESSAI de la Chapelle des Bernardines : lectures, créations de jeunes metteurs en scène et danse contemporaine. C'est la première fois que ce genre d'expérience est tenté ici. L'équipe des Bernardines est rattachée administrativement au THÉÂTRE DU GYMNASE dont la programmation, sensiblement différente, s'adresse à un public plus vaste.

J'apprends également que l'ESPACE MASSALIA qui abritait un groupe de recherche théâtrale, est récemment devenu le premier théâtre de marionnettes de France.

Le chemin du retour est difficile : ça n'arrête pas de grimper et les montées sont parfois raides. Heureusement, à cette heure le soleil chauffe déjà moins fort.

Sur la route qui nous conduit jusqu'à la calanque de Sormiou, nous passons devant l'imposante bâtisse de la prison des Baumettes.

Adorable Simon qui a tout prévu ! S'il n'avait pas réservé, nous n'aurions certainement pas pu obtenir ce laissez-passer indispensable pour accéder à la calanque.

C'est là, au bout du monde, que se trouve LE LUNCH. Il y a encore quelques années, cette « baraque » au bord de l'eau avoisinait les cabanons des pêcheurs et était connue d'eux seuls. Elle est devenue aujourd'hui un excellent restaurant de poissons dont les tarifs sont aussi peu raisonnables que ceux des établissements du centre ville. Enfin ! Le plaisir d'un dîner dans un tel cadre vaut bien un petit sacrifice.

Cette journée de plage m'a exténuée.

Bien entendu, Claire et Simon n'ont pas du tout envie de terminer la soirée maintenant. Ils finissent par me convaincre de les accompagner au PELLE-MÊLE, l'un des rares endroits à Marseille où l'on peut boire et discuter en écoutant du jazz. Beaucoup de monde pour une salle un peu petite mais je ne suis finalement pas mécontente de me retrouver là. L'ambiance est amicale et sympathique et puis la musique est bonne. Je quitte l'endroit presque à regret lorsque Claire se décide à me raccompagner.

Rendez-vous demain pour le déjeuner.

MERCREDI

Tout près de la Canebière, entre la place de la Gare de l'Est et celle des anciennes Halles Delacroix, s'étire le marché de la rue Longue-des-Capucins. J'arrive à peine à me faufiler au milieu de toute cette foule cosmopolite. Odeurs fortes d'épices, coriandre, cumin et curry, mêlées à celles de la menthe ; Marseille, porte de l'Orient.

Boutiques « Viet », pâtisseries orientales et bien sûr le légendaire étal des poissonnières : « Marseille fraternité » en somme ! Rassurant et chaleureux.

Passer par la rue Halles-Delacroix et remonter la rue d'Aubagne, c'est le chemin le plus court pour partir à la découverte des spécialités venues de tous horizons. Ici, l'Italie côtoie la Thaïlande, la Grèce voisine avec la Tunisie et l'Afrique avec le Liban.

En montant vers le cours Julien, je craque devant les loukoums de la boutique Arax.

Cours Julien : rien à voir avec ce qui précède.

Les maisons rénovées aux couleurs pastel et le jardin paysagé avec ses pièces d'eau, me donnent une impression de déjà vu.

J'entre à la librairie des ÉDITIONS PARENTHÈSES, spécialiste des « beaux livres » : architecture, design, photo, cinéma...

On m'y informe gentiment que je trouverai probablement la nouvelle de Conrad que je cherche à L'ODEUR DU TEMPS, de l'autre côté du cours.

L'accueil est tout aussi chaleureux et me voilà discutant littérature avec un vrai passionné des livres.

Il est temps que j'aille à mon rendez-vous avec Claire et Simon. Ils m'attendent déjà à la terrasse de L'AVANT-SCÈNE. Un serveur souriant vient prendre la commande.

Filets de poisson cru mariné et mousse de citron : la salade tahitienne est un régal. Impossible de ne pas se laisser tenter par le parfait au chocolat dans sa sauce de chocolat chaud, délicieusement déraisonnable...

Comme son nom l'indique, l'Avant-Scène est aussi un théâtre qui, jusqu'à présent, ne fonctionne pas en permanece. Simon pense que la petite salle ferait un excellent cinéma d'Art et d'Essai.

Il nous entraîne à côté, visiter la dernière exposition de la GALERIE ROGER PAILHAS. Très bel espace, blanc et lumineux. Anciennement dénommé ARCA, la galerie a révélé la plupart des jeunes talents qui font aujourd'hui l'École de Marseille. Elle organise aussi, en avant-première, des manifestations de niveau international.

Simon, très excité, nous décrit l'accrochage qu'il envisage pour sa première exposition personnelle qui aura lieu en décembre. Nous décidons de poursuivre jusqu'au MUSÉE CANTINI où Simon veut nous montrer les collections d'art contemporain.

La soirée de la veille nous ayant donné l'envie d'écouter du jazz, avant de redescendre vers le centre ville, nous nous arrêtons chez JAZZOC pour acheter quelques disques introuvables ailleurs.

Autres boutiques spécialisées : La MAISON KHAN, pour la musique africaine et antillaise, derrière l'église des Réformés, et CHERCHEZ L'IDOLE pour la musique des fifties-sixties, à côté du marché des bouquinistes, place des Archives.

En descendant la butte du cours Julien, nous passons à la GALERIE ETHIC où Eric Klein, architecte, a installé son agence. Il expose

les créations des designers connus : Starck, Willemotte, Sotssass...
Mais aussi ses propres réalisations.

Claire n'était pas venue depuis longtemps au musée Cantini et elle
découvre avec plaisir qu'un nouvel espace spécialement réservé à
l'art contemporain a été ouvert au public.

À travers la galerie des faïences de Marseille et Moustiers, on aperçoit désormais le petit jardin clos et sa fontaine.

Décidement, Marseille m'apparaît comme un lieu de prédilection
pour l'art plastique et je comprends que Simon ait choisi d'y rester

C. VITTIGLIO

travailler, à la différence de beaucoup d'artistes de la génération pré-
cédente, exilés à Paris. Il faudra également que je trouve le temps
de passer au CHÂTEAU DE SERVIÈRES dans le quinzième arrondissement : depuis avril 1987 il propose au public ses salles d'exposition
pour l'art contemporain, sciences et techniques, ainsi que des ateliers d'artistes ouverts dans les mêmes locaux.

Nous nous retrouvons près du Carré Thiars, sur le port, à la
recherche d'un endroit abrité du soleil et de la foule, où je pourrai
satisfaire mon vice préféré : la gourmandise...

Voilà ce qu'il nous faut : l'ATELIER DU CHOCOLAT.

Très calme et confortable, il est fréquenté par la « bourgeoisie
éclairée » de la ville et les acteurs de passage au théâtre de la Criée,
tout proche.

Les gâteaux que compose Maurice Mistre portent d'ailleurs souvent le nom d'acteurs. Mon préféré : le « Suzanne Flon » (crème de
marron, chantilly sur mousse au chocolat).

Nous sommes un peu en avance pour le café-théâtre. Nous flâ-
nons un moment sur le quai-de-la-Rive-Neuve.

197

Simon nous emmène voir les derniers voiliers arrivés aux pannes du « Club de la Nautique ». De là, on aperçoit la mairie adossée au vieux quartier du Panier.

Le CHOCOLAT-THÉÂTRE ne peut, ni ne doit être confondu avec l'atelier du chocolat, et je doute que les habitués de l'un connaissent l'autre.

Ici, les amateurs de café-théâtre côtoient sans problèmes punks et rockys. Pas de chocolat ici mais plutôt de la bière. La salle est minuscule. Étrange et chaleureux.

Claire veut absolument aller dîner aux MILLE ET UNE NUITS. Situé boulevard d'Athènes, en remontant vers la gare Saint-Charles, c'est le restaurant maghrébin le plus connu de la ville. Peut-être un peu touristique. Bricks tunisiens et chakchoukas, poufs marocains en cuir, gigantesques plateaux de cuivre et danseuses du ventre (elles ne sont pas toutes énormes). À les voir se trémousser devant nous, je ressens des picotements dans les jambes et une furieuse envie de danser.

Nous filons au VAMPING, au début de la Corniche, sur la plage des Catalans.

Incroyable décor qui nous propulse dans un film de Scorcese. La chanteuse et l'orchestre derrière leurs pupitres pailletés, me rappellent *New York-New York*. Sur la piste, des couples s'enlacent savamment comme de véritables professionnels (valse, be-bop, cha-cha).

Simon m'entraîne dans un tango effréné.

La tête me tourne. Nous abondonnons Claire en grande discussion au bar pour faire quelques pas à l'extérieur, sur la corniche. Simon me guide sur la promenade.

Dans la nuit, la façade le l'HÔTEL PERON, avec ses fers forgés « Art Déco » me fait penser à un établissement thermal des années quarante.

Simon y est déjà allé plusieurs fois.

JEUDI

Dernier jour à Marseille. Je choisis de passer la matinée au MUSÉE DES BEAUX-ARTS. Situé dans l'aile gauche du palais Lonchamp, construit au XIXᵉ, le musée présente ses collections de peinture du XIVᵉ siècle à nos jours. Écoles française, hollandaise, italienne, flamande et provençale.

Dans les salles consacrées à Pierre Puget : sculptures, peintures et dessins.

La collection d'art primitif africain est particulièrement intéressante. Le muséum d'histoire naturelle se trouve dans l'autre aile du palais. Une colonnade en demi-cercle réunit les deux corps de bâtiment. Elle ouvre sur le jardin qui est adossé au parc zoologique.

Je n'ai qu'à traverser la place devant le palais pour me retrouver devant l'hôtel particulier de monsieur Grobet. Comme le musée Nissim de Comondon à Paris, celui de GROBET-LABADIE est à un niveau plus modeste une reconstitution de la demeure d'un collectionneur.

Je retrouve Claire dans la salle à manger lambrissée, devant les vitrines où sont exposées les faïences de Marseille. Nous filons à l'Estaque où Simon nous attend.

Il a installé son atelier dans les anciens entrepôts d'un semoulier, battus par le mistral, sur les hauteurs qui dominent le petit port et les bassins du port marchand. La vue y est spectaculaire, bien différente sans aucun doute de celle qu'ont pu admirer Renoir, Monticelli ou Cézanne.

Nous redescendrons chez LARRIEU : vue sur le port et poissons grillés. Face à nous, les kiosques des vendeurs de panisses et de chichis-fréjio. Impossible de me rappeler de quoi sont faites ces curieuses spécialités marseillaises : il faudrait que je relise Pagnol.

—————— *YANNICK BERTIN* ——————

Journaliste

CARTE DE LAURENT BERRANGER © AUTREMENT

RÉPERTOIRE
DES LIEUX CITÉS

BOULANGERIE

FOUR DES NAVETTES : 136, rue Sainte, 7e (91.33.32.12).

BOÎTES, DANCINGS

LE DUCK : 75, La Canebière, 1er (91.90.06.56).

LE VAMPING : 1, rue des Catalans, 7e (91.52.76.01).

LE POURQUOI : 1, rue Fortia, 1er (91.33.50.54) au 1er étage.

CAFÉS, BRASSERIES, BARS

LE NEW YORK : 7, quai des Belges, 1er (91.33.60.98).

LE PEANO : 30, cours d'Estienne-d'Orves, 1er (91.54.46.43).

LES FLOTS BLEUS : 82, corniche John-Kennedy, 7e (91.52.10.34).

LE PELLE-MÊLE : 45, cours d'Estienne-d'Orves, 1er (91.54.85.26).

BAR DE LA MARINE : 15, quai de Rive-Neuve, 7e (91.33.30.36).

CAFÉS-THÉÂTRE

CHOCOLAT THÉÂTRE : Verte Fontaine, 4, rue de la Croix, 7e (91.54.23.38).

CINÉMAS

PARIS 1 : 29, rue Francis-Davso, 6e (91.33.15.59).

PARIS 2 3 4 : 31, rue Pavillon, 1er (91.33.41.54). 3 salles.

LE BRETEUIL : 120, boulevard de Notre-Dame, 6e (91.37.71.36). 3 salles.

CINÉMATHÈQUE DE MARSEILLE I.N.A. : 2, rue de la Charité, 2e (91.90.01.35). Siège : 3, rue Colbert, 2e (91.75.43.92).

CONCERTS

ABBAYE DE SAINT-VICTOR : Association des amis de Saint-Victor, 3, rue de l'Abbaye, 7e (91.33.25.86). (Festival de musique octobre-décembre).

ESPACE JULIEN : 33, cours Julien, 6e (91.47.09.64).

THÉÂTRE AUX ÉTOILES : Palais du Pharo, 58, boulevard Charles-Livon, 7e (91.55.11.11). Uniquement de fin juin à août.

DISQUES

CHERCHEZ L'IDOLE : 5, cours Julien, 6e (91.42.83.13).

JAZZOC DISQUES : 19, rue des Trois-Mages, 1er (91.48.66.90).

MAISON KHAN : 8, rue Barbaroux, 1er (91.42.54.13).

GALERIES

F.R.A.C. : 1, place Francis-Chirat, 2e (91.91.27.55). Tous les jours de 12 h à 18 h sauf mardi.

C.I.R.V.A. : 62, rue de la Joliette, 2e (91.56.11.50).

GALERIE ATHANOR : 2, rue Moustier, 1er (91.33.83.46).

GALERIE ROGER PAILHAS (ARCA) : 61, cours Julien, 6e (91.42.18.01).

GALERIE ETHIC : 29, rue Fongate, 6e (91.55.08.70).

CHÂTEAU DE SERVIÈRES : place des Compagnons Bâtisseurs, 15e (91.60.99.94).

Et aussi :
GALERIE DES RAMBLES : 20, rue Saint-Antoine, 2e (91.91.88.85).

GALERIE DE LA VÉGA : 19, quai de Rive-Neuve, 7e (91.33.44.55).

HÔTELS

HÔTEL BEAUVAU **** : 4, rue Beauvau, 1er (91.54.91.00). 72 chambres de 500 à 650 F dont 35 sur le vieux port. Ouvert toute l'année.

HÔTEL LA RÉSIDENCE BOMPARD *** : 2, rue des Flots-Bleus, 7e (91.52.10.93). 47 chambres de 240 à 315 F dont 34 sur le parc. Ouvert toute l'année.

HÔTEL PÉRON ** : 119, corniche Kennedy, 7e (91.31.01.41). 28 chambres de 132 à 175 F. Chambres conseillées : 15-25-35. Ouvert toute l'année.

Et aussi :
HÔTEL LA RÉSIDENCE DU VIEUX PORT *** : 18, quai du Port, 2e (91.91.91.22). 50 chambres de 160 F à 330 F. Chambres conseillées : 45-55-72. Ouvert toute l'année.

HÔTEL LE RICHELIEU * : 52, corniche J.-F. Kennedy (91.31.01.92). 30 chambres de 120 F à 150 F. Chambres conseillées : 28-29-30. Ouvert toute l'année.

LIBRAIRIES

LIBRAIRIE DES ÉDITIONS PARENTHÈSES : 72, cours Julien, 6e (91.48.74.44).

L'ODEUR DU TEMPS : 6, rue Pastoret, 6e (91.94.04.31).

L'OMBRE DE SAÏNO : 6, rue des Trois-Rois, 6e (91.48.77.24).

LES ARCENAULX : 25, cours d'Estienne-d'Orves, 1er (91.54.39.37).

MUSÉES

CENTRE DE LA VIEILLE CHARITÉ : 2, rue de la Charité, 2e (91.56.28.38). Ouvert tous les jours de 12 h à 19 h, samedi et dimanche de 10 h à 19 h.

MUSÉE CANTINI : 19, rue Grignan, 1er (91.54.77.75). Ouvert tous les jours de 12 h à 19 h.

MUSÉE DES BEAUX ARTS : Palais Longchamp, 4e (91.62.21.17). Ouvert de 10 h à 12 h et de 14 h à 18 h 30. Fermé le mardi et mercredi matin.

MUSÉE GROBET-LABADIÉ : 140, boulevard Longchamp, 1er (91.62.21.82). Ouvert de 10 h à 12 h et de 14 h à 18 h 30. Fermé mardi et mercredi matin.

MUSÉE DU VIEUX MARSEILLE : La Maison diamantée, rue de la Prison, 2e (91.55.10.19). Ouvert tous les jours de 10 h à 17 h.

RESTAURANTS

LE MAS : 4, rue Lulli, 1er (91.33.25.90). Pâtes-grillades (carte : 100 F environ). Ouvert tous les jours de 20 h 30 à 6 h 00.

CHEZ ÉTIENNE : 43, rue de Lorette, 2e (pas de téléphone). Pizzas-pâtes-viandes (carte : 100 F environ). Ouvert tous les jours jusqu'à 23 h 00 sauf dimanche.

O'STOP : 16, place de l'Opéra, 1er (91.33.85.34). Pâtes-grillades-viandes (carte : 80 F environ). Ouvert 24 h/24 h tous les jours.

FRANCIS LE GREC : 56, rue Pierre-Albrand, 2e (91.90.80.56). (carte : 160 F environ) Spécialités grecques-viandes. Ouvert tous les jours de 14 h à 23 h sauf le dimanche.

AUX METS DE PROVENCE : 18, quai de Rive-Neuve, 7e (91.33.35.38). Spécialités provençales (carte : 330 F).

BUVETTE DU CHALET : Palais du Pharo, boulevard Charles-Livon, 7e. (carte : 60 F).

LE PAVILLON DU LAC : Parc Borelly, 8e (91.73.17.66). Fermé le soir.

LA BAIE DES SINGES : Anse Croisette, Les Goudes, 8e (91.73.68.87). Poissons grillés — crustacés (carte : 150-200 F environ).

LES TAMARIS : 40, boulevard de la Calanque de Samena, 8e (91.73.39.78). Poissons — spécialités grecques (carte : 150-200 F environ).

CHALET DU PETIT NICE : cours Pierre-Puget, 6e (91.31.06.59). Cuisine provençale (carte : 100 F environ).

LE PETIT NICE : Anse de Maldormé, corniche de Kennedy, 7e (91.52.14.30). Cuisine gastronomique (carte : 340-380 F environ).

L'ÉPUISETTE : rue du Vallon-des-Auffes, 7e (91.52.17.82). Poissons, bouillabaisse (carte : 300 F environ).

CHEZ FONFON : 140, Vallon-des-Auffes, 7e (91.52.14.38). Poissons, bouillabaisse (carte : 250-300 F environ).

LES ARCENAULX : 25, cours d'Estienne-d'Orves, 1er (91.54.39.37). Cuisine traditionnelle (carte : 100 F environ).

LE LUNCH : Calanque de Sormiou, 9e (91.25.05.37). Poissons, bouillabaisse (carte : 100 F environ).

L'AVANT-SCÈNE : 59, cours Julien, 6e (91.42.19.29). (carte : 100 F environ).

MILLE ET UNE NUITS : 4, boulevard

d'Athènes, 1er (91.50.51.05). Spécialités maghrébines (carte : 150 F environ).

LARRIEU : 64, avenue de l'Estaque, 16e (91.46.09.53). Poissons, coquillages (carte : 150-200 F environ).

CHEZ FRANCIS : Calanque de Niolon-Le-Rove (91.46.90.06). Poissons, bouillabaisse, coquillages (carte : 100-150 F environ).

PÉRON : 56, corniche Kennedy, 7e (91.52.43.70). Poissons, bouillabaisse (carte : 200-250 F environ).

SALONS DE THÉ

L'ATELIER DU CHOCOLAT : 45, cours d'Estienne-d'Orves, 1er (91.33.55.00). Ouvert tous les jours sauf dimanche.

Et aussi :
LES ARCENAULX : 25, cours d'Estienne-d'Orves, 1er (91.54.39.37).

THÉÂTRES

THÉÂTRE NATIONAL DE MARSEILLE LA CRIÉE : 30, rue de Rive-Neuve, 7e (91.54.70.54).

OPÉRA MUNICIPAL : place Reyer, 1er (91.55.21.22).

THÉÂTRE DU GYMNASE : 4, rue du Théâtre-Français, 1er (91.48.10.10).

THÉÂTRE D'ESSAI : Chapelle des Bernardines, 17, boulevard Garibaldi, 1er (91.42.45.33).

MASSALIA, THÉÂTRE DE MARIONNETTES : 60, rue Grignan, 1er (91.55.66.06).

● **Abonnements au 1er janvier 1989** : *Abonnement à la Revue Autrement, « série Mutations »,* consacrée à des faits de société, 1 an, 7 numéros : 490 F (France) ; 565 F (étranger) — *Abonnement hors-série, « série Monde »,* centrée sur les villes et pays étrangers, 1 an, 7 numéros : 495 F (France) ; 570 F (étranger) — *Abonnement couplé,* 1 an, 7 numéros + 7 numéros hors-série : 950 F (France) ; 1 100 F (étranger). Établir votre paiement (chèque bancaire ou postal, mandat-lettre) à l'ordre d'Autrement et l'envoyer à Autrement, Service abonnements, 99, rue d'Amsterdam, 75008 Paris. Tél. : (1) 42.80.68.55. Les virements postaux sont à effectuer à l'ordre de Nexso (C.C.P. Paris 1-198-50 C). Le montant de l'abonnement doit être joint à la commande. Veuillez prévoir un délai d'un mois pour l'installation de votre abonnement, plus le délai d'acheminement normal. Pour tout changement d'adresse, veuillez nous prévenir avant le 15 du mois et nous joindre votre dernière étiquette d'envoi. Un nouvel abonnement débute avec le numéro du mois en cours.
● **Vente individuelle des numéros déjà parus** : revue Autrement, 4, rue d'Enghien, 75010 Paris.
● **Diffusion en librairie** : Éditions du Seuil.

ÉVASION DEUX CARTES POUR CEUX QUI VOYAGENT A PLAISIR

MARSEILLE-PARIS 423^F

(prix aller simple, par personne)

A ce prix-là, vous amortissez le prix de votre carte ÉVASION, 590 F pour une année, en un ou deux voyages selon les destinations. Mais vous pouvez désormais préférer la nouvelle carte ÉVASION "Plein Ciel" qui, pour 1200 F par an, vous permet de voyager avec tous les avantages de cette nouvelle formule : réservation facilitée, comptoir spécial d'enregistrement, embarquement séparé, partie réservée à l'avant de l'appareil, service de boissons gratuites, quotidiens et magazines, livraison prioritaire de vos bagages... ces deux cartes vous ouvrent tous les vols bleus en semaine, tous les vols blancs et bleus en week-end (du vendredi 12 h au dimanche minuit) sur toutes les lignes Air Inter, ainsi que celles d'Air France sur Paris-Nice et Paris-Corse.
Renseignements et réservations Air Inter Marseille : 91.91.90.90 et toutes agences de voyages.

AIR INTER

LA DESSERTE DE MARSEILLE PAR AIR FRANCE

Air France relie Paris à Marseille deux fois par semaine. Chaque mardi et vendredi dans le sens Paris/Marseille, un Boeing 727 décolle à 21 h 20 de l'aéroport Charles de Gaulle, aérogare 2, terminal B pour se poser à Marseille à 22 h 35. Chaque mardi et jeudi dans le sens Marseille/Paris un Boeing 727 décolle à 6 h 30 de l'aéroport de Marseille pour se poser à Paris à 7 h 50.

Comme entre Paris et Nice et Paris et la Corse, Air France propose sa classe « Affaires », qui offre aux passagers, confort, tranquillité et un service raffiné.

Le Boeing 727 est équipé de 130 sièges en classe Économique, et de 25 fauteuils en classe Affaires.

Les tarifs sont :

- Tarif Affaires (aller-retour) : 1 758 F.
- Tarif Économique (aller-retour) : 1 466 F.

Il existe également des tarifs préférentiels réservés à certaines catégories de clientèle sur des vols désignés.